L'HOMME AUX QUARANTE ÉCUS

et

autres contes

VOLTAIRE

L'homme aux quarante écus

et

autres contes

VOLTAIRE
(1694-1778)

François-Marie Arouet, né à Paris le 21 novembre 1694, fils d'un riche notaire, est un enfant chétif. Ses études, chez les Jésuites, sont aussi brillantes que turbulentes. Grâce aux relations paternelles, dès son adolescence, il entre dans le monde où il se fait remarquer par sa vivacité d'esprit. Son père, qui le trouve trop impertinent — il écrit déjà des poèmes satiriques contre les puissants — le fait voyager, notamment en Hollande.

Pour s'être moqué du Régent, il est enfermé pendant onze mois à la Bastille en 1717, et met à profit ce séjour forcé pour travailler sur une épopée en vers à la gloire d'Henri IV, dans laquelle il dénonce le fanatisme religieux.

Sa première pièce, *Œdipe* (1718) est un succès ; ses pièces sont jouées à la Cour. Il se fait appeler M. de Voltaire. En 1725, le chevalier de Rohan, issu d'une vieille famille de la noblesse française, ironise sur ce nom d'emprunt. « Je commence mon nom et vous finissez le vôtre », réplique Voltaire. Battu par les valets du duc, il le provoque en duel. Scandale. Louis XV l'exile en Angleterre pour trois ans. Il s'y lie avec des philosophes et découvre une liberté morale et intellectuelle beaucoup plus développée qu'en France.

Rentré d'exil, il publie *Les Lettres philosophiques*, ouvrage brûlé comme scandaleux par le Parlement —

l'auteur y critique les traditions religieuses et sociales françaises en leur opposant le modèle libéral anglais — et reste à l'écart de la vie parisienne, travaillant à des tragédies.

En 1731, *Zaïre* est un triomphe. Voltaire est comparé à Corneille et à Racine. Quand il n'écrit pas, il spécule. Son père, s'il ne lui a accordé qu'un maigre héritage, lui a cependant légué son sens des affaires. Il a rencontré Mme du Châtelet, une femme philosophe (leur liaison durera dix-sept ans), et c'est dans son château de Cirey, entre Champagne et Lorraine, qu'il se réfugie lorsque Paris le boude.

En 1744, il revient dans la capitale. Protégé par Mme de Pompadour, élu à l'Académie française (1746), il fréquente les philosophes, et arrondit sa fortune comme fournisseur aux Armées. Frédéric II de Prusse l'accueille en 1750 et le nomme chambellan. Les deux hommes se brouillent deux ans plus tard.

Pour défendre ses idées philosophiques, Voltaire délaisse le théâtre pour le roman et le conte (*Zadig*, 1747; *Micromégas*, 1752); il travaille aussi à de grands ouvrages historiques.

Las de devoir, à chacun de ses pamphlets, fuir à travers l'Europe, il achète, à la frontière suisse, le domaine de Ferney (1759) où il va vivre les vingt dernières années de sa vie. Le « Patriarche de Ferney » organise l'industrie locale, reçoit dans son château toute l'Europe des arts et des lettres, polémique avec Jean-Jacques Rousseau et dénonce sans relâche le fanatisme religieux (*Candide*, 1759, l'affaire Calas, 1762...) et l'arbitraire du pouvoir.

En 1778, il accepte de revenir à Paris pour assister à la création de sa dernière pièce, *Irène*. C'est l'apothéose : le peuple salue en lui le défenseur des opprimés, les bourgeois le chantre de la tolérance, l'élite intellectuelle l'esprit éclairé génie de son temps. Seuls les prélats l'évitent.

Après deux mois de réceptions et d'honneurs, il meurt d'épuisement, le 30 mai 1778, à 84 ans. Le curé de Saint-Sulpice, à Paris, ayant refusé la sépulture, il est enterré dans les environs de Troyes. Ses cendres sont ramenées au Panthéon en 1791, au plus fort de cette Révolution dont il aura été, lui qui a connu les règnes de Louis XIV, Louis XV et Louis XVI, l'artisan involontaire.

« C'est le sort de toutes les conversations de passer d'un sujet à un autre. » Cette phrase, écrite à la fin de *L'Homme aux quarante écus*, en résume bien la forme, sinon la matière. Ce n'est pas tout à fait un conte, encore moins un roman, mais plutôt une suite d'historiettes et de dialogues où Voltaire, sous des dehors facétieux, a jeté à peu près tout ce qu'il avait sur le cœur. En effet, *L'Homme aux quarante écus* offre l'étincelant épitomé de son œuvre politique. Paru en février 1768 sans nom d'auteur, l'ouvrage a d'autant moins trompé le public à cet égard que Voltaire y cite largement son *Candide*... La relecture en est aujourd'hui réjouissante, la première partie n'ayant rien perdu, dans sa substance, de sa pertinence et de son opportunité.

Voltaire y dénonce en effet les idées « physiocratiques » en général et les travaux de Pierre Lemercier de La Rivière de Saint-Médard, auteur de *L'Ordre naturel et essentiel des sociétés politiques* publié l'année précédente, en particulier. Les physiocrates français, à qui l'on ne saurait contester le mérite d'avoir fondé l'une des premières théories économiques cohérentes et dont l'influence sur le développement du libéralisme sera considérable, postulaient notamment que, seule l'agriculture étant productive — les autres branches de l'activité humaine, telles que le commerce, la finance ou l'industrie, n'en constituant selon eux que des dérivés improductifs —, seule elle devait être soumise à l'impôt. La logique aberrante de ce système apparaît clairement aux yeux de Voltaire qui en dénonce l'injustice et la cruauté en la poussant jusqu'à l'absurde, avec une ironie qui rappelle le grand Swift des pamphlets Irlandais. Mais par-delà cette polémique doctrinale, historiquement datée, *L'Homme aux quarante écus* demeure extrêmement actuel dans la mesure où il oppose de façon définitive l'économie productive, qu'il conviendrait au contraire de protéger, à l'économie spéculative, qu'il serait alors légitime de durement taxer. Assez curieusement, certains passages ont même des accents presque « socialistes », voire « communistes », et en tout cas nettement prérévolutionnaires. Ainsi, comme un mousquetaire proposait à ses camarades d'aller incendier un couvent, symbole exécré de la richesse volée à la sueur des paysans, l'un d'eux « lui montra que le temps n'était pas encore venu, et le pria d'attendre encore deux ou trois ans ». Il ne se trompait que de vingt...

Le récit passe ensuite avec bonheur du coq à l'âne, avec un développement plus appuyé que les autres, et de la dernière violence, sur la malfaisance « antipatriotique » (le mot est employé par Voltaire) des religieux, ces « parricides qui étouffent une postérité tout entière », ces « fainéants sacrés » contre lesquels se trouve célébrée la Raison accompagnée de « ses deux intimes amies, l'Expérience et la Tolérance ». Par ailleurs, Voltaire règle peu charitablement quelques comptes philosophiques et personnels : avec les jésuites, avec son ennemi Fréron ou avec « ce pauvre Jean-Jacques » qu'il voue aux « petites maisons » (les asiles psychiatriques du temps).

Parmi les autres contes de ce recueil, on accordera une attention toute particulière à *La Princesse de Babylone*, paru quelques semaines après *L'Homme aux quarante écus*. On y retrouvera avec plaisir la veine spirituellement orientaliste de Voltaire, celle de

Zadig, bien accordée à un éloge de la liberté individuelle soutenue par le despotisme éclairé. C'était l'époque où, un peu partout en Europe, des souverains « philosophes » tentaient de combattre les ingérences de Rome et de réformer les institutions.

L'HOMME AUX QUARANTE ÉCUS

Un vieillard, qui *toujours plaint le présent et vante le passé*, me disait : « Mon ami, la France n'est pas aussi riche qu'elle l'a été sous Henri IV. Pourquoi ? C'est que les terres ne sont pas si bien cultivées ; c'est que les hommes manquent à la terre, et que le journalier ayant enchéri son travail, plusieurs colons laissent leurs héritages en friche.

— D'où vient cette disette de manœuvres ?

— De ce que quiconque s'est senti un peu d'industrie a embrassé les métiers de brodeur, de ciseleur, d'horloger, d'ouvrier en soie, de procureur, ou de théologien. C'est que la révocation de l'édit de Nantes a laissé un très grand vide dans le royaume ; que les religieuses et les mendiants se sont multipliés, et qu'enfin chacun a fui, autant qu'il a pu, le travail pénible de la culture, pour laquelle Dieu nous a fait naître, et que nous avons rendue ignominieuse, tant nous sommes sensés !

« Une autre cause de notre pauvreté est dans nos besoins nouveaux. Il faut payer à nos voisins quatre millions d'un article, et cinq ou six d'un autre, pour mettre dans notre nez une poudre puante venue de l'Amérique ; le café, le thé, le chocolat, la cochenille, l'indigo, les épiceries, nous coûtent plus de soixante millions par an. Tout cela était inconnu du temps de Henri IV, aux épiceries près, dont la consommation était bien moins grande. Nous brûlons cent fois plus de bougie, et nous tirons plus de la moitié de notre cire de l'étranger, parce que nous négligeons les ruches. Nous voyons cent fois plus de diamants aux oreilles, aux cous, aux mains de nos citoyennes de Paris et de nos grandes villes qu'il n'y en avait chez toutes les dames de la cour de Henri IV, en comptant la reine. Il a fallu payer presque toutes ces superfluités argent comptant.

« Observez surtout que nous payons plus de quinze millions de rentes sur l'Hôtel de Ville aux étrangers, et que Henri IV, à son avènement, en ayant trouvé pour deux millions en tout sur cet hôtel imaginaire, en remboursa sagement une partie pour délivrer l'État de ce fardeau.

« Considérez que nos guerres civiles avaient fait verser en France les trésors du Mexique, lorsque don *Phelippo el discreto* voulait acheter la France, et que depuis ce temps-là les guerres étrangères nous ont débarrassés de la moitié de notre argent.

« Voilà en partie les causes de notre pauvreté. Nous la cachons sous des lambris vernis, et par l'artifice des marchandes de modes : nous sommes pauvres avec goût. Il y a des financiers, des entrepreneurs, des négociants très riches ; leurs enfants, leurs gendres, sont très riches ; en général la nation ne l'est pas. »

Le raisonnement de ce vieillard, bon ou mauvais, fit sur moi une impression profonde : car le curé de ma paroisse, qui a toujours eu de l'amitié pour moi, m'a enseigné un peu de géométrie et d'histoire, et je commence à réfléchir, ce qui est très rare dans ma province. Je ne sais s'il avait raison en tout ; mais, étant fort pauvre, je n'eus pas grand peine à croire que j'avais beaucoup de compagnons[1].

1. Madame de Maintenon, qui en tout genre était une femme fort entendue, excepté dans celui sur lequel elle consultait le trigaud et processif abbé Gobelin, son confesseur ; Madame de Maintenon, dis-je, dans une de ses lettres, fait le compte du ménage de son frère et de sa femme, en 1680. Le mari et la femme avaient à payer le loyer d'une maison agréable ; leurs domestiques étaient au nombre de dix ; ils avaient quatre chevaux et deux cochers, un bon dîner tous les jours. Madame de Maintenon éva-

DÉSASTRE DE L'HOMME AUX QUARANTE ÉCUS

Je suis bien aise d'apprendre à l'univers que j'ai une terre qui me vaudrait net quarante écus de rente, n'était la taxe à laquelle elle est imposée.

Il parut plusieurs édits de quelques personnes qui, se trouvant de loisir, gouvernent l'État au coin de leur feu. Le préambule de ces édits était que la puissance *législatrice et exécutrice est née de droit divin copropriétaire de ma terre*, et que je lui dois au moins la moitié de ce que je mange. L'énormité de l'estomac de la puissance législatrice et exécutrice me fit faire un grand signe de croix. Que serait-ce si cette puissance, qui préside à l'*ordre essentiel des sociétés*, avait ma terre en entier! L'un est encore plus divin que l'autre.

Monsieur le contrôleur général sait que je ne payais en tout que douze livres; que c'était un fardeau très pesant pour moi, et que j'y aurais succombé si Dieu ne m'avait donné le génie de faire des paniers d'osier, qui m'aidaient à supporter ma misère. Comment donc pourrai-je tout d'un coup donner au roi vingt écus?

Les nouveaux ministres disaient encore dans leur préambule qu'on ne doit taxer que les terres, parce que tout vient de la terre, jusqu'à la pluie, et que par conséquent il n'y a que les fruits de la terre qui doivent l'impôt.

Un de leurs huissiers vint chez moi dans la dernière guerre; il me demanda pour ma quote-part trois setiers de blé et un sac de fèves, le tout valant vingt écus, pour soutenir la guerre qu'on faisait, et dont je n'ai jamais su la raison, ayant seulement entendu dire

lue le tout à neuf mille francs par an, et met trois mille livres pour le jeu, les spectacles, les fantaisies, et les magnificences de monsieur et de madame.

Il faudrait à présent environ quarante mille livres pour mener une telle vie dans Paris; il n'en eût fallu que six mille du temps de Henri IV. Cet exemple prouve assez que le vieux bonhomme ne radote pas absolument.

que, dans cette guerre, il n'y avait rien à gagner du tout pour mon pays, et beaucoup à perdre. Comme je n'avais alors ni blé, ni fèves, ni argent, la puissance législatrice et exécutrice me fit traîner en prison, et on fit la guerre comme on put.

En sortant de mon cachot, n'ayant que la peau sur les os, je rencontrai un homme joufflu et vermeil dans un carrosse à six chevaux; il avait six laquais, et donnait à chacun d'eux pour gages le double de mon revenu. Son maître d'hôtel, aussi vermeil que lui, avait deux mille francs d'appointements, et lui en volait par an vingt mille. Sa maîtresse lui coûtait quarante mille écus en six mois; je l'avais connu autrefois dans le temps qu'il était moins riche que moi : il m'avoua, pour me consoler, qu'il jouissait de quatre cent mille livres de rente. « Vous en payez donc deux cent mille à l'État, lui dis-je, pour soutenir la guerre avantageuse que nous avons; car moi, qui n'ai juste que mes cent vingt livres, il faut que j'en paye la moitié.

— Moi, dit-il, que je contribue aux besoins de l'État! Vous voulez rire, mon ami; j'ai hérité d'un oncle qui avait gagné huit millions à Cadix et à Surate; je n'ai pas un pouce de terre, tout mon bien est en contrats, en billets sur la place : je ne dois rien à l'État; c'est à vous de donner la moitié de votre subsistance, vous qui êtes un seigneur terrien. Ne voyez-vous pas que, si le ministre des finances exigeait de moi quelques secours pour la patrie, il serait un imbécile qui ne saurait pas calculer? Car tout vient de la terre; l'argent et les billets ne sont que des gages d'échange : au lieu de mettre sur une carte au pharaon cent setiers de blé, cent bœufs, mille moutons, et deux cents sacs d'avoine, je joue des rouleaux d'or qui représentent ces denrées dégoûtantes. Si, après avoir mis l'*impôt unique* sur ces denrées, on venait encore me demander de l'argent, ne voyez-vous pas que ce serait un double emploi? que ce serait demander deux fois la même chose? Mon oncle vendit à Cadix pour deux millions de votre blé, et pour deux millions d'étoffes fabriquées avec votre laine : il gagna plus de cent pour cent dans ces deux affaires. Vous concevez bien que ce profit fut fait sur des terres déjà taxées : ce que mon oncle achetait dix sous de vous, il le revendait plus de cinquante francs au Mexique ; et, tous frais faits, il est revenu avec huit millions.

« Vous sentez bien qu'il serait d'une horrible injustice de lui redemander quelques oboles sur les dix sous qu'il vous donna. Si vingt neveux comme moi, dont les oncles auraient gagné dans le bon temps chacun huit millions au Mexique, à Buenos-Ayres, à Lima, à Surate ou à Pondichéry, prêtaient seulement à l'État chacun deux cent mille francs dans les besoins urgents de la patrie, cela produirait quatre millions : quelle horreur ! Payez mon ami, vous qui jouissez en paix d'un revenu clair et net de quarante écus ; servez bien la patrie, et venez quelquefois dîner avec ma livrée. »

Ce discours plausible me fit beaucoup réfléchir, et ne me consola guère.

ENTRETIEN AVEC UN GÉOMÈTRE

Il arrive quelquefois qu'on ne peut rien répondre, et qu'on n'est pas persuadé. On est atterré sans pouvoir être convaincu. On sent dans le fond de son âme un scrupule, une répugnance qui nous empêche de croire ce qu'on nous a prouvé. Un géomètre vous démontre qu'entre un cercle et une tangente vous pouvez faire passer une infinité de lignes courbes, et que vous n'en pouvez faire passer une droite : vos yeux, votre raison, vous disent le contraire. Le géomètre vous répond gravement que c'est là un infini du second ordre. Vous vous taisez, et vous vous en retournez tout stupéfait, sans avoir aucune idée nette, sans rien comprendre, et sans rien répliquer.

Vous consultez un géomètre de meilleure foi, qui vous explique le mystère. « Nous supposons, dit-il, ce qui ne peut être dans la nature, des lignes qui ont de

la longueur sans largeur : il est impossible, physique-
ment parlant, qu'une ligne réelle en pénètre une
autre. Nulle courbe, ni nulle droite réelle ne peut passer entre deux lignes réelles qui se touchent : ce ne
sont là que des jeux de l'entendement, des chimères
idéales ; et la véritable géométrie est l'art de mesurer
les choses existantes. »

Je fus très content de l'aveu de ce sage mathémati-
cien, et je me mis à rire, dans mon malheur,
d'apprendre qu'il y avait de la charlatanerie jusque
dans la science qu'on appelle la *haute science*.

Mon géomètre était un citoyen philosophe qui avait
daigné quelquefois causer avec moi dans ma chaumière. Je lui dis : « Monsieur, vous avez tâché d'éclairer les badauds de Paris sur le plus grand intérêt des
hommes, la durée de la vie humaine. Le ministère a
connu par vous seul ce qu'il doit donner aux rentiers
viagers, selon leurs différents âges. Vous avez proposé
de donner aux maisons de la ville l'eau qui leur
manque, et de nous sauver enfin de l'opprobre et du
ridicule d'entendre toujours crier à *l'eau*, et de voir
des femmes enfermées dans un cerceau oblong porter
deux seaux d'eau, pesant ensemble trente livres, à un
quatrième étage auprès d'un privé. Faites-moi, je vous
prie, l'amitié de me dire combien il y a d'animaux à
deux mains et à deux pieds en France.

LE GÉOMÈTRE

On prétend qu'il y en a environ vingt millions, et je
veux bien adopter ce calcul très probable[1], en attendant qu'on le vérifie ; ce qui serait très aisé, et qu'on
n'a pas encore fait, *parce qu'on ne s'avise jamais de
tout.*

---

1. Cela est prouvé par les mémoires des intendants, faits à la
fin du dix-septième siècle, combinés avec le dénombrement par
feux, composé en 1753 par ordre de Monsieur le comte d'Argen-
son, et surtout avec l'ouvrage très exact de Monsieur de Mezence,
fait sous les yeux de Monsieur l'intendant de la Michaudière, l'un
des hommes les plus éclairés.

L'HOMME AUX QUARANTE ÉCUS

Combien croyez-vous que le territoire de France contienne d'arpents?

LE GÉOMÈTRE

Cent trente millions, dont presque la moitié est en chemins, en villes, villages, landes, bruyères, marais, sables, terres stériles, couvents inutiles, jardins de plaisance plus agréables qu'utiles, terrains incultes, mauvais terrains mal cultivés. On pourrait réduire les terres d'un bon rapport à soixante et quinze millions d'arpents carrés; mais comptons-en quatre-vingts millions: on ne saurait trop faire pour sa patrie.

L'HOMME AUX QUARANTE ÉCUS

Combien croyez-vous que chaque arpent rapporte l'un dans l'autre, année commune, en blés, en semence de toute espèce, vins, étangs, bois, métaux, bestiaux, fruits, laines, soies, lait, huiles, tous frais faits, sans compter l'impôt?

LE GÉOMÈTRE

Mais, s'ils produisent chacun vingt-cinq livres, c'est beaucoup; cependant mettons trente livres, pour ne pas décourager nos concitoyens. Il y a des arpents qui produisent des valeurs renaissantes estimées trois cents livres; il y en a qui produisent trois livres. La moyenne proportionnelle entre trois et trois cents est trente: car vous voyez bien que trois est à trente comme trente est à trois cents. Il est vrai que, s'il y avait beaucoup d'arpents à trente livres, et très peu à trois cents livres, notre compte ne s'y trouverait pas; mais, encore une fois, je ne veux point chicaner.

L'HOMME AUX QUARANTE ÉCUS

Eh bien! monsieur, combien les quatre-vingts millions d'arpents donneront-ils de revenu, estimé en argent?

LE GÉOMÈTRE

Le compte est tout fait : cela produit par an deux milliards quatre cents millions de livres numéraires au cours de ce jour.

L'HOMME AUX QUARANTE ÉCUS

J'ai lu que Salomon possédait lui seul vingt-cinq milliards d'argent comptant ; et certainement il n'y a pas deux milliards quatre cents millions d'espèces circulantes dans la France, qu'on m'a dit être beaucoup plus grande et plus riche que le pays de Salomon.

LE GÉOMÈTRE

C'est là le mystère : il y a peut-être à présent environ neuf cents millions d'argent circulant dans le royaume, et cet argent, passant de main en main, suffit pour payer toutes les denrées et tous les travaux ; le même écu peut passer mille fois de la poche du cultivateur dans celle du cabaretier et du commis des aides.

L'HOMME AUX QUARANTE ÉCUS

J'entends. Mais vous m'avez dit que nous sommes vingt millions d'habitants, hommes et femmes, vieillards et enfants : combien pour chacun, s'il vous plaît ?

LE GÉOMÈTRE

Cent vingt livres, ou quarante écus.

L'HOMME AUX QUARANTE ÉCUS

Vous avez deviné tout juste mon revenu : j'ai quatre arpents qui, en comptant les années de repos mêlées avec les années de produit, me valent cent vingt livres ; c'est peu de chose.

Quoi ! si chacun avait une portion égale, comme dans l'âge d'or, chacun n'aurait que cinq louis d'or par an ?

LE GÉOMÈTRE

Pas davantage, suivant notre calcul, que j'ai un peu enflé. Tel est l'état de la nature humaine. La vie et la fortune sont bien bornées : on ne vit à Paris, l'un portant l'autre, que vingt-deux à vingt-trois ans ; l'un portant l'autre, on n'a tout au plus que cent vingt livres par an à dépenser : c'est-à-dire que votre nourriture, votre vêtement, votre logement, vos meubles, sont représentés par la somme de cent vingt livres.

L'HOMME AUX QUARANTE ÉCUS

Hélas ! que vous ai-je fait pour m'ôter ainsi la fortune et la vie ? Est-il vrai que je n'aie que vingt-trois ans à vivre, à moins que je ne vole la part de mes camarades.

LE GÉOMÈTRE

Cela est incontestable dans la bonne ville de Paris ; mais de ces vingt-trois ans il en faut retrancher au moins dix de votre enfance : car l'enfance n'est pas une jouissance de la vie, c'est une préparation, c'est le vestibule de l'édifice, c'est l'arbre qui n'a pas encore donné de fruits, c'est le crépuscule d'un jour. Retranchez des treize années qui vous restent le temps du sommeil et celui de l'ennui, c'est au moins la moitié : reste six ans et demi que vous passez dans le chagrin, les douleurs, quelques plaisirs, et l'espérance.

L'HOMME AUX QUARANTE ÉCUS

Miséricorde ! votre compte ne va pas à trois ans d'une existence supportable.

LE GÉOMÈTRE

Ce n'est pas ma faute. La nature se soucie fort peu des individus. Il y a d'autres insectes qui ne vivent qu'un jour, mais dont l'espèce dure à jamais. La nature est comme ces grands princes qui comptent pour rien la perte de quatre cent mille hommes, pourvu qu'ils viennent à bout de leurs augustes desseins.

L'HOMME AUX QUARANTE ÉCUS

Quarante écus, et trois ans à vivre ! quelle ressource imagineriez-vous contre ces deux malédictions ?

LE GÉOMÈTRE

Pour la vie, il faudrait rendre dans Paris l'air plus pur, que les hommes mangeassent moins, qu'ils fissent plus d'exercice, que les mères allaitassent leurs enfants, qu'on ne fût plus assez malavisé pour craindre l'inoculation : c'est ce que j'ai déjà dit, et pour la fortune, il n'y a qu'à se marier, et faire des garçons et des filles.

L'HOMME AUX QUARANTE ÉCUS

Quoi ! le moyen de vivre commodément est d'associer ma misère à celle d'un autre ?

LE GÉOMÈTRE

Cinq ou six misères ensemble font un établissement très tolérable. Ayez une brave femme, deux garçons et deux filles seulement, cela fait sept cent vingt livres pour votre petit ménage, supposé que justice soit faite, et que chaque individu ait cent vingt livres de rente. Vos enfants en bas âge ne vous coûtent presque rien ; devenus grands, ils vous soulagent ; leurs secours mutuels vous sauvent presque toutes les dépenses, et vous vivez très heureusement en philosophe, pourvu que ces messieurs qui gouvernent l'État n'aient pas la barbarie de vous extorquer à chacun vingt écus par an ; mais le malheur est que nous ne sommes plus dans l'âge d'or, où les hommes, nés tous égaux, avaient également part aux productions succulentes d'une terre non cultivée. Il s'en faut beaucoup aujourd'hui que chaque être à deux mains et à deux pieds possède un fonds de cent vingt livres de revenu.

L'HOMME AUX QUARANTE ÉCUS

Ah! vous nous ruinez. Vous nous disiez tout à l'heure que dans un pays où il y a quatre-vingts millions d'arpents de terre assez bonne, et vingt millions d'habitants, chacun doit jouir de cent vingt livres de rente, et vous nous les ôtez.

LE GÉOMÈTRE

Je comptais suivant les registres du siècle d'or, et il faut compter suivant le siècle de fer. Il y a beaucoup d'habitants qui n'ont que la valeur de dix écus de rente, d'autres qui n'en ont que quatre ou cinq, et plus de six millions d'hommes qui n'ont absolument rien.

L'HOMME AUX QUARANTE ÉCUS

Mais ils mourraient de faim au bout de trois jours.

LE GÉOMÈTRE

Point du tout : les autres qui possèdent leurs portions les font travailler, et partagent avec eux ; c'est ce qui paye le théologien, le confiturier, l'apothicaire, le prédicateur, le comédien, le procureur et le fiacre. Vous vous êtes cru à plaindre de n'avoir que cent vingt livres à dépenser par an, réduites à cent huit livres à cause de votre taxe de douze francs ; mais regardez les soldats qui donnent leur sang pour la patrie : ils ne disposent, à quatre sous par jour, que de soixante et treize livres, et ils vivent gaiement en s'associant par chambrées.

L'HOMME AUX QUARANTE ÉCUS

Ainsi donc un ex-jésuite a plus de cinq fois la paye du soldat. Cependant les soldats ont rendu plus de services à l'État sous les yeux du roi à Fontenoy, à Laufelt, au siège de Fribourg, que n'en a jamais rendu le révérend père La Valette.

LE GÉOMÈTRE

Rien n'est plus vrai ; et même chaque jésuite devenu libre a plus à dépenser qu'il ne coûtait à son couvent : il y en a même qui ont gagné beaucoup d'argent à

faire des brochures contre les parlements, comme le
révérend père Patouillet et le révérend père Nonotte.
Chacun s'ingénie dans ce monde : l'un est à la tête
d'une manufacture d'étoffes ; l'autre de porcelaine ; un
autre entreprend l'opéra ; celui-ci fait la gazette ecclésiastique ; cet autre, une tragédie bourgeoise, ou un
roman dans le goût anglais ; il entretient le papetier,
le marchand d'encre, le libraire, le colporteur, qui
sans lui demanderaient l'aumône. Ce n'est enfin que
la restitution de cent vingt livres à ceux qui n'ont rien
qui fait fleurir l'État.

L'HOMME AUX QUARANTE ÉCUS

Parfaite manière de fleurir !

LE GÉOMÈTRE

Il n'y en a point d'autre : par tout pays le riche fait
vivre le pauvre. Voilà l'unique source de l'industrie du
commerce. Plus la nation est industrieuse, plus elle
gagne sur l'étranger. Si nous attrapions de l'étranger
dix millions par an pour la balance du commerce, il y
aurait dans vingt ans deux cents millions de plus dans
l'État : ce serait dix francs de plus à répartir loyale-
ment sur chaque tête, c'est-à-dire que les négociants
feraient gagner à chaque pauvre dix francs de plus,
dans l'espérance de faire des gains encore plus consi-
dérables ; mais le commerce a ses bornes, comme la
fertilité de la terre : autrement la progression irait à
l'infini ; et puis il n'est pas sûr que la balance de notre
commerce nous soit toujours favorable : il y a des
temps où nous perdons.

L'HOMME AUX QUARANTE ÉCUS

J'ai entendu parler beaucoup de population. Si
nous nous avisions de faire le double d'enfants de ce
que nous en faisons, si notre patrie était peuplée du

double, si nous avions quarante millions d'habitants au lieu de vingt, qu'arriverait-il?

LE GÉOMÈTRE

Il arriverait que chacun n'aurait à dépenser que vingt écus, l'un portant l'autre, ou qu'il faudrait que la terre rendît le double de ce qu'elle rend, ou qu'il y aurait le double de pauvres, ou qu'il faudrait avoir le double d'industrie, et gagner le double sur l'étranger, ou envoyer la moitié de la nation en Amérique, ou que la moitié de la nation mangeât l'autre.

L'HOMME AUX QUARANTE ÉCUS

Contentons-nous donc de nos vingt millions d'hommes, et de nos cent vingt livres par tête, réparties comme il plaît à Dieu; mais cette situation est triste, et votre siècle de fer est bien dur.

LE GÉOMÈTRE

Il n'y a aucune nation qui soit mieux, et il en est beaucoup qui sont plus mal. Croyez-vous qu'il y ait dans le Nord de quoi donner la valeur de cent vingt livres à chaque habitant? S'ils avaient eu l'équivalent, les Huns, les Goths, les Vandales et les Francs n'auraient pas déserté leur patrie pour aller s'établir ailleurs, le fer et la flamme à la main.

L'HOMME AUX QUARANTE ÉCUS

Si je vous laissais dire, vous me persuaderiez bientôt que je suis heureux avec mes cent vingt francs.

LE GÉOMÈTRE

Si vous pensiez être heureux, en ce cas vous le seriez.

L'HOMME AUX QUARANTE ÉCUS

On ne peut s'imaginer être ce qu'on n'est pas, à moins qu'on ne soit fou.

LE GÉOMÈTRE

Je vous ai déjà dit que, pour être plus à votre aise et plus heureux que vous n'êtes, il faut que vous preniez une femme ; mais j'ajouterai qu'elle doit avoir comme vous cent vingt livres de rente, c'est-à-dire quatre arpents à dix écus l'arpent. Les anciens Romains n'en avaient chacun que trois. Si vos enfants sont industrieux, ils pourront en gagner chacun autant en travaillant pour les autres.

L'HOMME AUX QUARANTE ÉCUS

Ainsi ils ne pourront avoir de l'argent sans que d'autres en perdent.

LE GÉOMÈTRE

C'est la loi de toutes les nations ; on ne respire qu'à ce prix.

L'HOMME AUX QUARANTE ÉCUS

Et il faudra que ma femme et moi nous donnions chacun la moitié de notre récolte à la puissance législatrice et exécutrice, et que les nouveaux ministres d'État nous enlèvent la moitié du prix de nos sueurs et de la substance de nos pauvres enfants avant qu'ils puissent gagner leur vie ! Dites-moi, je vous prie, combien nos nouveaux ministres font entrer d'argent de droit divin dans les coffres du roi.

LE GÉOMÈTRE

Vous payez vingt écus pour quatre arpents qui vous en rapportent quarante. L'homme riche qui possède quatre cents arpents payera deux mille écus par ce nouveau tarif, et les quatre-vingts millions d'arpents rendront au roi douze cents millions de livres par année, ou quatre cents millions d'écus.

L'HOMME AUX QUARANTE ÉCUS

Cela me paraît impraticable et impossible.

LE GÉOMÈTRE

Vous avez très grande raison, et cette impossibilité est une démonstration géométrique qu'il y a un vice fondamental de raisonnement dans nos nouveaux ministres.

L'HOMME AUX QUARANTE ÉCUS

N'y a-t-il pas aussi une prodigieuse injustice démontrée à me prendre la moitié de mon blé, de mon chanvre, de la laine de mes moutons, etc., et de n'exiger aucun secours de ceux qui auront gagné dix ou vingt, ou trente mille livres de rente avec mon chanvre, dont ils ont tissu de la toile; avec ma laine, dont ils ont fabriqué des draps; avec mon blé, qu'ils auront vendu plus cher qu'ils ne l'ont acheté?

LE GÉOMÈTRE

L'injustice de cette administration est aussi évidente que son calcul est erroné. Il faut que l'industrie soit favorisée; mais il faut que l'industrie opulente secoure l'État. Cette industrie vous a certainement ôté une partie de vos cent vingt livres, et se les est appropriées en vous vendant vos chemises et votre habit vingt fois plus cher qu'ils ne vous auraient coûté si vous les aviez faits vous-même. Le manufacturier, qui s'est enrichi à vos dépens, a, je l'avoue, donné un salaire à ses ouvriers, qui n'avaient rien par eux-mêmes; mais il a retenu pour lui, chaque année, une somme qui lui a valu enfin trente mille livres de rente : il a donc acquis cette fortune à vos dépens; vous ne pourrez jamais lui vendre vos denrées assez cher pour vous rembourser de ce qu'il a gagné sur vous : car, si vous tentiez ce surhaussement, il en ferait venir de l'étranger à meilleur prix. Une preuve que cela est ainsi, c'est qu'il reste toujours possesseur de ses trente mille livres de rente, et vous restez avec vos cent vingt livres, qui diminuent souvent, bien loin d'augmenter.

Il est donc nécessaire et équitable que l'industrie

raffinée du négociant paye plus que l'industrie grossière du laboureur. Il en est de même des receveurs
des deniers publics. Votre taxe avait été jusqu'ici de
douze francs avant que nos grands ministres vous
eussent pris vingt écus. Sur ces douze francs, le publi-
cain retenait dix sols pour lui. Si dans votre province
il y a cinq cent mille âmes, il aura gagné deux cent
cinquante mille francs par an. Qu'il en dépense cinquante, il est clair qu'au bout de dix ans il aura deux
millions de bien. Il est très juste qu'il contribue à proportion, sans quoi tout serait perverti et bouleversé.

L'HOMME AUX QUARANTE ÉCUS

Je vous remercie d'avoir taxé ce financier, cela sou-
lage mon imagination ; mais puisqu'il a si bien aug-
menté son superflu, comment puis-je faire pour
accroître aussi ma petite fortune ?

LE GÉOMÈTRE

Je vous l'ai déjà dit, en vous mariant, en travaillant,
en tâchant de tirer de votre terre quelques gerbes de
plus que ce qu'elle vous produisait.

L'HOMME AUX QUARANTE ÉCUS

Je suppose que j'aie bien travaillé ; que toute la
nation en ait fait autant ; que la puissance législatrice
et exécutrice en ait reçu un plus gros tribut : combien
la nation a-t-elle gagné au bout de l'année ?

LE GÉOMÈTRE

Rien du tout ; à moins qu'elle n'ait fait un commerce étranger utile ; mais elle aura vécu plus
commodément. Chacun aura eu à proportion plus
d'habits, de chemises, de meubles, qu'il n'en avait
auparavant. Il y aura eu dans l'État une circulation
plus abondante ; les salaires auront été augmentés
avec le temps à peu près en proportion du nombre de
gerbes de blé, de toisons de moutons, de cuirs de

bœufs, de cerfs et de chèvres, qui auront été employés, de grappes de raisin qu'on aura foulées dans le pressoir. On aura payé au roi plus de valeurs de denrées en argent, et le roi aura rendu plus de valeurs à tous ceux qu'il aura fait travailler sous ses ordres ; mais il n'y aura pas un écu de plus dans le royaume.

L'HOMME AUX QUARANTE ÉCUS

Que restera-t-il donc à la puissance au bout de l'année ?

LE GÉOMÈTRE

Rien, encore une fois ; c'est ce qui arrive à toute puissance : elle ne thésaurise pas ; elle a été nourrie, vêtue, logée, meublée ; tout le monde l'a été aussi, chacun suivant son état ; et, si elle thésaurise, elle a arraché à la circulation autant d'argent qu'elle en a entassé ; elle a fait autant de malheureux qu'elle a mis de fois quarante écus dans ses coffres.

L'HOMME AUX QUARANTE ÉCUS

Mais ce grand Henri IV n'était donc qu'un vilain, un ladre, un pillard : car on m'a conté qu'il avait encaqué dans la Bastille plus de cinquante millions de notre monnaie d'aujourd'hui ?

LE GÉOMÈTRE

C'était un homme aussi bon, aussi prudent que valeureux. Il allait faire une juste guerre, et en amassant dans ses coffres vingt-deux millions de son temps, en ayant encore à recevoir plus de vingt autres qu'il laissait circuler, il épargnait à son peuple plus de cent millions qu'il en aurait coûté s'il n'avait pas pris ces utiles mesures. Il se rendait moralement sûr du succès contre un ennemi qui n'avait pas les mêmes précautions. Le calcul des probabilités était prodigieusement en sa faveur. Ces vingt-deux millions encaissés prouvaient qu'il y avait alors dans le royaume la valeur de vingt-deux millions d'excédent dans les biens de la terre : ainsi personne ne souffrait.

L'HOMME AUX QUARANTE ÉCUS

Mon vieillard me l'avait bien dit qu'on était à proportion plus riche sous l'administration du duc de Sully que sous celle des nouveaux ministres, qui ont mis l'impôt unique, et qui m'ont pris vingt écus sur quarante. Dites-moi, je vous prie, y a-t-il une nation au monde qui jouisse de ce beau bénéfice de l'impôt unique ?

LE GÉOMÈTRE

Pas une nation opulente. Les Anglais, qui ne rient guère, se sont mis à rire quand ils ont appris que des gens d'esprit avaient proposé parmi nous cette administration. Les Chinois exigent une taxe de tous les vaisseaux marchands qui abordent à Kanton ; les Hollandais payent à Nangasaqui, quand ils sont reçus au Japon, sous prétexte qu'ils ne sont pas chrétiens ; les Lapons et les Samoyèdes, à la vérité, sont soumis à un impôt unique en peaux de martres ; la république de Saint-Marin ne paye que des dîmes pour entretenir l'État dans sa splendeur.

Il y a dans notre Europe une nation célèbre par son équité et par sa valeur qui ne paye aucune taxe : c'est le peuple helvétien. Mais voici ce qui est arrivé : ce peuple s'est mis à la place des ducs d'Autriche et de Zeringue ; les petits cantons sont démocratiques et très pauvres ; chaque habitant y paye une somme très modique pour les besoins de la petite république. Dans les cantons riches, on est chargé envers l'État des redevances que les archiducs d'Autriche et les seigneurs fonciers exigeaient : les cantons protestants sont à proportion du double plus riches que les catholiques, parce que l'État y possède les biens des moines. Ceux qui étaient sujets des archiducs d'Autriche, des ducs de Zeringue, et des moines, le sont aujourd'hui de la patrie ; ils payent à cette patrie les mêmes dîmes, les mêmes droits, les mêmes lods et ventes qu'ils payaient à leurs anciens maîtres ; et, comme les sujets en général ont très peu de commerce, le négoce n'est assujetti à aucune charge, excepté de petits droits d'entrepôt : les hommes trafiquent de leur valeur avec les puissances étrangères, et se vendent pour quelques années, ce qui fait entrer quelque argent dans leur pays à nos dépens ; et c'est un exemple aussi unique dans le monde policé que l'est l'impôt établi par vos nouveaux législateurs.

L'HOMME AUX QUARANTE ÉCUS

Ainsi, monsieur, les Suisses ne sont pas de droit divin dépouillés de la moitié de leurs biens ; et celui qui possède quatre vaches n'en donne pas deux à l'État ?

LE GÉOMÈTRE

Non, sans doute. Dans un canton, sur treize tonneaux de vin on en donne un et on en boit douze. Dans un autre canton, on paye la douzième partie et on en boit onze.

L'HOMME AUX QUARANTE ÉCUS

Ah ! qu'on me fasse Suisse ! Le maudit impôt que l'impôt unique et inique qui m'a réduit à demander l'aumône ! Mais trois ou quatre cents impôts, dont les noms même me sont impossibles à retenir et à prononcer, sont-ils plus justes et plus honnêtes ? Y a-t-il jamais eu un législateur qui, en fondant un État, ait imaginé de créer des conseillers du roi mesureurs de charbons, jaugeurs de vin, mouleurs de bois, langueyeurs de porcs, contrôleurs de beurre salé ? d'entretenir une armée de faquins deux fois plus nombreuse que celle d'Alexandre, commandée par soixante généraux qui mettent le pays à contribution, qui remportent des victoires signalées tous les jours, qui font des prisonniers, et qui quelquefois les sacrifient en l'air ou sur un petit théâtre de planches, comme faisaient les anciens Scythes, à ce que m'a dit mon curé?

Une telle législation, contre laquelle tant de cris s'élevaient, et qui faisait verser tant de larmes, valait-elle mieux que celle qui m'ôte tout d'un coup nettement et paisiblement la moitié de mon existence? J'ai peur qu'à bien compter on ne m'en prît en détail les trois quarts sous l'ancienne finance.

LE GÉOMÈTRE

Iliacos intra muros peccatur et extra.
Est modus in rebus. Caveas ne quid nimis.

L'HOMME AUX QUARANTE ÉCUS

J'ai appris un peu d'histoire et de géométrie, mais je ne sais pas le latin.

LE GÉOMÈTRE

Cela signifie à peu près : « On a tort des deux côtés. Gardez le milieu en tout. Rien de trop. »

L'HOMME AUX QUARANTE ÉCUS

Oui, rien de trop, c'est ma situation; mais je n'ai pas assez.

LE GÉOMÈTRE

Je conviens que vous périrez de faim, et moi aussi, et l'État aussi, supposé que la nouvelle administration dure seulement deux ans; mais il faut espérer que Dieu aura pitié de nous.

L'HOMME AUX QUARANTE ÉCUS

On passe sa vie à espérer, et on meurt en espérant. Adieu, monsieur; vous m'avez instruit, mais j'ai le cœur navré.

LE GÉOMÈTRE

C'est souvent le fruit de la science.

AVENTURE AVEC UN CARME

Quand j'eus bien remercié l'académicien de l'Académie des sciences de m'avoir mis au fait, je m'en allai tout pantois, louant la Providence, mais grommelant entre mes dents ces tristes paroles : « Vingt écus de rente seulement pour vivre, et n'avoir que vingt-deux ans à vivre ! » Hélas ! puisse notre vie être encore plus courte, puisqu'elle est si malheureuse !

Je me trouvai bientôt vis-à-vis d'une maison superbe. Je sentais déjà la faim ; je n'avais pas seulement la cent vingtième partie de la somme qui appartient de droit à chaque individu ; mais, dès qu'on m'eut appris que ce palais était le couvent des révérends pères carmes déchaussés, je conçus de grandes espérances, et je dis : « Puisque ces saints sont assez humbles pour marcher pieds nus, ils seront assez charitables pour me donner à dîner. »

Je sonnai ; un carme vint : « Que voulez-vous, mon fils ? — Du pain, mon révérend père ; les nouveaux édits m'ont tout ôté. — Mon fils, nous demandons nous-mêmes l'aumône ; nous ne la faisons pas. — Quoi ! votre saint institut vous ordonne de n'avoir pas de souliers, et vous avez une maison de prince, et vous me refusez à manger ! — Mon fils, il est vrai que nous sommes sans souliers et sans bas : c'est une dépense de moins ; mais nous n'avons pas plus froid aux pieds qu'aux mains ; et si notre saint institut nous avait ordonné d'aller cul nu, nous n'aurions point froid au derrière. A l'égard de notre belle maison, nous l'avons aisément bâtie, parce que nous avons cent mille livres de rente en maisons dans la même rue. — Ah ! ah ! vous me laissez mourir de faim, et vous avez cent mille livres de rente ! Vous en rendez donc cinquante mille au nouveau gouvernement ? — Dieu nous préserve de payer une obole ! Le seul produit de la terre cultivée par des mains laborieuses, endurcies de calus et mouillées de larmes, doit des tributs à la puissance législatrice et exécutrice. Les aumônes qu'on nous a données nous ont mis en état de faire bâtir ces maisons, dont nous tirons cent mille livres par an ; mais ces aumônes venant des fruits de la terre, ayant déjà payé le tribut, elles ne doivent pas payer deux fois : elles ont sanctifié les fidèles qui se sont appauvris en nous enrichissant, et nous continuons à demander l'aumône et à mettre à contribution le faubourg St-Germain pour sanctifier encore les fidèles. » Ayant dit ces mots, le carme me ferma la porte au nez.

Je passai par-devant l'hôtel des mousquetaires gris ; je contai la chose à un de ces messieurs : ils me donnèrent un bon dîner et un écu. L'un d'eux proposa d'aller brûler le couvent ; mais un mousquetaire plus sage lui montra que le temps n'était pas encore venu, et le pria d'attendre encore deux ou trois ans.

AUDIENCE DE MONSIEUR LE CONTRÔLEUR GÉNÉRAL

J'allai, avec mon écu, présenter un placet à monsieur le contrôleur général, qui donnait audience ce jour-là.

Son antichambre était remplie de gens de toute espèce. Il y avait surtout des visages encore plus pleins, des ventres plus rebondis, des mines plus fières que mon homme aux huit millions. Je n'osais m'approcher ; je les voyais, et ils ne me voyaient pas.

Un moine, gros décimateur, avait intenté un procès à des citoyens qu'il appelait *ses paysans.* Il avait déjà plus de revenu que la moitié de ses paroissiens ensemble, et de plus il était seigneur de fief. Il prétendait que ses vassaux, ayant converti avec des peines extrêmes leurs bruyères en vignes, ils lui devaient la dixième partie de leur vin, ce qui faisait, en comptant le prix du travail et des échalas, et des futailles, et du cellier, plus du quart de la récolte. « Mais comme les dîmes, disait-il, sont de droit divin, je demande le quart de la substance de mes paysans au nom de Dieu. » Le ministre lui dit : « Je vois combien vous êtes charitable ! »

Un fermier général, fort intelligent dans les aides, lui dit alors : « Monseigneur, ce village ne peut rien donner à ce moine : car, ayant fait payer aux paroissiens l'année passée trente-deux impôts pour leur vin, et les ayant fait condamner ensuite à payer le trop bu, ils sont entièrement ruinés. J'ai fait vendre leurs bestiaux et leurs meubles, ils sont encore mes redevables. Je m'oppose aux prétentions du révérend père.

— Vous avez raison d'être son rival, repartit le ministre ; vous aimez l'un et l'autre également votre prochain, et vous m'édifiez tous deux. »

Un troisième, moine et seigneur, dont les paysans sont mainmortables, attendait aussi un arrêt du conseil qui le mît en possession de tout le bien d'un badaud de Paris, qui, ayant par inadvertance demeuré un an et un jour dans une maison sujette à cette servitude et enclavée dans les États de ce prêtre, y était mort au bout de l'année. Le moine réclamait tout le bien du badaud, et cela de droit divin.

Le ministre trouva le cœur du moine aussi juste et aussi tendre que les deux premiers.

Un quatrième, qui était contrôleur du domaine, présenta un beau mémoire par lequel il se justifiait d'avoir réduit vingt familles à l'aumône. Elles avaient hérité de leurs oncles ou tantes, ou frères, ou cousins ; il avait fallu payer les droits. Le domanier leur avait prouvé généreusement qu'elles n'avaient pas assez estimé leurs héritages, qu'elles étaient beaucoup plus riches qu'elles ne croyaient, et, en conséquence, les ayant condamnées à l'amende du triple, les ayant ruinées en frais, et fait mettre en prison les pères de famille, il avait acheté leurs meilleures possessions sans bourse délier.

Le contrôleur général lui dit (d'un ton un peu amer à la vérité) : « *Euge* ! contrôleur *bone et fidelis ; quia supra pauca fuisti fidelis*, fermier général *te constituam*[1]. » Cependant il dit tout bas à un maître des

---

1. Je me fis expliquer ces paroles par un savant à quarante écus : elles me réjouirent.

requêtes qui était à côté de lui : « Il faudra bien faire rendre gorge à ces sangsues sacrées et à ces sangsues profanes : il est temps de soulager le peuple, qui, sans nos soins et notre équité, n'aurait jamais de quoi vivre que dans l'autre monde [1]. »

Des hommes d'un génie profond lui présentèrent des projets. L'un avait imaginé de mettre des impôts sur l'esprit. « Tout le monde, disait-il, s'empressera de payer, personne ne voulant passer pour un sot. » Le ministre lui dit : « Je vous déclare exempt de la taxe. »

Un autre proposa d'établir l'impôt unique sur les chansons et sur le rire, attendu que la nation était la plus gaie du monde, et qu'une chanson la consolait de tout ; mais le ministre observa que depuis quelque temps on ne faisait plus guère de chansons plaisantes, et il craignit que, pour échapper à la taxe, on ne devînt trop sérieux.

Vint un sage et brave citoyen qui offrit de donner au roi trois fois plus, en faisant payer par la nation trois fois moins. Le ministre lui conseilla d'apprendre l'arithmétique

Un cinquième prouvait au roi, *par amitié*, qu'il ne pouvait recueillir que soixante et quinze millions ; mais qu'il allait lui en donner deux cent vingt-cinq. « Vous me ferez plaisir, dit le ministre, quand nous aurons payé les dettes de l'État. »

Enfin arriva un commis de l'auteur nouveau qui fait la puissance législatrice copropriétaire de toutes nos terres par le droit divin, et qui donnait au roi douze cents millions de rente. Je reconnus l'homme qui m'avait mis en prison pour n'avoir pas payé mes vingt écus. Je me jetai aux pieds de monsieur le contrôleur général, et je lui demandai justice ; il fit un grand éclat de rire, et me dit que c'était un tour qu'on m'avait joué. Il ordonna à ces mauvais plaisants de me donner cent écus de dédommagement, et

---

1. Le cas à peu près semblable est arrivé dans la province que j'habite, et le contrôleur du domaine a été forcé à faire restitution ; mais il n'a pas été puni.

m'exempta de taille pour le reste de ma vie. Je lui dis :
« Monseigneur, Dieu vous bénisse ! »

LETTRE À L'HOMME AUX QUARANTE ÉCUS

Quoique je sois trois fois aussi riche que vous, c'est-
à-dire quoique je possède trois cent soixante livres ou
francs de revenu, je vous écris cependant comme
d'égal à égal, sans affecter l'orgueil des grandes fortunes.

J'ai lu l'histoire de votre désastre et de la justice que
monsieur le contrôleur général vous a rendue ; je vous
en fais mon compliment ; mais par malheur je viens
de lire le *Financier citoyen*, malgré la répugnance que
m'avait inspirée le titre, qui paraît contradictoire à
bien des gens. Ce citoyen vous ôte vingt francs de vos
rentes, et à moi soixante : il n'accorde que cent francs
à chaque individu sur la totalité des habitants ; mais,
en récompense, un homme non moins illustre enfle
nos rentes jusqu'à cent cinquante livres ; je vois que
votre géomètre a pris un juste milieu. Il n'est point de
ces magnifiques seigneurs qui d'un trait de plume
peuplent Paris d'un million d'habitants, et vous font
rouler quinze cents millions d'espèces sonnantes dans
le royaume, après tout ce que nous en avons perdu
dans nos guerres dernières.

Comme vous êtes grand lecteur, je vous prêterai le
Financier citoyen ; mais n'allez pas le croire en tout : il
cite le testament du grand ministre Colbert, et il ne
sait pas que c'est une rapsodie ridicule faite par un
Gatien de Courtilz ; il cite la *Dîme* du maréchal de
Vauban, et il ne sait pas qu'elle est d'un Boisguilbert ;
il cite le testament du cardinal de Richelieu, et il ne
sait pas qu'il est de l'abbé de Bourzeis. Il suppose que
ce cardinal assure que *quand la viande enchérit, on
donne une paye plus forte au soldat*. Cependant la
viande enchérit beaucoup sous son ministère, et la
paye du soldat n'augmenta point : ce qui prouve,
indépendamment de cent autres preuves, que ce livre

reconnu pour supposé dès qu'il parut, et ensuite attribué au cardinal même, ne lui appartient pas plus que les testaments du cardinal Alberoni et du maréchal de Belle-Isle ne leur appartiennent.

Défiez-vous toute votre vie des testaments et des systèmes : j'en ai été la victime comme vous. Si les Solons et les Lycurgues modernes se sont moqués de vous, les nouveaux Triptolèmes se sont encore plus moqués de moi, et, sans une petite succession qui m'a ranimé, j'étais mort de misère.

J'ai cent vingt arpents labourables dans le plus beau pays de la nature, et le sol le plus ingrat. Chaque arpent ne rend, tous frais faits, dans mon pays, qu'un écu de trois livres. Dès que j'eus lu dans les journaux qu'un célèbre agriculteur avait inventé un nouveau semoir, et qu'il labourait sa terre par planches, afin qu'en semant moins il recueillît davantage, j'empruntai vite de l'argent, j'achetai un semoir, je labourai par planches ; je perdis ma peine et mon argent, aussi bien que l'illustre agriculteur qui ne sème plus par planches.

Mon malheur voulut que je lusse le *Journal économique*, qui se vend à Paris chez Boudot. Je tombai sur l'expérience d'un Parisien ingénieux qui, pour se réjouir, avait fait labourer son parterre quinze fois, et y avait semé du froment, au lieu d'y planter des tulipes ; il eut une récolte très abondante. J'empruntai encore de l'argent. « Je n'ai qu'à donner trente labours, me disais-je, j'aurai le double de la récolte de ce digne Parisien, qui s'est formé des principes d'agriculture à l'Opéra et à la Comédie ; et me voilà enrichi par ses leçons et par son exemple. »

Labourer seulement quatre fois dans mon pays est une chose impossible ; la rigueur et les changements soudains des saisons ne le permettent pas ; et d'ailleurs le malheur que j'avais eu de semer par planches, comme l'illustre agriculteur dont j'ai parlé, m'avait forcé à vendre mon attelage. Je fais labourer trente fois mes cent vingt arpents par toutes les charrues qui sont à quatre lieues à la ronde. Trois labours pour

chaque arpent coûtent douze livres, c'est un prix fait ;
il fallut donner trente façons par arpent ; le labour de
chaque arpent me coûta cent vingt livres : la façon de
mes cent vingt arpents me revint à quatorze mille
quatre cents livres. Ma récolte, qui se monte, année
commune, dans mon maudit pays, à trois cents
setiers, monta, il est vrai, à trois cent trente, qui, à
vingt livres le setier, me produisirent six mille six
cents livres : je perdis sept mille huit cents livres ; il
est vrai que j'eus la paille.

J'étais ruiné, abîmé, sans une vieille tante qu'un
grand médecin dépêcha dans l'autre monde, en rai-
sonnant aussi bien en médecine que moi en agriculture.

Qui croirait que j'eus encore la faiblesse de me laisser séduire par le *Journal* de Boudot ? Cet homme-là,
après tout, n'avait pas juré ma perte. Je lis dans son
recueil qu'il n'y a qu'à faire une avance de quatre
mille francs pour avoir quatre mille livres de rente en
artichauts : certainement Boudot me rendra en artichauts ce qu'il m'a fait perdre en blé. Voilà mes
quatre mille francs dépensés, et mes artichauts mangés par des rats de campagne. Je fus hué dans mon
canton comme le diable de Papefiguière.

J'écrivais une lettre de reproche fulminante à Boudot. Pour toute réponse le traître s'égaya dans son
Journal à mes dépens. Il me nia impudemment que
les Caraïbes fussent nés rouges ; je fus obligé de lui
envoyer une attestation d'un ancien procureur du roi
de la Guadeloupe, comme quoi Dieu a fait les
Caraïbes rouges ainsi que les Nègres noirs. Mais cette
petite victoire ne m'empêcha pas de perdre jusqu'au
dernier sou toute la succession de ma tante, pour
avoir trop cru les nouveaux systèmes. Mon cher monsieur, encore une fois, gardez-vous des charlatans.

NOUVELLES DOULEURS OCCASIONNÉES
PAR LES NOUVEAUX SYSTÈMES

(Ce petit morceau est tiré des manuscrits d'un vieux solitaire)

Je vois que si de bons citoyens se sont amusés à gouverner les États, et à se mettre à la place des rois ; si d'autres se sont crus des Triptolèmes et des Cérès, il y en a de plus fiers qui se sont mis sans façon à la place de Dieu, et qui ont créé l'univers avec leur plume, comme Dieu le créa autrefois par la parole.

Un des premiers qui se présenta à mes adorations fut un descendant de Thalès, nommé Telliamed, qui m'apprit que les montagnes et les hommes sont produits par les eaux de la mer. Il y eut d'abord de beaux hommes marins qui ensuite devinrent amphibies. Leur belle queue fourchue se changea en cuisses et en jambes. J'étais encore tout plein des *Métamorphoses* d'Ovide, et d'un livre où il était démontré que la race des hommes était bâtarde d'une race de babouins : j'aimais autant descendre d'un poisson que d'un singe.

Avec le temps j'eus quelques doutes sur cette généalogie, et même sur la formation des montagnes. « Quoi ! me dit-il, vous ne savez pas que les courants de la mer, qui jettent toujours du sable à droite et à gauche à dix ou douze pieds de hauteur, tout au plus, ont produit, dans une suite infinie de siècles, des montagnes de vingt mille pieds de haut, lesquelles ne sont pas de sable ? Apprenez que la mer a nécessairement couvert tout le globe. La preuve en est qu'on a vu des ancres de vaisseau sur le mont Saint-Bernard, qui étaient là plusieurs siècles avant que les hommes eussent des vaisseaux. Figurez-vous que la terre est un globe de verre qui a été longtemps tout couvert d'eau. »

Plus il m'endoctrinait, plus je devenais incrédule. « Quoi donc ! me dit-il, n'avez-vous pas vu le falun de Touraine à trente-six lieues de la mer ? C'est un amas de coquilles avec lesquelles on engraisse la terre comme avec du fumier. Or, si la mer a déposé dans la succession des temps une mine entière de coquilles à trente-six lieues de l'Océan, pourquoi n'aura-t-elle pas été jusqu'à trois mille lieues pendant plusieurs siècles sur notre globe de verre ? »

Je lui répondis : « Monsieur Telliamed, il y a des gens qui font quinze lieues par jour à pied ; mais ils ne peuvent en faire cinquante. Je ne crois pas que mon jardin soit de verre ; et quant à votre falun, je doute encore qu'il soit un lit de coquilles de mer. Il se pourrait bien que ce ne fût qu'une mine de petites pierres calcaires qui prennent aisément la forme des fragments de coquilles, comme il y a des pierres qui sont figurées en langues, et qui ne sont point des langues ; en étoiles, et qui ne sont point des astres ; en serpents roulés sur eux-mêmes, et qui ne sont point des serpents ; en parties naturelles du beau sexe, et qui ne sont point pourtant les dépouilles des dames. On voit des dendrites, des pierres figurées, qui représentent des arbres et des maisons, sans que jamais ces petites pierres aient été des maisons et des chênes.

« Si la mer avait déposé tant de lits de coquilles en Touraine, pourquoi aurait-elle négligé la Bretagne, la Normandie, la Picardie, et toutes les autres côtes ? J'ai bien peur que ce falun tant vanté ne vienne pas plus de la mer que les hommes. Et quand la mer se serait répandue à trente-six lieues, ce n'est pas à dire qu'elle ait été jusqu'à trois mille, et même jusqu'à trois cents, et que toutes les montagnes aient été produites par les eaux. J'aimerais autant dire que le Caucase a formé la mer, que de prétendre que la mer a fait le Caucase.

— Mais, monsieur l'incrédule, que répondrez-vous aux huîtres pétrifiées qu'on a trouvées sur le sommet des Alpes ?

— Je répondrai, monsieur le créateur, que je n'ai pas vu plus d'huîtres pétrifiées que d'ancres de vaisseau sur le haut du mont Cenis. Je répondrai ce qu'on a déjà dit, qu'on a trouvé des écailles d'huîtres (qui se pétrifient aisément) à de très grandes distances de la mer, comme on a déterré des médailles romaines à cent lieues de Rome ; et j'aime mieux croire que des pèlerins de Saint-Jacques ont laissé quelques coquilles vers Saint-Maurice que d'imaginer que la mer a formé le mont Saint-Bernard.

« Il y a des coquillages partout ; mais est-il bien sûr qu'ils ne soient pas les dépouilles des testacés et des crustacés de nos lacs et de nos rivières, aussi bien que des petits poissons marins ?

— Monsieur l'incrédule, je vous tournerai en ridicule dans le monde que je me propose de créer.

— Monsieur le créateur, à vous permis ; chacun est le maître dans son monde ; mais vous ne me ferez jamais croire que celui où nous sommes soit de verre, ni que quelques coquilles soient des démonstrations que la mer a produit les Alpes et le mont Taurus. Vous savez qu'il n'y a aucune coquille dans les montagnes d'Amérique. Il faut que ce ne soit pas vous qui ayez créé cet hémisphère, et que vous vous soyez contenté de former l'ancien monde : c'est bien assez.

— Monsieur, monsieur, si on n'a pas découvert de coquilles sur les montagnes d'Amérique, *on en découvrira*.

— Monsieur, c'est parler en créateur qui sait son secret, et qui est sûr de son fait. Je vous abandonne, si vous voulez, votre falun, pourvu que vous me laissiez mes montagnes. Je suis d'ailleurs le très humble et très obéissant serviteur de votre providence. »

Dans le temps que je m'instruisais ainsi avec Telliamed, un jésuite irlandais déguisé en homme, d'ailleurs grand observateur, et ayant de bons microscopes, fit des anguilles avec de la farine de blé ergoté. On ne douta pas alors qu'on ne fît des hommes avec de la farine de bon froment. Aussitôt on créa des particules organiques qui composèrent des hommes. Pourquoi non ? Le grand géomètre Fatio avait bien ressuscité des morts à Londres : on pouvait tout aussi aisément faire à Paris des vivants avec des particules organiques ; mais, malheureusement les nouvelles anguilles de Needham ayant disparu, les nouveaux hommes disparurent aussi, et s'enfuirent chez les monades, qu'ils rencontrèrent dans le plein au milieu de la matière subtile, globuleuse, et cannelée.

Ce n'est pas que ces créateurs de systèmes n'aient rendu de grands services à la physique; à Dieu ne plaise que je méprise leurs travaux! On les a comparés à des alchimistes qui, en faisant de l'or (qu'on ne fait point), ont trouvé de bons remèdes, ou du moins des choses très curieuses. On peut être un homme d'un rare mérite, et se tromper sur la formation des animaux et sur la structure du globe.

Les poissons changés en hommes, et les eaux changées en montagnes, ne m'avaient pas fait autant de mal que M. Boudot. Je me bornais tranquillement à douter, lorsqu'un Lapon me prit sous sa protection. C'était un profond philosophe, mais qui ne pardonnait jamais aux gens qui n'étaient pas de son avis. Il me fit d'abord connaître clairement l'avenir en exaltant mon âme. Je fis de si prodigieux efforts d'exaltation que j'en tombai malade; mais il me guérit en m'enduisant de poix-résine de la tête aux pieds. A peine fus-je en état de marcher qu'il me proposa un voyage aux terres australes pour y disséquer des têtes de géants, ce qui nous ferait connaître clairement la nature de l'âme. Je ne pouvais supporter la mer; il eut la bonté de me mener par terre. Il fit creuser un grand trou dans le globe terraqué : ce trou allait droit chez les Patagons. Nous partîmes; je me cassai une jambe à l'entrée du trou; on eut beaucoup de peine à me redresser la jambe : il s'y forma un calus qui m'a beaucoup soulagé.

J'ai déjà parlé de tout cela dans une de mes diatribes pour instruire l'univers très attentif à ces grandes choses. Je suis bien vieux; j'aime quelquefois à répéter mes contes, afin de les inculquer mieux dans la tête des petits garçons pour lesquels je travaille depuis si longtemps.

MARIAGE DE L'HOMME AUX QUARANTE ÉCUS

L'homme aux quarante écus s'étant beaucoup formé, et ayant fait une petite fortune, épousa une jolie fille qui possédait cent écus de rente. Sa femme devint bientôt grosse. Il alla trouver son géomètre, et lui demanda si elle lui donnerait un garçon ou une fille. Le géomètre lui répondit que les sages-femmes, les femmes de chambre, le savaient pour l'ordinaire; mais que les physiciens, qui prédisent les éclipses, n'étaient pas si éclairés qu'elles.

Il voulut savoir ensuite si son fils ou sa fille avait déjà une âme. Le géomètre dit que ce n'était pas son affaire, et qu'il en fallait parler au théologien du coin.

L'homme aux quarante écus, qui était déjà l'homme aux deux cents écus pour le moins, demanda en quel endroit était son enfant. « Dans une petite poche, lui dit son ami, entre la vessie et l'intestin rectum. — O Dieu paternel! s'écria-t-il, l'âme immortelle de mon fils née et logée entre de l'urine et quelque chose de pis! — Oui, mon cher voisin, l'âme d'un cardinal n'a point eu d'autre berceau; et avec cela on fait le fier, on se donne des airs.

— Ah! monsieur le savant, ne pourriez-vous point me dire comment les enfants se font?

— Non, mon ami; mais, si vous voulez, je vous dirai ce que les philosophes ont imaginé, c'est-à-dire comment les enfants ne se font point.

« Premièrement, le révérend père Sanchez, dans son excellent livre *de Matrimonio*, est entièrement de l'avis d'Hippocrate; il croit comme un article de foi que les deux véhicules fluides de l'homme et de la femme s'élancent et s'unissent ensemble, et que dans le moment l'enfant est conçu par cette union; et il est si persuadé de ce système physique, devenu théologique, qu'il examine, chapitre XXI du livre second, *utrum virgo Maria semen emiserit in copulatione cum Spiritu Sancto.*

— Eh! monsieur, je vous ai déjà dit que je

n'entends pas le latin; expliquez-moi en français l'oracle du père Sanchez. »

Le géomètre lui traduisit le texte, et tous deux frémirent d'horreur.

Le nouveau marié, en trouvant Sanchez prodigieusement ridicule, fut pourtant assez content d'Hippocrate; et il se flattait que sa femme avait rempli toutes les conditions imposées par ce médecin pour faire un enfant.

« Malheureusement, lui dit le voisin, il y a beaucoup de femmes qui ne répandent aucune liqueur, qui ne reçoivent qu'avec aversion les embrassements de leurs maris, et qui cependant en ont des enfants. Cela seul décide contre Hippocrate et Sanchez.

« De plus, il y a très grande apparence que la nature agit toujours dans les mêmes cas par les mêmes principes : or il y a beaucoup d'espèces d'animaux qui engendrent sans copulation, comme les poissons écaillés, les huîtres, les pucerons. Il a donc fallu que les physiciens cherchassent une mécanique de génération qui convînt à tous les animaux. Le célèbre Harvey, qui le premier démontra la circulation, et qui était digne de découvrir le secret de la nature, crut l'avoir trouvé dans les poules : elles pondent des œufs; il jugea que les femmes pondaient aussi. Les mauvais plaisants dirent que c'est pour cela que les bourgeois, et même quelques gens de cour, appellent leur femme ou leur maîtresse *ma poule*, et qu'on dit que toutes les femmes sont coquettes, parce qu'elles voudraient que les coqs les trouvassent belles. Malgré ces railleries, Harvey ne changea point d'avis, et il fut établi dans toute l'Europe que nous venons d'un œuf.

L'HOMME AUX QUARANTE ÉCUS

Mais, monsieur, vous m'avez dit que la nature est toujours semblable à elle-même, qu'elle agit toujours par le même principe dans le même cas : les femmes, les juments, les ânesses, les anguilles, ne pondent point; vous vous moquez de moi.

LE GÉOMÈTRE

Elles ne pondent point en dehors, mais elles pondent en dedans ; elles ont des ovaires comme tous les oiseaux ; les juments, les anguilles, en ont aussi. Un œuf se détache de l'ovaire ; il est couvé dans la matrice. Voyez tous les poissons écaillés, les grenouilles : ils jettent des œufs, que le mâle féconde. Les baleines et les autres animaux marins de cette espèce font éclore leurs œufs dans leur matrice. Les mites, les teignes, les plus vils insectes, sont visiblement formés d'un œuf : tout vient d'un œuf ; et notre globe est un grand œuf qui contient tous les autres.

L'HOMME AUX QUARANTE ÉCUS

Mais vraiment ce système porte tous les caractères de la vérité ; il est simple, il est uniforme, il est démontré aux yeux dans plus de la moitié des animaux ; j'en suis fort content, je n'en veux point d'autre : les œufs de ma femme me sont fort chers.

LE GÉOMÈTRE

On s'est lassé à la longue de ce système : on a fait les enfants d'une autre façon.

L'HOMME AUX QUARANTE ÉCUS

Et pourquoi, puisque celle-là est si naturelle ?

LE GÉOMÈTRE

C'est qu'on a prétendu que nos femmes n'ont point d'ovaire, mais seulement de petites glandes.

L'HOMME AUX QUARANTE ÉCUS

Je soupçonne que des gens qui avaient un autre système à débiter ont voulu décréditer les œufs.

LE GÉOMÈTRE

Cela pourrait bien être. Deux Hollandais s'avisèrent d'examiner la liqueur séminale au microscope, celle de l'homme, celle de plusieurs animaux, et ils crurent y apercevoir des animaux déjà tout formés qui couraient avec une vitesse inconcevable. Ils en virent même dans le fluide séminal du coq. Alors on jugea que les mâles faisaient tout, et les femelles rien ; elles ne servirent plus qu'à porter le trésor que le mâle leur avait confié.

L'HOMME AUX QUARANTE ÉCUS

Voilà qui est bien étrange. J'ai quelques doutes sur tous ces petits animaux qui frétillent si prodigieusement dans une liqueur, pour être ensuite immobiles dans les œufs des oiseaux, et pour être non moins immobiles neuf mois, à quelques culbutes près, dans le ventre de la femme ; cela ne me paraît pas conséquent. Ce n'est pas, autant que j'en puis juger, la marche de la nature. Comment sont faits, s'il vous plaît, ces petits hommes qui sont si bons nageurs dans la liqueur dont vous me parlez ?

LE GÉOMÈTRE

Comme des vermisseaux. Il y avait surtout un médecin, nommé Andry, qui voyait des vers partout, et qui voulait absolument détruire le système d'Harvey. Il aurait, s'il l'avait pu, anéanti la circulation du sang, parce qu'un autre l'avait découverte. Enfin deux Hollandais et monsieur Andry, à force de tomber dans le péché d'Onan et de voir les choses au microscope, réduisirent l'homme à être chenille. Nous sommes d'abord un ver comme elle ; de là, dans notre enveloppe, nous devenons comme elle, pendant neuf mois, une vraie chrysalide, que les paysans appellent *fève*. Ensuite, si la chenille devient papillon, nous devenons hommes : voilà nos métamorphoses.

L'HOMME AUX QUARANTE ÉCUS

Eh bien ! s'en est-on tenu là ? N'y a-t-il point eu depuis de nouvelle mode ?

LE GÉOMÈTRE

On s'est dégoûté d'être chenille. Un philosophe extrêmement plaisant a découvert dans une *Vénus physique* que l'attraction faisait les enfants ; et voici comment la chose s'opère. Le germe étant tombé dans la matrice, l'œil droit attire l'œil gauche, qui arrive pour s'unir à lui en qualité d'œil; mais il en est empêché par le nez, qu'il rencontre en chemin, et qui l'oblige de se placer à gauche. Il en est de même des bras, des cuisses et des jambes, qui tiennent aux cuisses. Il est difficile d'expliquer, dans cette hypothèse, la situation des mamelles et des fesses. Ce grand philosophe n'admet aucun dessein de l'Être créateur dans la formation des animaux; il est bien loin de croire que le cœur soit fait pour recevoir le sang et pour le chasser, l'estomac pour digérer, les yeux pour voir, les oreilles pour entendre : cela lui paraît trop vulgaire; tout se fait par attraction.

L'HOMME AUX QUARANTE ÉCUS

Voilà un maître fou. Je me flatte que personne n'a pu adopter une idée aussi extravagante.

LE GÉOMÈTRE

On en rit beaucoup; mais ce qu'il y eut de triste, c'est que cet insensé ressemblait aux théologiens, qui persécutent autant qu'ils le peuvent ceux qu'ils font rire.

D'autres philosophes ont imaginé d'autres manières qui n'ont pas fait une plus grande fortune : ce n'est plus le bras qui va chercher le bras; ce n'est plus la cuisse qui court après la cuisse; ce sont de petites molécules, de petites particules de bras et de cuisse qui se placent les unes sur les autres. On sera peut-être enfin obligé d'en revenir aux œufs, après avoir perdu bien du temps.

L'HOMME AUX QUARANTE ÉCUS

J'en suis ravi; mais quel a été le résultat de toutes ces disputes?

LE GÉOMÈTRE

Le doute. Si la question avait été débattue entre des théologaux, il y aurait eu des excommunications et du sang répandu; mais entre des physiciens la paix est bientôt faite : chacun a couché avec sa femme, sans penser le moins du monde à son ovaire, ni à ses trompes de Fallope. Les femmes sont devenues grosses ou enceintes, sans demander seulement comment ce mystère s'opère. C'est ainsi que vous semez du blé, et que vous ignorez comment le blé germe en terre.

L'HOMME AUX QUARANTE ÉCUS

Oh ! je le sais bien ; on me l'a dit il y a longtemps : c'est par pourriture. Cependant il me prend quelquefois des envies de rire de tout ce qu'on m'a dit.

LE GÉOMÈTRE

C'est une fort bonne envie. Je vous conseille de douter de tout, excepté que les trois angles d'un triangle sont égaux à deux droits, et que les triangles qui ont même base et même hauteur sont égaux entre eux, ou autres propositions pareilles, comme, par exemple, que deux et deux font quatre.

L'HOMME AUX QUARANTE ÉCUS

Oui, je crois qu'il est fort sage de douter ; mais je sens que je suis curieux depuis que j'ai fait fortune et que j'ai du loisir. Je voudrais, quand ma volonté remue mon bras ou ma jambe, découvrir le ressort par lequel ma volonté les remue, car sûrement il y en a un. Je suis quelquefois tout étonné de pouvoir lever et abaisser mes yeux, et de ne pouvoir dresser mes oreilles. Je pense, et je voudrais connaître un peu... là... toucher au doigt ma pensée. Cela doit être fort curieux. Je cherche si je pense par moi-même, si Dieu me donne mes idées, si mon âme est venue dans mon corps à six semaines ou à un jour, comment elle s'est logée dans mon cerveau ; si je pense beaucoup quand je dors profondément, et quand je suis en léthargie. Je me creuse la cervelle pour savoir comment un corps en pousse un autre. Mes sensations ne m'étonnent pas moins : j'y trouve du divin, et surtout dans le plaisir.

J'ai fait quelquefois mes efforts pour imaginer un nouveau sens, et je n'ai jamais pu y parvenir. Les géomètres savent toutes ces choses; ayez la bonté de m'instruire.

LE GÉOMÈTRE

Hélas! nous sommes aussi ignorants que vous; adressez-vous à la Sorbonne. »

L'HOMME AUX QUARANTE ÉCUS, DEVENU PÈRE,
RAISONNE SUR LES MOINES

Quand l'homme aux quarante écus se vit père d'un garçon, il commença à se croire un homme de quelque poids dans l'État; il espéra donner au moins dix sujets au roi, qui seraient tous utiles. C'était l'homme du monde qui faisait le mieux des paniers; et sa femme était une excellente couturière. Elle était née dans le voisinage d'une grosse abbaye de cent mille livres de rente. Son mari me demanda un jour pourquoi ces messieurs, qui étaient en petit nombre, avaient englouti tant de parts de quarante écus. « Sont-ils plus utiles que moi à la patrie? — Non, mon cher voisin. — Servent-ils comme moi à la population du pays? — Non, au moins en apparence. — Cultivent-ils la terre? défendent-ils l'État quand il est attaqué? — Non, ils prient Dieu pour vous. — Eh bien! je prierai Dieu pour eux, et partageons.

« Combien croyez-vous que les couvents renferment de ces gens utiles, soit en hommes, soit en filles, dans le royaume?

— Par les mémoires des intendants, faits sur la fin du dernier siècle, il y en avait environ quatre-vingt-dix mille.

— Par notre ancien compte, ils ne devraient, à quarante écus par tête, posséder que dix millions huit cent mille livres : combien en ont-ils?

— Cela va à cinquante millions, en comptant les messes et les quêtes des moines mendiants, qui mettent réellement un impôt considérable sur le peuple. Un frère quêteur d'un couvent de Paris s'est vanté publiquement que sa besace valait quatre-vingt mille livres de rente.

— Voyons combien cinquante millions répartis entre quatre-vingt-dix mille têtes tondues donnent à chacune.

— Cinq cent cinquante-cinq livres.

— C'est une somme considérable dans une société nombreuse, où les dépenses diminuent par la quantité même des consommateurs : car il en coûte bien moins à dix personnes pour vivre ensemble que si chacun avait séparément son logis et sa table.

« Les ex-jésuites, à qui on donne aujourd'hui quatre cents livres de pension, ont donc réellement perdu à ce marché ?

— Je ne le crois pas : car ils sont presque tous retirés chez des parents qui les aident ; plusieurs disent la messe pour de l'argent, ce qu'ils ne faisaient pas auparavant ; d'autres se sont faits précepteurs ; d'autres ont été soutenus par des dévotes ; chacun s'est tiré d'affaire, et peut-être y en a-t-il peu aujourd'hui qui, ayant goûté du monde et de la liberté, voulussent reprendre leurs anciennes chaînes. La vie monacale, quoi qu'on en dise, n'est point du tout à envier. C'est une maxime assez connue que les moines sont des gens qui s'assemblent sans se connaître, vivent sans s'aimer, et meurent sans se regretter.

— Vous pensez donc qu'on leur rendrait un très grand service de les défroquer tous ?

— Ils y gagneraient beaucoup sans doute, et l'État encore davantage ; on rendrait à la patrie des citoyens et des citoyennes qui ont sacrifié témérairement leur liberté dans un âge où les lois ne permettent pas qu'on dispose d'un fonds de dix sous de rente ; on tirerait ces cadavres de leurs tombeaux : ce serait une vraie résurrection. Leurs maisons deviendraient des hôtels de ville, des hôpitaux, des écoles publiques, ou seraient affectées à des manufactures ; la population deviendrait plus grande, tous les arts seraient mieux

cultivés. On pourrait du moins diminuer le nombre
de ces victimes volontaires en fixant le nombre des
novices : la patrie aurait plus d'hommes utiles et
moins de malheureux. C'est le sentiment de tous les
magistrats, c'est le vœu unanime du public, depuis
que les esprits sont éclairés. L'exemple de l'Angleterre
et de tant d'autres États est une preuve évidente de la
nécessité de cette réforme. Que ferait aujourd'hui
l'Angleterre, si au lieu de quarante mille hommes de
mer, elle avait quarante mille moines ? Plus les arts se
sont multipliés, plus le nombre des sujets laborieux
est devenu nécessaire. Il y a certainement dans les
cloîtres beaucoup de talents ensevelis qui sont perdus
pour l'État. Il faut, pour faire fleurir un royaume, le
moins de prêtres possible, et le plus d'artisans possible. L'ignorance et la barbarie de nos pères, loin
d'être une règle pour nous, n'est qu'un avertissement
de faire ce qu'ils feraient s'ils étaient en notre place
avec nos lumières.

— Ce n'est donc point par haine contre les moines
que vous voulez les abolir ? C'est par pitié pour eux ;
c'est par amour pour la patrie. Je pense comme vous.
Je ne voudrais point que mon fils fût moine ; et si je
croyais que je dusse avoir des enfants pour le cloître,
je ne coucherais plus avec ma femme.

— Quel est en effet le bon père de famille qui ne
gémisse de voir son fils et sa fille perdus pour la
société ? Cela s'appelle *se sauver;* mais un soldat qui
se sauve quand il faut combattre est puni. Nous
sommes tous des soldats de l'État ; nous sommes à la
solde de la société, nous devenons des déserteurs
quand nous la quittons. Que dis-je ? les moines sont
des parricides qui étouffent une postérité tout entière.
Quatre-vingt-dix mille cloîtrés, qui braillent ou qui
nasillent du latin, pourraient donner à l'État chacun
deux sujets : cela fait cent soixante mille hommes
qu'ils font périr dans leur germe. Au bout de cent ans
la perte est immense : cela est démontré.

« Pourquoi donc le monachisme a-t-il prévalu ?
parce que le gouvernement fut presque partout détes-

table et absurde depuis Constantin; parce que l'empire romain eut plus de moines que de soldats; parce qu'il y en avait cent mille dans la seule Égypte; parce qu'ils étaient exempts de travail et de taxe; parce que les chefs des nations barbares qui détruisirent l'empire, s'étant faits chrétiens pour gouverner des chrétiens, exercèrent la plus horrible tyrannie; parce qu'on se jetait en foule dans les cloîtres pour échapper aux fureurs de ces tyrans, et qu'on se plongeait dans un esclavage pour en éviter un autre; parce que les papes, en instituant tant d'ordres différents de fainéants sacrés, se firent autant de sujets dans les autres États; parce qu'un paysan aime mieux être appelé *mon révérend père*, et donner des bénédictions, que de conduire la charrue; parce qu'il ne sait pas que la charrue est plus noble que le froc; parce qu'il aime mieux vivre aux dépens des sots que par un travail honnête; enfin parce qu'il ne sait pas qu'en se faisant moine il se prépare des jours malheureux, tissus d'ennui et de repentir.

— Allons, monsieur, plus de moines, pour leur bonheur et pour le nôtre. Mais je suis fâché d'entendre dire au seigneur de mon village, père de quatre garçons et de trois filles, qu'il ne saura où les placer s'il ne fait pas ses filles religieuses.

— Cette allégation trop souvent répétée est inhumaine, antipatriotique, destructive de la société.

« Toutes les fois qu'on peut dire d'un état de vie, quel qu'il puisse être : si tout le monde embrassait cet état le genre humain serait perdu, il est démontré que cet état ne vaut rien, et que celui qui le prend nuit au genre humain autant qu'il est en lui.

« Or il est clair que si tous les garçons et toutes les filles s'encloîtraient le monde périrait : donc la moinerie est par cela seul l'ennemie de la nature humaine, indépendamment des maux affreux qu'elle a causés quelquefois.

— Ne pourrait-on pas en dire autant des soldats?

— Non assurément : car si chaque citoyen porte les armes à son tour, comme autrefois dans toutes les républiques, et surtout dans celle de Rome, le soldat n'en est que meilleur cultivateur; le soldat citoyen se marie, il combat pour sa femme et pour ses enfants. Plût à Dieu que tous les laboureurs fussent soldats et mariés! ils seraient d'excellents citoyens. Mais un moine, en tant que moine, n'est bon qu'à dévorer la substance de ses compatriotes. Il n'y a point de vérité plus reconnue.

— Mais les filles, monsieur, les filles des pauvres gentilshommes, qu'on ne peut marier, que feront-elles?

— Elles feront, on l'a dit mille fois, comme les filles d'Angleterre, d'Écosse, d'Irlande, de Suisse, de Hollande, de la moitié de l'Allemagne, de Suède, de Norvège, du Danemark, de Tartarie, de Turquie, d'Afrique, et de presque tout le reste de la terre; elles seront bien meilleures épouses, bien meilleures mères, quand on se sera accoutumé, ainsi qu'en Allemagne, à prendre des femmes sans dot. Une femme ménagère et laborieuse fera plus de bien dans une maison que la fille d'un financier, qui dépense plus en superfluités qu'elle n'a porté de revenu chez son mari.

« Il faut qu'il y ait des maisons de retraite pour la vieillesse, pour l'infirmité, pour la difformité. Mais, par le plus détestable des abus, les fondations ne sont que pour la jeunesse et pour les personnes bien conformées. On commence, dans le cloître, par faire étaler aux novices des deux sexes leur nudité, malgré toutes les lois de la pudeur; on les examine attentivement devant et derrière. Qu'une vieille bossue aille se présenter pour entrer dans un cloître, on la chassera avec mépris, à moins qu'elle ne donne une dot immense. Que dis-je? toute religieuse doit être dotée, sans quoi elle est le rebut du couvent. Il n'y eut jamais d'abus plus intolérable.

— Allez, allez, monsieur, je vous jure que mes filles ne seront jamais religieuses. Elles apprendront à filer, à coudre, à faire de la dentelle, à broder, à se rendre utiles. Je regarde les vœux comme un attentat contre la patrie et contre soi-même. Expliquez-moi, je vous prie, comment il se peut faire qu'un de mes amis, pour contredire le genre humain, prétende que les moines sont très utiles à la population d'un État, parce que leurs bâtiments sont mieux entretenus que ceux des seigneurs, et leurs terres mieux cultivées ?

— Eh ! quel est donc votre ami qui avance une proposition si étrange ?

— C'est l'*Ami des hommes*, ou plutôt celui des moines.

— Il a voulu rire ; il sait trop bien que dix familles qui ont chacune cinq mille livres de rente en terre sont cent fois, mille fois plus utiles qu'un couvent qui jouit d'un revenu de cinquante mille livres, et qui a toujours un trésor secret. Il vante les belles maisons bâties par les moines, et c'est précisément ce qui irrite les citoyens : c'est le sujet des plaintes de l'Europe. Le vœu de pauvreté condamne les palais, comme le vœu d'humilité contredit l'orgueil, et comme le vœu d'anéantir sa race contredit la nature.

— Je commence à croire qu'il faut beaucoup se défier des livres.

— Il faut en user avec eux comme avec les hommes : choisir les plus raisonnables, les examiner, et ne se rendre jamais qu'à l'évidence. »

DES IMPÔTS PAYÉS À L'ÉTRANGER

Il y a un mois que l'homme aux quarante écus vint me trouver en se tenant les côtés de rire, et il riait de si grand cœur que je me mis à rire aussi sans savoir de quoi il était question : tant l'homme est né imitateur ! tant l'instinct nous maîtrise ! tant les grands mouvements de l'âme sont contagieux !

Ut ridentibus arrident, ita flentibus adflent [1]
Humani vultus.

---

1. Le jésuite Sanadon a mis *adsunt* pour *adflent*. Un amateur d'Horace prétend que c'est pour cela qu'on a chassé les jésuites.

Quand il eut bien ri, il me dit qu'il venait de rencontrer un homme qui se disait protonotaire du St. Siège, et que cet homme envoyait une grosse somme d'argent à trois cents lieues d'ici, à un Italien, au nom d'un Français à qui le roi avait donné un petit fief, et que ce Français ne pourrait jamais jouir des bienfaits du roi s'il ne donnait à cet Italien la première année de son revenu.

« La chose est très vraie, lui dis-je ; mais elle n'est pas si plaisante. Il en coûte à la France environ quatre cent mille livres par an en menus droits de cette espèce ; et, depuis environ deux siècles et demi que cet usage dure, nous avons déjà porté en Italie quatre-vingts millions.

— Dieu paternel ! s'écria-t-il, que de fois quarante écus ! Cet Italien-là nous subjugua donc, il y a deux siècles et demi ? Il nous imposa ce tribut ?

— Vraiment, répondis-je, il nous en imposait autrefois d'une façon bien plus onéreuse. Ce n'est là qu'une bagatelle en comparaison de ce qu'il leva longtemps sur notre pauvre nation et sur les autres pauvres nations de l'Europe. » Alors je lui racontai comment ces saintes usurpations s'étaient établies. Il sait un peu d'histoire ; il a du bon sens : il comprit aisément que nous avions été des esclaves auxquels il restait encore un petit bout de chaîne. Il parla longtemps avec énergie contre cet abus ; mais avec quel respect pour la religion en général ! Comme il révérait les évêques ! comme il leur souhaitait beaucoup de quarante écus, afin qu'ils les dépensassent dans leurs diocèses en bonnes œuvres !

Il voulait aussi que tous les curés de campagne eussent un nombre de quarante écus suffisant pour les faire vivre avec décence. « Il est triste, disait-il, qu'un curé soit obligé de disputer trois gerbes de blé à son ouaille, et qu'il ne soit pas largement payé par la province. Il est honteux que ces messieurs soient toujours en procès avec leurs seigneurs. Ces contestations éternelles pour des droits imaginaires, pour des dîmes, détruisent la considération qu'on leur doit. Le malheureux cultivateur, qui a déjà payé aux préposés son dixième, et les deux sous pour livre, et la taille, et la capitation, et le rachat du logement des gens de guerre, après qu'il a logé des gens de guerre, etc., etc., etc.; cet infortuné, dis-je, qui se voit encore enlever le dixième de sa récolte par son curé, ne le regarde plus comme son pasteur, mais comme son écorcheur, qui lui arrache le peu de peau qui lui reste. Il sent bien qu'en lui enlevant la dixième gerbe de droit divin, on a la cruauté diabolique de ne pas lui tenir compte de ce qu'il lui en a coûté pour faire croître cette gerbe. Que lui reste-t-il, pour lui et pour sa famille? Les pleurs, la disette, le découragement, le désespoir; et il meurt de fatigue et de misère. Si le curé était payé par la province, il serait la consolation de ses paroissiens, au lieu d'être regardé par eux comme leur ennemi. »

Ce digne homme s'attendrissait en prononçant ces paroles; il aimait sa patrie, et était idolâtre du bien public. Il s'écriait quelquefois : « Quelle nation que la française, si on voulait! »

Nous allâmes voir son fils, à qui sa mère, bien propre et bien lavée, donnait un gros téton blanc. L'enfant était fort joli. « Hélas! dit le père, te voilà donc, et tu n'as que vingt-trois ans de vie, et quarante écus à prétendre! »

DES PROPORTIONS

Le produit des extrêmes est égal au produit des moyens; mais deux sacs de blé volés ne sont pas à ceux qui les ont pris comme la perte de leur vie l'est à l'intérêt de la personne volée.

Le prieur de ***, à qui deux de ses domestiques de campagne avaient dérobé deux setiers de blé, vient de faire pendre les deux délinquants. Cette exécution lui a plus coûté que toute sa récolte ne lui a valu, et, depuis ce temps, il ne trouve plus de valets.

Si les lois avaient ordonné que ceux qui voleraient le blé de leur maître laboureraient son champ toute leur vie, les fers aux pieds et une sonnette au cou, attachée à un carcan, ce prieur aurait beaucoup gagné.

Il faut effrayer le crime : oui, sans doute ; mais le travail forcé et la honte durable l'intimident plus que la potence.

Il y a quelques mois qu'à Londres un malfaiteur fut condamné à être transporté en Amérique pour y travailler aux sucreries avec les nègres. Tous les criminels en Angleterre, comme en bien d'autres pays, sont reçus à présenter requête au roi, soit pour obtenir grâce entière, soit pour diminution de peine. Celui-ci présenta requête pour être pendu : il alléguait qu'il haïssait mortellement le travail, et qu'il aimait mieux être étranglé une minute que de faire du sucre toute sa vie.

D'autres peuvent penser autrement, chacun a son goût ; mais on a déjà dit, et il faut répéter, qu'un pendu n'est bon à rien, et que les supplices doivent être utiles.

Il y a quelques années que l'on condamna dans la Tartarie deux jeunes gens à être empalés, pour avoir regardé, leur bonnet sur la tête, passer une procession de lamas. L'empereur de la Chine, qui est un homme de beaucoup d'esprit, dit qu'il les aurait condamnés à marcher nu-tête à la procession pendant trois mois.

Proportionnez les peines aux délits, a dit le marquis Beccaria ; ceux qui ont fait les lois n'étaient pas géomètres.

Si l'abbé Guyon, ou Cogé, ou l'ex-jésuite Nonotte, ou l'ex-jésuite Patouillet, ou le prédicant La Beaumelle, font de misérables libelles où il n'y a ni vérité, ni raison, ni esprit, irez-vous les faire pendre, comme le prieur de *** a fait pendre ses deux domestiques ; et cela, sous prétexte que les calomniateurs sont plus coupables que les voleurs ?

Condamnerez-vous Fréron même aux galères, pour avoir insulté le bon goût, et pour avoir menti toute sa vie dans l'espérance de payer son cabaretier ?

Ferez-vous mettre au pilori le sieur Larcher, parce

qu'il a été très pesant, parce qu'il a entassé erreur sur erreur, parce qu'il n'a jamais su distinguer aucun degré de probabilité, parce qu'il veut que, dans une antique et immense cité renommée par sa police et par la jalousie des maris, dans Babylone enfin, où les femmes étaient gardées par des eunuques, toutes les princesses allassent par dévotion donner publiquement leurs faveurs dans la cathédrale aux étrangers pour de l'argent? Contentons-nous de l'envoyer sur les lieux courir les bonnes fortunes; soyons modérés en tout; mettons de la proportion entre les délits et les peines.

Pardonnons à ce pauvre Jean-Jacques, lorsqu'il n'écrit que pour se contredire, lorsqu'après avoir donné une comédie sifflée sur le théâtre de Paris, il injurie ceux qui en font jouer à cent lieues de là; lorsqu'il cherche des protecteurs, et qu'il les outrage; lorsqu'il déclame contre les romans, et qu'il fait des romans dont le héros est un sot précepteur qui reçoit l'aumône d'une Suissesse à laquelle il a fait un enfant, et qui va dépenser son argent dans un bordel de Paris; laissons-le croire qu'il a surpassé Fénelon et Xénophon, en élevant un jeune homme de qualité dans le métier de menuisier : ces extravagantes platitudes ne méritent pas un décret de prise de corps; les petites maisons suffisent avec de bons bouillons, de la saignée, et du régime.

Je hais les lois de Dracon, qui punissaient également les crimes et les fautes, la méchanceté et la folie. Ne traitons point le jésuite Nonotte, qui n'est coupable que d'avoir écrit des bêtises et des injures, comme on a traité les jésuites Malagrida, Oldcorn, Garnet, Guignard, Gueret, et comme on devait traiter le jésuite Le Tellier, qui trompa son roi, et qui troubla la France. Distinguons principalement dans tout procès, dans toute contention, dans toute querelle, l'agresseur de l'outragé, l'oppresseur de l'opprimé. La guerre offensive est d'un tyran; celui qui se défend est un homme juste.

Comme j'étais plongé dans ces réflexions, l'homme

aux quarante écus me vint voir tout en larmes. Je lui demandai avec émotion si son fils, qui devait vivre vingt-trois ans, était mort. « Non, dit-il, le petit se porte bien, et ma femme aussi ; mais j'ai été appelé en témoignage contre un meunier à qui on a fait subir la question ordinaire et extraordinaire, et qui s'est trouvé innocent ; je l'ai vu s'évanouir dans les tortures redoublées ; j'ai entendu craquer ses os ; j'entends encore ses cris et ses hurlements, ils me poursuivent ; je pleure de pitié, et je tremble d'horreur. » Je me mis à pleurer et à frémir aussi, car je suis extrêmement sensible.

Ma mémoire alors me représenta l'aventure épouvantable des Calas : une mère vertueuse dans les fers, ses filles éplorées et fugitives, sa maison au pillage ; un père de famille respectable brisé par la torture, agonisant sur la roue, et expirant dans les flammes ; un fils chargé de chaînes, traîné devant les juges, dont un lui dit : « Nous venons de rouer votre père, nous allons vous rouer aussi. »

Je me souvins de la famille des Sirven, qu'un de mes amis rencontra dans des montagnes couvertes de glaces, lorsqu'elle fuyait la persécution d'un juge aussi inique qu'ignorant. « Ce juge, me dit-il, a condamné toute cette famille innocente au supplice, en supposant, sans la moindre apparence de preuve, que le père et la mère, aidés de deux de leurs filles, avaient égorgé et noyé la troisième, de peur qu'elle n'allât à la messe. » Je voyais à la fois, dans des jugements de cette espèce, l'excès de la bêtise, de l'injustice et de la barbarie.

Nous plaignions la nature humaine, l'homme aux quarante écus et moi. J'avais dans ma poche le discours d'un avocat général de Dauphiné, qui roulait en partie sur ces matières intéressantes ; je lui en lus les endroits suivants :

« Certes, ce furent des hommes véritablement grands qui osèrent les premiers se charger de gouverner leurs semblables, et s'imposer le fardeau de la félicité publique ; qui, pour le bien qu'ils voulaient faire aux hommes, s'exposèrent à leur ingratitude, et, pour le repos d'un peuple, renoncèrent au leur; qui se mirent, pour ainsi dire, entre les hommes et la Providence, pour leur composer, par artifice, un bonheur qu'elle semblait leur avoir refusé.

« Quel magistrat, un peu sensible à ses devoirs, à la seule humanité, pourrait soutenir ces idées? Dans la solitude d'un cabinet pourra-t-il, sans frémir d'horreur et de pitié, jeter les yeux sur ces papiers, monuments infortunés du crime ou de l'innocence? Ne lui semble-t-il pas entendre des voix gémissantes sortir de ces fatales écritures, et le presser de décider du sort d'un citoyen, d'un époux, d'un père, d'une famille? Quel juge impitoyable (s'il est chargé d'un seul procès criminel) pourra passer de sang-froid devant une prison? C'est donc moi, dira-t-il, qui retiens dans ce détestable séjour mon semblable, peut-être mon égal, mon concitoyen, un homme enfin! c'est moi qui le lie tous les jours, qui ferme sur lui ces odieuses portes! Peut-être le désespoir s'est emparé de son âme; il pousse vers le ciel mon nom avec des malédictions, et sans doute il atteste contre moi le grand Juge qui nous observe et doit nous juger tous les deux.

« Ici un spectacle effrayant se présente tout à coup à mes yeux; le juge se lasse d'interroger par la parole; il veut interroger par les supplices : impatient dans ses recherches, et peut-être irrité de leur inutilité, on apporte des torches, des chaînes, des leviers, et tous ces instruments inventés pour la douleur. Un bourreau vient se mêler aux fonctions de la magistrature, et terminer par la violence un interrogatoire commencé par la liberté.

« Douce philosophie! toi qui ne cherches la vérité qu'avec l'attention et la patience, t'attendais-tu que, dans ton siècle, on employât de tels instruments pour la découvrir?

« Est-il bien vrai que nos lois approuvent cette méthode inconcevable, et que l'usage la consacre?

« Leurs lois imitent leurs préjugés; les punitions;

publiques sont aussi cruelles que les vengeances par-
ticulières, et les actes de leur raison ne sont guère
moins impitoyables que ceux de leurs passions.
Quelle est donc la cause de cette bizarre opposition ?
C'est que nos préjugés sont anciens, et que notre
morale est nouvelle ; c'est que nous sommes aussi
pénétrés de nos sentiments qu'inattentifs à nos idées ;
c'est que l'avidité des plaisirs nous empêche de réfléchir sur nos besoins, et que nous sommes plus
empressés de vivre que de nous diriger ; c'est, en un
mot, que nos mœurs sont douces, et qu'elles ne sont
pas bonnes ; c'est que nous sommes polis, et nous ne
sommes seulement pas humains. »

Ces fragments, que l'éloquence avait dictés à
l'humanité, remplirent le cœur de mon ami d'une
douce consolation. Il admirait avec tendresse. « Quoi !
disait-il dans son transport, on fait des chefs-d'œuvre
en province ! on m'avait dit qu'il n'y a que Paris dans
le monde.

— Il n'y a que Paris, lui dis-je, où l'on fasse des opé-
ras-comiques ; mais il y a aujourd'hui dans les provinces beaucoup de magistrats qui pensent avec la
même vertu, et qui s'expriment avec la même force.
Autrefois les oracles de la justice, ainsi que ceux de la
morale, n'étaient que ridicules. Le docteur Balouard
déclamait au barreau, et Arlequin dans la chaire. La
philosophie est enfin venue, elle a dit : « Ne parlez en
public que pour dire des vérités neuves et utiles, avec
l'éloquence du sentiment et de la raison.

« — Mais si nous n'avons rien de neuf à dire ? se
sont écriés les parleurs. — Taisez-vous alors, a
répondu la philosophie ; tous ces vains discours
d'appareil, qui ne contiennent que des phrases, sont
comme le feu de la St. Jean, allumé le jour de l'année
où l'on a le moins besoin de se chauffer : il ne cause
aucun plaisir, et il n'en reste pas même la cendre.

« Que toute la France lise les bons livres. Mais, malgré les progrès de l'esprit humain, on lit très peu ; et,
parmi ceux qui veulent quelquefois s'instruire, la plupart lisent très mal. Mes voisins et mes voisines

jouent, après dîner, un jeu anglais, que j'ai beaucoup de peine à prononcer, car on l'appelle *wisk*. Plusieurs bons bourgeois, plusieurs grosses têtes, qui se croient de bonnes têtes, vous disent avec un air d'importance que les livres ne sont bons à rien. Mais, messieurs les Velches, savez-vous que vous n'êtes gouvernés que par des livres? Savez-vous que l'ordonnance civile, le code militaire, et l'Évangile, sont des livres dont vous dépendez continuellement? Lisez, éclairez-vous; ce n'est que par la lecture qu'on fortifie son âme; la conversation la dissipe, le jeu la resserre.

— J'ai bien peu d'argent, me répondit l'homme aux quarante écus; mais, si jamais je fais une petite fortune, j'achèterai des livres chez Marc-Michel Rey. »

DE LA VÉROLE

L'homme aux quarante écus demeurait dans un petit canton où l'on n'avait jamais mis de soldats en garnison depuis cent cinquante années. Les mœurs, dans ce coin de terre inconnu, étaient pures comme l'air qui l'environne. On ne savait pas qu'ailleurs l'amour pût être infecté d'un poison destructeur, que les générations fussent attaquées dans leur germe, et que la nature, se contredisant elle-même, pût rendre la tendresse horrible et le plaisir affreux; on se livrait à l'amour avec la sécurité de l'innocence. Des troupes vinrent, et tout changea.

Deux lieutenants, l'aumônier du régiment, un caporal, et un soldat de recrue qui sortait du séminaire, suffirent pour empoisonner douze villages en moins de trois mois. Deux cousines de l'homme aux quarante écus se virent couvertes de pustules calleuses; leurs beaux cheveux tombèrent; leur voix devint rauque; les paupières de leurs yeux, fixes et éteints, se chargèrent d'une couleur livide, et ne se fermèrent plus pour laisser entrer le repos dans des membres disloqués, qu'une carie secrète commençait à ronger comme ceux de l'Arabe Job, quoique Job n'eût jamais eu cette maladie.

Le chirurgien-major du régiment, homme d'une grande expérience, fut obligé de demander des aides à la cour pour guérir toutes les filles du pays. Le ministre de la guerre, toujours porté d'inclination à soulager le beau sexe, envoya une recrue de fraters, qui gâtèrent d'une main ce qu'ils rétablirent de l'autre.

L'homme aux quarante écus lisait alors l'histoire philosophique de *Candide*, traduite de l'allemand du docteur Ralph, qui prouve évidemment que tout est bien, et qu'il était absolument *impossible*, dans le meilleur des mondes *possibles*, que la vérole, la peste, la pierre, la gravelle, les écrouelles, la chambre de Valence, et l'Inquisition, n'entrassent dans la composition de l'univers, de cet univers uniquement fait pour l'homme, roi des animaux et image de Dieu, auquel on voit bien qu'il ressemble comme deux gouttes d'eau.

Il lisait, dans l'histoire véritable de *Candide*, que le fameux docteur Pangloss avait perdu dans le traitement un œil et une oreille. « Hélas! dit-il, mes deux cousines, mes deux pauvres cousines, seront-elles borgnes ou borgnesses et essorillées? — Non, lui dit le major consolateur; les Allemands ont la main lourde; mais, nous autres, nous guérissons les filles promptement, sûrement, et agréablement. »

En effet les deux jolies cousines en furent quittes pour avoir la tête enflée comme un ballon pendant six semaines, pour perdre la moitié de leurs dents, en tirant la langue d'un demi-pied, et pour mourir de la poitrine au bout de six mois.

Pendant l'opération, le cousin et le chirurgien-major raisonnèrent ainsi.

L'HOMME AUX QUARANTE ÉCUS

Est-il possible, monsieur, que la nature ait attaché de si épouvantables tourments à un plaisir si nécessaire, tant de honte à tant de gloire, et qu'il y ait plus de risque à faire un enfant qu'à tuer un homme? Serait-il vrai au moins, pour notre consolation, que ce fléau diminue un peu sur la terre, et qu'il devienne moins dangereux de jour en jour?

LE CHIRURGIEN-MAJOR

Au contraire, il se répand de plus en plus dans toute l'Europe chrétienne; il s'est étendu jusqu'en Sibérie; j'en ai vu mourir plus de cinquante personnes, et surtout un grand général d'armée et un ministre d'État fort sage. Peu de poitrines faibles résistent à la maladie et au remède. Les deux sœurs, la petite et la grosse, se sont liguées encore plus que les moines pour détruire le genre humain.

L'HOMME AUX QUARANTE ÉCUS

Nouvelle raison pour abolir les moines, afin que, remis au rang des hommes, ils réparent un peu le mal que font les deux sœurs. Dites-moi, je vous prie, si les bêtes ont la vérole.

LE CHIRURGIEN

Ni la petite, ni la grosse, ni les moines, ne sont connus chez elles.

L'HOMME AUX QUARANTE ÉCUS

Il faut donc avouer qu'elles sont plus heureuses et plus prudentes que nous dans ce meilleur des mondes.

LE CHIRURGIEN

Je n'en ai jamais douté; elles éprouvent bien moins de maladies que nous : leur instinct est bien plus sûr que notre raison; jamais ni le passé ni l'avenir ne les tourmentent.

L'HOMME AUX QUARANTE ÉCUS

Vous avez été chirurgien d'un ambassadeur de France en Turquie : y a-t-il beaucoup de vérole à Constantinople?

LE CHIRURGIEN

Les Francs l'ont apportée dans le faubourg de Péra, où ils demeurent. J'y ai connu un capucin qui en était mangé comme Pangloss ; mais elle n'est point parvenue dans la ville : les Francs n'y couchent presque jamais. Il n'y a presque point de filles publiques dans cette ville immense. Chaque homme riche a des femmes esclaves de Circassie, toujours gardées, toujours surveillées, dont la beauté ne peut être dangereuse. Les Turcs appellent la vérole *le mal chrétien*, et cela redouble le profond mépris qu'ils ont pour notre théologie ; mais, en récompense, ils ont la peste, maladie d'Égypte, dont ils font peu de cas, et qu'ils ne se donnent jamais la peine de prévenir.

L'HOMME AUX QUARANTE ÉCUS

En quel temps croyez-vous que ce fléau commença dans l'Europe ?

LE CHIRURGIEN

Au retour du premier voyage de Christophe Colomb chez des peuples innocents qui ne connaissaient ni l'avarice ni la guerre, vers l'an 1494. Ces nations, simples et justes, étaient attaquées de ce mal de temps immémorial, comme la lèpre régnait chez les Arabes et chez les Juifs, et la peste chez les Égyptiens. Le premier fruit que les Espagnols recueillirent de cette conquête du nouveau monde fut la vérole ; elle se répandit plus promptement que l'argent du Mexique, qui ne circula que longtemps après en Europe. La raison en est que, dans toutes les villes, il y avait alors de belles maisons publiques appelées *bordels*, établies par l'autorité des souverains pour conserver l'honneur des dames. Les Espagnols portèrent le venin dans ces maisons privilégiées dont les princes et les évêques tiraient les filles qui leur étaient nécessaires. On a remarqué qu'à Constance il y avait eu sept cent dix-huit filles pour le service du concile qui fit brûler si dévotement Jean Hus et Jérôme de Prague.

On peut juger par ce seul trait avec quelle rapidité le mal parcourut tous les pays. Le premier seigneur qui en mourut fut l'illustrissime et révérendissime évêque et vice-roi de Hongrie, en 1499, que Bartholomeo Montanagua, grand médecin de Padoue, ne put guérir. Gualtieri assure que l'archevêque de Mayence Berthold de Henneberg, « attaqué de la grosse vérole, rendit son âme à Dieu en 1504 ». On sait que notre roi François Ier en mourut. Henri III la prit à Venise ; mais le jacobin Jacques Clément prévint l'effet de la maladie.

Le parlement de Paris, toujours zélé pour le bien public, fut le premier qui donna un arrêt contre la vérole, en 1497. Il défendit à tous les vérolés de rester dans Paris *sous peine de la hart ;* mais, comme il n'était pas facile de prouver juridiquement aux bourgeois et bourgeoises qu'ils étaient en délit, cet arrêt n'eut pas plus d'effet que ceux qui furent rendus depuis contre l'émétique ; et, malgré le parlement, le nombre des coupables augmenta toujours. Il est certain que, si on les avait exorcisés, au lieu de les faire pendre, il n'y en aurait plus aujourd'hui sur la terre ; mais c'est à quoi malheureusement on ne pensa jamais.

L'HOMME AUX QUARANTE ÉCUS

Est-il bien vrai ce que j'ai lu dans *Candide*, que, parmi nous, quand deux armées de trente mille hommes chacune marchent ensemble en front de bandière, on peut parier qu'il y a vingt mille vérolés de chaque côté ?

LE CHIRURGIEN

Il n'est que trop vrai. Il en est de même dans les licences de Sorbonne. Que voulez-vous que fassent de jeunes bacheliers à qui la nature parle plus haut et plus ferme que la théologie ? Je puis vous jurer que, proportion gardée, mes confrères et moi nous avons traité plus de jeunes prêtres que de jeunes officiers.

L'HOMME AUX QUARANTE ÉCUS

N'y aurait-il point quelque manière d'extirper cette contagion qui désole l'Europe ? On a déjà tâché d'affaiblir le poison d'une vérole, ne pourra-t-on rien tenter sur l'autre ?

LE CHIRURGIEN

Il n'y aurait qu'un seul moyen, c'est que tous les princes de l'Europe se liguassent ensemble, comme dans les temps de Godefroy de Bouillon. Certainement une croisade contre la vérole serait beaucoup plus raisonnable que ne l'ont été celles qu'on entreprit autrefois si malheureusement contre Saladin, Melecsala, et les Albigeois. Il vaudrait bien mieux s'entendre pour repousser l'ennemi commun du genre humain que d'être continuellement occupé à guetter le moment favorable de dévaster la terre et de couvrir les champs de morts, pour arracher à son voisin deux ou trois villes et quelques villages. Je parle contre mes intérêts : car la guerre et la vérole font ma fortune ; mais il faut être homme avant d'être chirurgien-major.

C'est ainsi que l'homme aux quarante écus se formait, comme on dit, *l'esprit et le cœur*. Non seulement il hérita de ses deux cousines, qui moururent en six mois ; mais il eut encore la succession d'un parent fort éloigné, qui avait été sous-fermier des hôpitaux des armées, et qui s'était fort engraissé en mettant les soldats blessés à la diète. Cet homme n'avait jamais voulu se marier ; il avait un assez joli sérail. Il ne reconnut aucun de ses parents, vécut dans la crapule, et mourut à Paris d'indigestion. C'était un homme, comme on voit, fort utile à l'État.

Notre nouveau philosophe fut obligé d'aller à Paris pour recueillir l'héritage de son parent. D'abord les fermiers du domaine le lui disputèrent. Il eut le bonheur de gagner son procès, et la générosité de donner aux pauvres de son canton, qui n'avaient pas leur contingent de quarante écus de rente, une partie des dépouilles du richard. Après quoi il se mit à satisfaire sa grande passion d'avoir une bibliothèque.

Il lisait tous les matins, faisait des extraits, et le soir il consultait les savants pour savoir en quelle langue le serpent avait parlé à notre bonne mère ; si l'âme est dans le corps calleux ou dans la glande pinéale ; si St. Pierre avait demeuré vingt-cinq ans à Rome ; quelle différence spécifique est entre un trône et une domination, et pourquoi les nègres ont le nez épaté. D'ailleurs il se proposa de ne jamais gouverner l'État, et de ne faire aucune brochure contre les pièces nouvelles. On l'appelait monsieur André ; c'était son nom de baptême. Ceux qui l'ont connu rendent justice à sa modestie et à ses qualités, tant acquises que naturelles. Il a bâti une maison commode dans son ancien domaine de quatre arpents. Son fils sera bientôt en âge d'aller au collège ; mais il veut qu'il aille au collège d'Harcourt, et non à celui de Mazarin, à cause du professeur Cogé, qui fait des libelles, et parce qu'il ne faut pas qu'un professeur de collège fasse des libelles.

Madame André lui a donné une fille fort jolie, qu'il espère marier à un conseiller de la cour des aides, pourvu que ce magistrat n'ait pas la maladie que le chirurgien-major veut extirper dans l'Europe chrétienne.

GRANDE QUERELLE

Pendant le séjour de monsieur André à Paris, il y eut une querelle importante. Il s'agissait de savoir si Marc-Antonin était un honnête homme, et s'il était en enfer ou en purgatoire, ou dans les limbes, en attendant qu'il ressuscitât. Tous les honnêtes gens prirent le parti de Marc-Antonin. Ils disaient : « Antonin a toujours été juste, sobre, chaste, bienfaisant. Il est vrai qu'il n'a pas en paradis une place aussi belle que St. Antoine ; car il faut des proportions, comme nous l'avons vu ; mais certainement l'âme de l'empereur Antonin n'est point à la broche dans l'enfer. Si elle est en purgatoire, il faut l'en tirer ; il n'y a qu'à dire des messes pour lui. Les jésuites n'ont plus rien à faire ; qu'ils disent trois mille messes pour le repos de l'âme de Marc-Antonin ; ils y gagneront, à quinze sous la pièce, deux mille deux cent cinquante livres. D'ailleurs, on doit du respect à une tête couronnée ; il ne faut pas la damner légèrement. »

Les adversaires de ces bonnes gens prétendaient au contraire qu'il ne fallait accorder aucune composition à Marc-Antonin ; qu'il était un hérétique ; que les carpocratiens et les aloges n'étaient pas si méchants que lui, qu'il était mort sans confession ; qu'il fallait faire un exemple ; qu'il était bon de le damner pour apprendre à vivre aux empereurs de la Chine et du Japon, à ceux de Perse, de Turquie et du Maroc, aux rois d'Angleterre, de Suède, de Danemark, de Prusse, au stathouder de Hollande, et aux avoyers du canton de Berne, qui n'allaient pas plus à confesse que l'empereur Marc-Antonin ; et qu'enfin c'est un plaisir indicible de donner des décrets contre des souverains morts, quand on ne peut en lancer contre eux de leur vivant, de peur de perdre ses oreilles.

La querelle devint aussi sérieuse que le fut autrefois celle des Ursulines et des Annonciades, qui disputèrent à qui porterait plus longtemps des œufs à la coque entre les fesses sans les casser. On craignit un schisme, comme du temps des cent et un contes de ma mère l'oie, et de certains billets payables au porteur dans l'autre monde. C'est une chose bien épouvantable qu'un schisme : cela signifie *division dans les opinions*, et, jusqu'à ce moment fatal, tous les hommes avaient pensé de même.

Monsieur André, qui est un excellent citoyen, pria les chefs des deux partis à souper. C'est un des bons convives que nous ayons ; son humeur est douce et vive, sa gaieté n'est point bruyante ; il est facile et ouvert ; il n'a point cette sorte d'esprit qui semble vouloir étouffer celui des autres ; l'autorité qu'il se concilie n'est due qu'à ses grâces, à sa modération, et à une physionomie ronde qui est tout à fait persuasive. Il aurait fait souper gaiement ensemble un Corse et un Génois, un représentant de Genève et un négatif, le muphti et un archevêque. Il fit tomber habilement les premiers coups que les disputants se portaient, en détournant la conversation, et en faisant un conte très agréable qui réjouit également les damnants et les damnés. Enfin, quand ils furent un peu en pointe de vin, il leur fit signer que l'âme de l'empereur Marc-Antonin resterait *in statu quo*, c'est-à-dire je ne sais où, en attendant un jugement définitif.

Les âmes des docteurs s'en retournèrent dans leurs limbes paisiblement après le souper : tout fut tranquille. Cet accommodement fit un très grand honneur à l'homme aux quarante écus ; et toutes les fois qu'il s'élevait une dispute bien acariâtre, bien virulente entre des gens lettrés ou non lettrés, on disait aux deux partis : « Messieurs, allez souper chez monsieur André. ».

Je connais deux factions acharnées qui, faute d'avoir été souper chez monsieur André, se sont attiré de grands malheurs.

SCÉLÉRAT CHASSÉ

La réputation qu'avait acquise monsieur André d'apaiser les querelles en donnant de bons soupers lui attira, la semaine passée, une singulière visite. Un homme noir, assez mal mis, le dos voûté, la tête penchée sur une épaule, l'œil hagard, les mains fort sales, vint le conjurer de lui donner à souper avec ses ennemis.

« Quels sont vos ennemis, lui dit monsieur André, et qui êtes-vous ? — Hélas ! dit-il, j'avoue, monsieur, qu'on me prend pour un de ces maroufles qui font des libelles pour gagner du pain, et qui crient : *Dieu, Dieu, Dieu, religion, religion*, pour attraper quelque petit bénéfice. On m'accuse d'avoir calomnié les citoyens les plus véritablement religieux, les plus sincères adorateurs de la Divinité, les plus honnêtes gens du

royaume. Il est vrai, monsieur, que, dans la chaleur
de la composition, il échappe souvent aux gens de
mon métier de petites inadvertances qu'on prend
pour des erreurs grossières, des écarts que l'on quali-
fie de mensonges impudents. Notre zèle est regardé
comme un mélange affreux de friponnerie et de fanatisme. On assure que tandis que nous surprenons la
bonne foi de quelques vieilles imbéciles, nous
sommes le mépris et l'exécration de tous les honnêtes
gens qui savent lire.

« Mes ennemis sont les principaux membres des
plus illustres académies de l'Europe, des écrivains
honorés, des citoyens bienfaisants. Je viens de mettre
en lumière un ouvrage que j'ai intitulé *Antiphiloso-
phique*. Je n'avais que de bonnes intentions mais personne n'a voulu acheter mon livre. Ceux à qui je l'ai
présenté l'ont jeté dans le feu, en me disant qu'il
n'était pas seulement antiraisonnable, mais antichré-
tien et très antihonnête.

— Eh bien! lui dit monsieur André, imitez ceux à
qui vous avez présenté votre libelle ; jetez-le dans le
feu, et qu'il n'en soit plus parlé. Je loue fort votre
repentir ; mais il n'est pas possible que je vous fasse
souper avec des gens d'esprit qui ne peuvent être vos
ennemis, attendu qu'ils ne vous liront jamais.

— Ne pourriez-vous pas du moins, monsieur, dit le
cafard, me réconcilier avec les parents de feu monsieur de Montesquieu, dont j'ai outragé la mémoire
pour glorifier le révérend père Routh, qui vint assié-
ger ses derniers moments, et qui fut chassé de sa
chambre ?

— Morbleu! lui dit monsieur André, il y a longtemps que le révérend père Routh est mort ; allez-
vous-en souper avec lui. »

C'est un rude homme que monsieur André, quand
il a affaire à cette espèce méchante et sotte. Il sentit
que le cafard ne voulait souper chez lui avec des gens
de mérite que pour engager une dispute, pour les aller
ensuite calomnier, pour écrire contre eux, pour
imprimer de nouveaux mensonges. Il le chassa de sa

maison comme on avait chassé Routh de l'appartement du président de Montesquieu.

On ne peut guère tromper monsieur André. Plus il était simple et naïf quand il était l'homme aux quarante écus, plus il est devenu avisé quand il a connu les hommes.

LE BON SENS DE MONSIEUR ANDRÉ

Comme le bon sens de monsieur André s'est fortifié depuis qu'il a une bibliothèque! Il vit avec les livres comme avec les hommes; il choisit; et il n'est jamais la dupe des noms. Quel plaisir de s'instruire et d'agrandir son âme pour un écu, sans sortir de chez soi!

Il se félicite d'être né dans un temps où la raison humaine commence à se perfectionner.

« Que je serais malheureux, dit-il, si l'âge où je vis était celui du jésuite Garasse, du jésuite Guignard, ou du docteur Boucher, du docteur Aubry, du docteur Guincestre, ou du temps que l'on condamnait aux galères ceux qui écrivaient contre les catégories d'Aristote. »

La misère avait affaibli les ressorts de l'âme de monsieur André, le bien-être leur a rendu leur élasticité. Il y a mille André dans le monde auxquels il n'a manqué qu'un tour de roue de la fortune pour en faire des hommes d'un vrai mérite.

Il est aujourd'hui au fait de toutes les affaires de l'Europe, et surtout des progrès de l'esprit humain.

« Il me semble, me disait-il mardi dernier, que la Raison voyage à petites journées, du nord au midi, avec ses deux intimes amies, l'Expérience et la Tolérance. L'Agriculture et le Commerce l'accompagnent. Elle s'est présentée en Italie; mais la Congrégation de l'*Indice* l'a repoussée. Tout ce qu'elle a pu faire a été d'envoyer secrètement quelques-uns de ses facteurs, qui ne laissent pas de faire du bien. Encore quelques années, et le pays des Scipions ne sera plus celui des Arlequins enfroqués.

« Elle a de temps en temps de cruels ennemis en France ; mais elle y a tant d'amis qu 'il faudra bien à la fin qu'elle y soit premier ministre.

« Quand elle s'est présentée en Bavière et en Autriche, elle a trouvé deux ou trois grosses têtes à perruque qui l'ont regardée avec des yeux stupides et étonnés. Ils lui ont dit Madame, nous n'avons jamais entendu parler de vous ; nous ne vous connaissons pas. — Messieurs, leur a-t-elle répondu, avec le temps vous me connaîtrez et vous m'aimerez. Je suis très bien reçue à Berlin, à Moscou, à Copenhague, à Stockholm. Il y a longtemps que, par le crédit de Locke, de Gordon, de Trenchard, de milord Shaftesbury, et de tant d'autres, j'ai reçu mes lettres de naturalité en Angleterre. Vous m'en accorderez un jour. Je suis la fille du Temps, et j'attends tout de mon père. »

« Quand elle a passé sur les frontières de l'Espagne et du Portugal, elle a béni Dieu de voir que les bûchers de l'Inquisition n'étaient plus si souvent allumés ; elle a espéré beaucoup en voyant chasser les jésuites, mais elle a craint qu'en purgeant le pays de renards on ne le laissât exposé aux loups.

« Si elle fait encore des tentatives pour entrer en Italie, on croit qu'elle commencera par s'établir à Venise, et qu'elle séjournera dans le royaume de Naples, malgré toutes les liquéfactions de ce pays-là, qui lui donnent des vapeurs. On prétend qu'elle a un secret infaillible pour détacher les cordons d'une couronne qui sont embarrassés, je ne sais comment, dans ceux d'une tiare, et pour empêcher les haquenées d'aller faire la révérence aux mules. »

Enfin la conversation de monsieur André me réjouit beaucoup ; et plus je le vois, plus je l'aime.

D'UN BON SOUPER CHEZ MONSIEUR ANDRÉ

Nous soupâmes hier ensemble avec un docteur de Sorbonne, monsieur Pinto, célèbre juif, le chapelain de la chapelle réformée de l'ambassadeur batave, le secrétaire de monsieur le prince Gallitzin, du rite grec, un capitaine suisse calviniste, deux philosophes, et trois dames d'esprit.

Le souper fut fort long, et cependant on ne disputa pas plus sur la religion que si aucun des convives n'en avait jamais eu : tant il faut avouer que nous sommes devenus polis; tant on craint à souper de contrister ses frères! Il n'en est pas ainsi du régent Cogé, et de l'ex-jésuite Nonotte, et de l'ex-jésuite Patouillet, et de l'ex-jésuite Rotalier, et de tous les animaux de cette espèce. Ces croquants-là vous disent plus de sottises dans une brochure de deux pages que la meilleure compagnie de Paris ne peut dire de choses agréables et instructives dans un souper de quatre heures. Et, ce qu'il y a d'étrange, c'est qu'ils n'oseraient dire en face à personne ce qu'ils ont l'impudence d'imprimer.

La conversation roula d'abord sur une plaisanterie des *Lettres persanes*, dans laquelle on répète, d'après plusieurs graves personnages, que le monde va non seulement en empirant, mais en se dépeuplant tous les jours; de sorte que si le proverbe *plus on est de fous, plus on rit* a quelque vérité, le rire sera incessamment banni de la terre.

Le docteur de Sorbonne assura qu'en effet le monde était réduit presque à rien. Il cita le père Petau, qui démontre qu'en moins de trois cents ans un seul des fils de Noé (je ne sais si c'est Sem ou Japhet) avait procréé de son corps une série d'enfants qui se montait à six cent vingt-trois milliards six cent douze millions trois cent cinquante-huit mille fidèles, l'an 285 après le déluge universel.

Monsieur André demanda pourquoi, du temps de Philippe le Bel, c'est-à-dire environ trois cents ans après Hugues Capet, il n'y avait pas six cent vingt-trois milliards de princes de la maison royale ? « C'est que la foi est diminuée », dit le docteur de Sorbonne.

On parla beaucoup de Thèbes-aux-cent-portes, et du million de soldats qui sortait par ces portes avec vingt mille chariots de guerre. « Serrez, serrez, disait monsieur André; je soupçonne, depuis que je me suis mis à lire, que le même génie qui a écrit *Gargantua* écrivait autrefois toutes les histoires.

— Mais enfin, lui dit un des convives, Thèbes, Memphis, Babylone, Ninive, Troie, Séleucie, étaient de grandes villes, et n'existent plus. — Cela est vrai, répondit le secrétaire de monsieur le prince Gallitzin ; mais Moscou, Constantinople, Londres, Paris, Amsterdam, Lyon qui vaut mieux que Troie, toutes les villes de France, d'Allemagne, d'Espagne, et du Nord, étaient alors des déserts. »

Le capitaine suisse, homme très instruit, nous avoua que quand ses ancêtres voulurent quitter leurs montagnes et leurs précipices pour aller s'emparer, comme de raison, d'un pays plus agréable, César, qui vit de ses yeux le dénombrement de ces émigrants, trouva qu'il se montait à trois cent soixante et huit mille, en comptant les vieillards, les enfants, et les femmes. Aujourd'hui, le seul canton de Berne possède autant d'habitants : il n'est pas tout à fait la moitié de la Suisse, et je puis vous assurer que les treize cantons ont au-delà de sept cent vingt mille âmes, en comptant les natifs qui servent ou qui négocient en pays étrangers. Après cela, messieurs les savants, faites des calculs et des systèmes, ils seront aussi faux les uns que les autres.

Ensuite on agita la question si les bourgeois de Rome, du temps des Césars, étaient plus riches que les bourgeois de Paris, du temps de monsieur Silhouette.

« Ah ! ceci me regarde, dit monsieur André. J'ai été longtemps l'homme aux quarante écus ; je crois bien que les citoyens romains en avaient davantage. Ces illustres voleurs de grand chemin avaient pillé les plus beaux pays de l'Asie, de l'Afrique, et de l'Europe. Ils vivaient fort splendidement du fruit de leurs rapines ; mais enfin il y avait des gueux à Rome. Et je suis persuadé que parmi ces vainqueurs du monde il y eut des gens réduits à quarante écus de rente comme je l'ai été.

— Savez-vous bien, lui dit un savant de l'Académie

des inscriptions et belles-lettres, que Lucullus dépensait, à chaque souper qu'il donnait dans le salon d'Apollon, trente-neuf mille trois cent soixante et douze livres treize soùs de notre monnaie courante ? mais qu'Atticus, le célèbre épicurien Atticus, ne dépensait point par mois, pour sa table, au-delà de deux cent trente-cinq livres tournois ?

— Si cela est, dis-je, il était digne de présider à la confrérie de la lésine, établie depuis peu en Italie. J'ai lu comme vous, dans Florus, cette incroyable anecdote ; mais apparemment que Florus n'avait jamais soupé chez Atticus, ou que son texte a été corrompu, comme tant d'autres, par les copistes. Jamais Florus ne me fera croire que l'ami de César et de Pompée, de Cicéron et d'Antoine, qui mangeaient souvent chez lui, en fût quitte pour un peu moins de dix louis d'or par mois.

Et voilà justement comme on écrit l'histoire. »

Madame André, prenant la parole, dit au savant que, s'il voulait défrayer sa table pour dix fois autant, il lui ferait grand plaisir.

Je suis persuadé que cette soirée de monsieur André valait bien un mois d'Atticus ; et les dames doutèrent fort que les soupers de Rome fussent plus agréables que ceux de Paris. La conversation fut très gaie, quoique un peu savante. Il ne fut parlé ni des modes nouvelles, ni des ridicules d'autrui, ni de l'histoire scandaleuse du jour.

La question du luxe fut traitée à fond. On demanda si c'était le luxe qui avait détruit l'empire romain, et il fut prouvé que les deux empires d'Occident et d'Orient n'avaient été détruits que par la controverse et par les moines. En effet, quand Alaric prit Rome, on n'était occupé que de disputes théologiques ; et quand Mahomet II prit Constantinople, les moines défendaient beaucoup plus l'éternité de la lumière du Tabor, qu'ils voyaient à leur nombril, qu'ils ne défendaient la ville contre les Turcs.

Un de nos savants fit une réflexion qui me frappa

beaucoup : c'est que ces deux grands empires sont anéantis, et que les ouvrages de Virgile, d'Horace, et d'Ovide, subsistent.

On ne fit qu'un saut du siècle d'Auguste au siècle de Louis XIV. Une dame demanda pourquoi, avec beaucoup d'esprit, on ne faisait plus guère aujourd'hui d'ouvrages de génie ?

Monsieur André répondit que c'est parce qu'on en avait fait dans le siècle passé. Cette idée était fine et pourtant vraie ; elle fut approfondie. Ensuite on tomba rudement sur un Écossais, qui s'est avisé de donner des règles de goût et de critiquer les plus admirables endroits de Racine sans savoir le français[1]. On traita encore plus sévèrement un Italien nommé Denina, qui a dénigré l'*Esprit des lois* sans le comprendre, et qui surtout a censuré ce que l'on aime le mieux dans cet ouvrage.

Cela fit souvenir du mépris affecté que Boileau étalait pour le Tasse. Quelqu'un des convives avança que le Tasse, avec ses défauts, était autant au-dessus d'Homère, que Montesquieu, avec ses défauts encore plus grands, est au-dessus du fatras de Grotius. On

---

1. Ce Monsieur Home, grand juge d'Écosse, enseigne la manière de faire parler les héros d'une tragédie avec esprit, et voici un exemple remarquable qu'il rapporte de la tragédie de *Henri IV*, du divin Shakespeare. Le divin Shakespeare introduit milord Falstaff, chef de justice, qui vient de prendre prisonnier le chevalier Jean Coleville, et qui le présente au roi :

« Sire, le voilà, je vous le livre ; je supplie Votre Grâce de faire enregistrer ce fait d'armes parmi les autres de cette journée, ou pardieu je le ferai mettre dans une ballade avec mon portrait à la tête ; on verra Coleville me baisant les pieds. Voilà ce que je ferai si vous ne rendez pas ma gloire aussi brillante qu'une pièce de deux sous dorée ; et alors vous me verrez, dans le clair ciel de la renommée, tenir votre splendeur comme la pleine lune efface les charbons éteints de l'élément de l'air, qui ne paraissent autour d'elle que comme des têtes d'épingle. »

C'est cet absurde et abominable galimatias, très fréquent dans le divin Shakespeare, que Monsieur Jean Home propose pour le modèle du bon goût et de l'esprit dans la tragédie. Mais en récompense Monsieur Home trouve l'*Iphigénie* et la *Phèdre* de Racine extrêmement ridicules.

s'éleva contre ces mauvaises critiques, dictées par la haine nationale et le préjugé. Le signor Denina fut traité comme il le méritait, et comme les pédants le sont par les gens d'esprit.

On remarqua surtout avec beaucoup de sagacité que la plupart des ouvrages littéraires du siècle présent, ainsi que les conversations, roulent sur l'examen des chefs-d'œuvre du dernier siècle. Notre mérite est de discuter leur mérite. Nous sommes comme des enfants déshérités qui font le compte du bien de leurs pères. On avoua que la philosophie avait fait de très grands progrès ; mais que la langue et le style s'étaient un peu corrompus.

C'est le sort de toutes les conversations de passer d'un sujet à un autre. Tous ces objets de curiosité, de science, et de goût disparurent bientôt devant le grand spectacle que l'impératrice de Russie et le roi de Pologne donnaient au monde. Ils venaient de relever l'humanité écrasée, et d'établir la liberté de conscience dans une partie de la terre beaucoup plus vaste que ne le fut jamais l'empire romain. Ce service rendu au genre humain, cet exemple donné à tant de cours qui se croient politiques, fut célébré comme il devait l'être. On but à la santé de l'impératrice, du roi philosophe, et du primat philosophe, et on leur souhaita beaucoup d'imitateurs. Le docteur de Sorbonne même les admira : car il y a quelques gens de bon sens dans ce corps, comme il y eut autrefois des gens d'esprit chez les Béotiens.

Le secrétaire russe nous étonna par le récit de tous les grands établissements qu'on faisait en Russie. On demanda pourquoi on aimait mieux lire l'histoire de Charles XII, qui a passé sa vie à détruire, que celle de Pierre le Grand, qui a consumé la sienne à créer. Nous conclûmes que la faiblesse et la frivolité sont la cause de cette préférence ; que Charles XII fut le don Quichotte du Nord, et que Pierre en fut le Solon ; que les esprits superficiels préfèrent l'héroïsme extravagant aux grandes vues d'un législateur ; que les détails de la fondation d'une ville leur plaisent moins que la témérité d'un homme qui brave dix mille Turcs avec ses seuls domestiques ; et qu'enfin la plupart des lecteurs aiment mieux s'amuser que s'instruire. De là vient que cent femmes lisent les *Mille et une Nuits* contre une qui lit deux chapitres de Locke.

De quoi ne parla-t-on point dans ce repas, dont je me souviendrai longtemps ! Il fallut bien enfin dire un mot des acteurs et des actrices, sujet éternel des entretiens de table de Versailles et de Paris. On convint qu'un bon déclamateur était aussi rare qu'un bon poète. Le souper finit par une chanson très jolie qu'un des convives fit pour les dames. Pour moi, j'avoue que le banquet de Platon ne m'aurait pas fait plus de plaisir que celui de monsieur et de madame André.

Nos petits-maîtres et nos petites-maîtresses s'y seraient ennuyés sans doute : ils prétendent être la bonne compagnie ; mais ni monsieur André ni moi ne soupons jamais avec cette bonne compagnie-là.

LA PRINCESSE DE BABYLONE

I

Le vieux Bélus, roi de Babylone, se croyait le premier homme de la terre : car tous ses courtisans le lui disaient, et ses historiographes le lui prouvaient. Ce qui pouvait excuser en lui ce ridicule, c'est qu'en effet ses prédécesseurs avaient bâti Babylone plus de trente mille ans avant lui, et qu'il l'avait embellie. On sait que son palais et son parc, situés à quelques parasanges de Babylone, s'étendaient entre l'Euphrate et le Tigre, qui baignaient ces rivages enchantés. Sa vaste maison, de trois mille pas de façade, s'élevait jusqu'aux nues. La plate-forme était entourée d'une balustrade de marbre blanc de cinquante pieds de hauteur, qui portait les statues colossales de tous les rois et de tous les grands hommes de l'empire. Cette plate-forme, composée de deux rangs de briques couvertes d'une épaisse surface de plomb d'une extrémité à l'autre, était chargée de douze pieds de terre, et sur cette terre on avait élevé des forêts d'oliviers, d'orangers, de citronniers, de palmiers, de gérofliers, de cocotiers, de cannelliers, qui formaient des allées impénétrables aux rayons du soleil.

Les eaux de l'Euphrate, élevées par des pompes dans cent colonnes creusées, venaient dans ces jardins remplir de vastes bassins de marbre, et, retom-

bant ensuite par d'autres canaux, allaient former dans
le parc des cascades de six mille pieds de longueur, et
cent mille jets d'eau dont la hauteur pouvait à peine
être aperçue : elles retournaient ensuite dans
l'Euphrate, dont elles étaient parties. Les jardins de
Sémiramis, qui étonnèrent l'Asie plusieurs siècles
après, n'étaient qu'une faible imitation de ces anti-
ques merveilles : car, du temps de Sémiramis, tout
commençait à dégénérer chez les hommes et chez les
femmes.

Mais ce qu'il y avait de plus admirable à Babylone,
ce qui éclipsait tout le reste, était la fille unique du
roi, nommée Formosante. Ce fut d'après ses portraits
et ses statues que dans la suite des siècles Praxitèle
sculpta son Aphrodite, et celle qu'on nomma *la Vénus
aux belles fesses*. Quelle différence, ô ciel ! de l'original
aux copies ! Aussi Bélus était plus fier de sa fille que
de son royaume. Elle avait dix-huit ans : il lui fallait
un époux digne d'elle ; mais où le trouver ? Un ancien
oracle avait ordonné que Formosante ne pourrait
appartenir qu'à celui qui tendrait l'arc de Nembrod.
Ce Nembrod, le fort chasseur devant le Seigneur,
avait laissé un arc de sept pieds babyloniques de haut,
d'un bois d'ébène plus dur que le fer du mont Caucase, qu'on travaille dans les forges de Derbent ; et nul
mortel, depuis Nembrod, n'avait pu bander cet arc
merveilleux.

Il était dit encore que le bras qui aurait tendu cet
arc tuerait le lion le plus terrible et le plus dangereux
qui serait lâché dans le cirque de Babylone. Ce n'était
pas tout : le bandeur de l'arc, le vainqueur du lion
devait terrasser tous ses rivaux ; mais il devait surtout
avoir beaucoup d'esprit, être le plus magnifique des
hommes, le plus vertueux, et posséder la chose la plus
rare qui fût dans l'univers entier.

Il se présenta trois rois qui osèrent disputer Formosante : le pharaon d'Égypte, le scha des Indes, et le
grand kan des Scythes. Bélus assigna le jour, et le lieu
du combat à l'extrémité de son parc, dans le vaste
espace bordé par les eaux de l'Euphrate et du Tigre

réunies. On dressa autour de la lice un amphithéâtre de marbre qui pouvait contenir cinq cent mille spectateurs. Vis-à-vis l'amphithéâtre était le trône du roi, qui devait paraître avec Formosante, accompagnée de toute la cour ; et à droite et à gauche entre le trône et l'amphithéâtre, étaient d'autres trônes et d'autres sièges pour les trois rois et pour tous les autres souverains qui seraient curieux de venir voir cette auguste cérémonie.

Le roi d'Égypte arriva le premier, monté sur le bœuf Apis, et tenant en main le sistre d'Isis. Il était suivi de deux mille prêtres vêtus de robes de lin plus blanches que la neige, de deux mille eunuques, de deux mille magiciens, et de deux mille guerriers.

Le roi des Indes arriva bientôt après dans un char traîné par douze éléphants. Il avait une suite encore plus nombreuse et plus brillante que le pharaon d'Égypte.

Le dernier qui parut était le roi des Scythes. Il n'avait auprès de lui que des guerriers choisis, armés d'arcs et de flèches. Sa monture était un tigre superbe qu'il avait dompté, et qui était aussi haut que les plus beaux chevaux de Perse. La taille de ce monarque, imposante et majestueuse, effaçait celle de ses rivaux ; ses bras nus, aussi nerveux que blancs, semblaient déjà tendre l'arc de Nembrod.

Les trois princes se prosternèrent d'abord devant Bélus et Formosante. Le roi d'Égypte offrit à la princesse les deux plus beaux crocodiles du Nil, deux hippopotames, deux zèbres, deux rats d'Égypte, et deux momies, avec les livres du grand Hermès, qu'il croyait être ce qu'il y avait de plus rare sur la terre.

Le roi des Indes lui offrit cent éléphants qui portaient chacun une tour de bois doré, et mit à ses pieds le *Veidam*, écrit de la main de Xaca lui-même.

Le roi des Scythes, qui ne savait ni lire ni écrire, présenta cent chevaux de bataille couverts de housses de peaux de renards noirs.

La princesse baissa les yeux devant ses amants, et s'inclina avec des grâces aussi modestes que nobles.

Bélus fit conduire ces monarques sur les trônes qui leur étaient préparés. « Que n'ai-je trois filles ! leur dit-il, je rendrais aujourd'hui six personnes heureuses. » Ensuite il fit tirer au sort à qui essayerait le premier l'arc de Nembrod. On mit dans un casque d'or les noms des trois prétendants. Celui du roi d'Égypte sortit le premier ; ensuite parut le nom du roi des Indes. Le roi Scythe, en regardant l'arc et ses rivaux, ne se plaignit point d'être le troisième.

Tandis qu'on préparait ces brillantes épreuves, vingt mille pages et vingt mille jeunes filles distribuaient sans confusion des rafraîchissements aux spectateurs entre les rangs des sièges. Tout le monde avouait que les dieux n'avaient établi les rois que pour donner tous les jours des fêtes, pourvu qu'elles fussent diversifiées ; que la vie est trop courte pour en user autrement ; que les procès, les intrigues, la guerre, les disputes des prêtres, qui consument la vie humaine, sont des choses absurdes et horribles ; que l'homme n'est né que pour la joie ; qu'il n'aimerait pas les plaisirs passionnément et continuellement s'il n'était pas formé pour eux ; que l'essence de la nature humaine est de se réjouir, et que tout le reste est folie. Cette excellente morale n'a jamais été démentie que par les faits.

Comme on allait commencer ces essais, qui devaient décider de la destinée de Formosante, un jeune inconnu monté sur une licorne, accompagné de son valet monté de même, et portant sur le poing un gros oiseau, se présente à la barrière. Les gardes furent surpris de voir en cet équipage une figure qui avait l'air de la divinité. C'était, comme on a dit depuis, le visage d'Adonis sur le corps d'Hercule ; c'était la majesté avec les grâces. Ses sourcils noirs et ses longs cheveux blonds, mélange de beauté inconnu à Babylone, charmèrent l'assemblée : tout l'amphithéâtre se leva pour le mieux regarder ; toutes les femmes de la cour fixèrent sur lui des regards étonnés. Formosante elle-même, qui baissait toujours les yeux, les releva et rougit ; les trois rois pâlirent ; tous les spectateurs, en comparant Formosante avec l'inconnu, s'écriaient : « Il n'y a dans le monde que ce jeune homme qui soit aussi beau que la princesse. »

Les huissiers, saisis d'étonnement, lui demandèrent s'il était roi. L'étranger répondit qu'il n'avait pas cet honneur, mais qu'il était venu de fort loin par curiosité pour voir s'il y avait des rois qui fussent dignes de Formosante. On l'introduisit dans le premier rang de l'amphithéâtre, lui, son valet, ses deux licornes, et son oiseau. Il salua profondément Bélus, sa fille, les trois rois, et toute l'assemblée. Puis il prit place en rougissant. Ses deux licornes se couchèrent à ses pieds, son oiseau se percha sur son épaule, et son valet, qui portait un petit sac, se mit à côté de lui.

Les épreuves commencèrent. On tira de son étui d'or l'arc de Nembrod. Le grand maître des cérémonies, suivi de cinquante pages et précédé de vingt trompettes, le présenta au roi d'Égypte, qui le fit bénir par ses prêtres ; et, l'ayant posé sur la tête du bœuf Apis, il ne douta pas de remporter cette première victoire. Il descend au milieu de l'arène, il essaie, il épuise ses forces, il fait des contorsions qui excitent le rire de l'amphithéâtre, et qui font même sourire Formosante.

Son grand aumônier s'approcha de lui : « Que Votre Majesté, lui dit-il, renonce à ce vain honneur, qui n'est que celui des muscles et des nerfs ; vous triompherez dans tout le reste. Vous vaincrez le lion, puisque vous avez le sabre d'Osiris. La princesse de Babylone doit appartenir au prince qui a le plus d'esprit, et vous avez deviné des énigmes. Elle doit épouser le plus vertueux, vous l'êtes, puisque vous avez été élevé par les prêtres d'Égypte. Le plus généreux doit l'emporter, et vous avez donné les deux plus beaux crocodiles et les deux plus beaux rats qui soient dans le Delta. Vous possédez le bœuf Apis et les livres d'Hermès, qui sont la chose la plus rare de l'univers. Personne ne peut vous disputer Formosante. — Vous avez raison, dit le roi d'Égypte », et il se remit sur son trône.

On alla mettre l'arc entre les mains du roi des Indes. Il en eut des ampoules pour quinze jours, et se consola en présumant que le roi des Scythes ne serait pas plus heureux que lui.

Le Scythe mania l'arc à son tour. Il joignait l'adresse à la force : l'arc parut prendre quelque élasticité entre ses mains ; il le fit un peu plier, mais jamais il ne put venir à bout de le tendre. L'amphithéâtre, à qui la bonne mine de ce prince inspirait des inclinations favorables, gémit de son peu de succès, et jugea que la belle princesse ne serait jamais mariée.

Alors le jeune inconnu descendit d'un saut dans l'arène, et, s'adressant au roi des Scythes : « Que Votre Majesté, lui dit-il, ne s'étonne point de n'avoir pas entièrement réussi. Ces arcs d'ébène se font dans mon pays ; il n'y a qu'un certain tour à donner. Vous avez beaucoup plus de mérite à l'avoir fait plier que je n'en peux avoir à le tendre. » Aussitôt il prit une flèche, l'ajusta sur la corde, tendit l'arc de Nembrod, et fit voler la flèche bien au-delà des barrières. Un million de mains applaudit à ce prodige. Babylone retentit d'acclamations, et toutes les femmes disaient : « Quel bonheur qu'un si beau garçon ait tant de force ! »

Il tira ensuite de sa poche une petite lame d'ivoire, écrivit sur cette lame avec une aiguille d'or, attacha la tablette d'ivoire à l'arc, et présenta le tout à la princesse avec une grâce qui ravissait tous les assistants. Puis il alla modestement se remettre à sa place entre son oiseau et son valet. Babylone entière était dans la surprise ; les trois rois étaient confondus, et l'inconnu ne paraissait pas s'en apercevoir.

Formosante fut encore plus étonnée en lisant sur la tablette d'ivoire attachée à l'arc ces petits vers en beau langage chaldéen :

> L'arc de Nembrod est celui de la guerre ;
> L'arc de l'amour est celui du bonheur ;
> Vous le portez. Par vous ce dieu vainqueur.
> Est devenu le maître de la terre.
> Trois rois puissants, trois rivaux aujourd'hui,

Osent prétendre à l'honneur de vous plaire :
Je ne sais pas qui votre cœur préfère
Mais l'univers sera jaloux de lui.

Ce petit madrigal ne fâcha point la princesse. Il fut critiqué par quelques seigneurs de la vieille cour, qui dirent qu'autrefois dans le bon temps on aurait comparé Bélus au soleil, et Formosante à la lune, son cou à une tour, et sa gorge à un boisseau de froment. Ils dirent que l'étranger n'avait point d'imagination, et qu'il s'écartait des règles de la véritable poésie ; mais toutes les dames trouvèrent les vers fort galants. Elles s'émerveillèrent qu'un homme qui bandait si bien un arc eût tant d'esprit. La dame d'honneur de la princesse lui dit : « Madame, voilà bien des talents en pure perte. De quoi servira à ce jeune homme son esprit et l'arc de Bélus ? — A le faire admirer, répondit Formosante. — Ah ! dit la dame d'honneur entre ses dents, encore un madrigal, et il pourrait bien être aimé. »

Cependant Bélus, ayant consulté ses mages, déclara qu'aucun des trois rois n'ayant pu bander l'arc de Nembrod, il n'en fallait pas moins marier sa fille, et qu'elle appartiendrait à celui qui viendrait à bout d'abattre le grand lion qu'on nourrissait exprès dans sa ménagerie. Le roi d'Égypte, qui avait été élevé dans toute la sagesse de son pays, trouva qu'il était fort ridicule d'exposer un roi aux bêtes pour le marier. Il avouait que la possession de Formosante était d'un grand prix ; mais il prétendait que, si le lion l'étranglait, il ne pourrait jamais épouser cette belle Babylonienne. Le roi des Indes entra dans les sentiments de l'Égyptien ; tous deux conclurent que le roi de Babylone se moquait d'eux ; qu'il fallait faire venir des armées pour le punir ; qu'ils avaient assez de sujets qui se tiendraient fort honorés de mourir au service de leurs maîtres, sans qu'il en coûtât un cheveu à leurs têtes sacrées ; qu'ils détrôneraient aisément le roi de Babylone, et qu'ensuite ils tireraient au sort la belle Formosante.

Cet accord étant fait, les deux rois dépêchèrent chacun dans leur pays un ordre exprès d'assembler une armée de trois cent mille hommes pour enlever Formosante.

Cependant le roi des Scythes descendit seul dans l'arène, le cimeterre à la main. Il n'était pas éperdument épris des charmes de Formosante; la gloire avait été jusque-là sa seule passion; elle l'avait conduit à Babylone. Il voulait faire voir que si les rois de l'Inde et de l'Égypte étaient assez prudents pour ne se pas compromettre avec des lions, il était assez courageux pour ne pas dédaigner ce combat, et qu'il réparerait l'honneur du diadème. Sa rare valeur ne lui permit pas seulement de se servir du secours de son tigre. Il s'avance seul, légèrement armé, couvert d'un casque d'acier garni d'or, ombragé de trois queues de cheval blanches comme la neige.

On lâche contre lui le plus énorme lion qui ait jamais été nourri dans les montagnes de l'Anti-Liban. Ses terribles griffes semblaient capables de déchirer les trois rois à la fois, et sa vaste gueule de les dévorer. Ses affreux rugissements faisaient retentir l'amphithéâtre. Les deux fiers champions se précipitent l'un contre l'autre d'une course rapide. Le courageux Scythe enfonce son épée dans le gosier du lion, mais la pointe, rencontrant une de ces épaisses dents que rien ne peut percer, se brise en éclats, et le monstre des forêts, furieux de sa blessure, imprimait déjà ses ongles sanglants dans les flancs du monarque.

Le jeune inconnu, touché du péril d'un si brave prince, se jette dans l'arène plus prompt qu'un éclair; il coupe la tête du lion avec la même dextérité qu'on a vu depuis dans nos carrousels de jeunes chevaliers adroits enlever des têtes de maures ou des bagues.

Puis, tirant une petite boîte, il la présente au roi scythe, en lui disant : « Votre Majesté trouvera dans cette petite boîte le véritable dictame qui croît dans mon pays. Vos glorieuses blessures seront guéries en un moment. Le hasard seul vous a empêché de triompher du lion; votre valeur n'en est pas moins admirable. »

Le roi scythe, plus sensible à la reconnaissance qu'à la jalousie, remercia son libérateur, et, après l'avoir tendrement embrassé, rentra dans son quartier pour appliquer le dictame sur ses blessures.

L'inconnu donna la tête du lion à son valet ; celui-ci, après l'avoir lavée à la grande fontaine qui était au-dessous de l'amphithéâtre, et en avoir fait écouler tout le sang, tira un fer de son petit sac, arracha les quarante dents du lion, et mit à leur place quarante diamants d'une égale grosseur.

Son maître, avec sa modestie ordinaire, se remit à sa place ; il donna la tête du lion à son oiseau : « Bel oiseau, dit-il, allez porter aux pieds de Formosante ce faible hommage. » L'oiseau part, tenant dans une de ses serres le terrible trophée ; il le présente à la princesse en baissant humblement le cou, et en s'aplatissant devant elle. Les quarante brillants éblouirent tous les yeux. On ne connaissait pas encore cette magnificence dans la superbe Babylone : l'émeraude, la topaze, le saphir, et le pyrope, étaient regardés encore comme les plus précieux ornements. Bélus et toute la cour étaient saisis d'admiration. L'oiseau qui offrait ce présent les surprit encore davantage. Il était de la taille d'un aigle, mais ses yeux étaient aussi doux et aussi tendres que ceux de l'aigle sont fiers et menaçants. Son bec était couleur de rose, et semblait tenir quelque chose de la belle bouche de Formosante. Son cou rassemblait toutes les couleurs de l'iris, mais plus vives et plus brillantes. L'or en mille nuances éclatait sur son plumage. Ses pieds paraissaient un mélange d'argent et de pourpre ; et la queue des beaux oiseaux qu'on attela depuis au char de Junon n'approchait pas de la sienne.

L'attention, la curiosité, l'étonnement, l'extase de toute la cour, se partageaient entre les quarante diamants et l'oiseau. Il s'était perché sur la balustrade, entre Bélus et sa fille Formosante ; elle le flattait, le caressait, le baisait. Il semblait recevoir ses caresses avec un plaisir mêlé de respect. Quand la princesse lui donnait des baisers, il les rendait, et la regardait

ensuite avec des yeux attendris. Il recevait d'elle des
biscuits et des pistaches, qu'il prenait de sa patte pur-
purine et argentée, et qu'il portait à son bec avec des
grâces inexprimables.

Bélus, qui avait considéré les diamants avec attention, jugeait qu'une de ses provinces pouvait à peine
payer un présent si riche. Il ordonna qu'on préparât
pour l'inconnu des dons encore plus magnifiques que
ceux qui étaient destinés aux trois monarques. « Ce
jeune homme, disait-il, est sans doute le fils du roi de
la Chine, ou de cette partie du monde qu'on nomme
Europe, dont j'ai entendu parler, ou de l'Afrique, qui
est, dit-on, voisine du royaume d'Égypte. »

Il envoya sur-le-champ son grand écuyer compli-
menter l'inconnu, et lui demander s'il était souverain
d'un de ces empires, et pourquoi, possédant de si
étonnants trésors, il était venu avec un valet et un
petit sac.

Tandis que le grand écuyer avançait vers l'amphithéâtre pour s'acquitter de sa commission, arriva un
autre valet sur une licorne. Ce valet, adressant la
parole au jeune homme, lui dit : « Ormar, votre père
touche à l'extrémité de sa vie, et je suis venu vous en
avertir. « L'inconnu leva les yeux au ciel, versa des
larmes, et ne répondit que par ce mot : « Partons. »

Le grand écuyer, après avoir fait les compliments
de Bélus au vainqueur du lion, au donneur des quarante diamants, au maître du bel oiseau, demanda au
valet de quel royaume était souverain le père de ce
jeune héros. Le valet répondit : « Son père est un
vieux berger qui est fort aimé dans le canton. »

Pendant ce court entretien l'inconnu était déjà
monté sur sa licorne. Il dit au grand écuyer : « Seigneur, daignez me mettre aux pieds de Bélus et de sa
fille. J'ose la supplier d'avoir grand soin de l'oiseau
que je lui laisse ; il est unique comme elle. » En ache-
vant ces mots, il partit comme un éclair ; les deux
valets le suivirent, et on les perdit de vue.

Formosante ne put s'empêcher de jeter un grand
cri. L'oiseau, se retournant vers l'amphithéâtre où son

maître avait été assis, parut très affligé de ne le plus voir. Puis regardant fixement la princesse, et frottant doucement sa belle main de son bec, il sembla se vouer à son service.

Bélus, plus étonné que jamais, apprenant que ce jeune homme si extraordinaire était le fils d'un berger, ne put le croire. Il fit courir après lui; mais bientôt on lui rapporta que les licornes sur lesquelles ces trois hommes couraient ne pouvaient être atteintes, et qu'au galop dont elles allaient elles devaient faire cent lieues par jour.

II

Tout le monde raisonnait sur cette aventure étrange, et s'épuisait en vaines conjectures. Comment le fils d'un berger peut-il donner quarante gros diamants? Pourquoi est-il monté sur une licorne? On s'y perdait; et Formosante, en caressant son oiseau, était plongée dans une rêverie profonde.

La princesse Aldée, sa cousine issue de germaine, très bien faite, et presque aussi belle que Formosante, lui dit : « Ma cousine, je ne sais pas si ce jeune demi-dieu est le fils d'un berger; mais il me semble qu'il a rempli toutes les conditions attachées à votre mariage. Il a bandé l'arc de Nembrod, il a vaincu le lion, il a beaucoup d'esprit puisqu'il a fait pour vous un assez joli impromptu. Après les quarante énormes diamants qu'il vous a donnés, vous ne pouvez nier qu'il ne soit le plus généreux des hommes. Il possédait dans son oiseau ce qu'il y a de plus rare sur la terre. Sa vertu n'a point d'égale, puisque, pouvant demeurer auprès de vous, il est parti sans délibérer dès qu'il a su que son père était malade. L'oracle est accompli dans tous ses points, excepté dans celui qui exige qu'il terrasse ses rivaux; mais il a fait plus, il a sauvé la vie du seul concurrent qu'il pouvait craindre; et, quand il s'agira de battre les deux autres, je crois que vous ne doutez pas qu'il n'en vienne à bout aisément.

— Tout ce que vous dites est bien vrai, répondit Formosante ; mais est-il possible que le plus grand des hommes, et peut-être même le plus aimable, soit le fils d'un berger ? »

La dame d'honneur, se mêlant de la conversation, dit que très souvent ce mot de berger était appliqué aux rois ; qu'on les appelait *bergers*, parce qu'ils tondent de fort près leur troupeau ; que c'était sans doute une mauvaise plaisanterie de son valet ; que ce jeune héros n'était venu si mal accompagné que pour faire voir combien son seul mérite était au-dessus du faste des rois, et pour ne devoir Formosante qu'à lui-même. La princesse ne répondit qu'en donnant à son oiseau mille tendres baisers.

On préparait cependant un grand festin pour les trois rois et pour tous les princes qui étaient venus à la fête. La fille et la nièce du roi devaient en faire les honneurs. On portait chez les rois des présents dignes de la magnificence de Babylone. Bélus, en attendant qu'on servît, assembla son conseil sur le mariage de la belle Formosante, et voici comme il parla en grand politique :

« Je suis vieux, je ne sais plus que faire, ni à qui donner ma fille. Celui qui la méritait n'est qu'un vil berger, le roi des Indes et celui d'Égypte sont des poltrons ; le roi des Scythes me conviendrait assez, mais il n'a rempli aucune des conditions imposées. Je vais encore consulter l'oracle. En attendant, délibérez, et nous conclurons suivant ce que l'oracle aura dit : car un roi ne doit se conduire que par l'ordre exprès des dieux immortels. »

Alors il va dans sa chapelle ; l'oracle lui répond en peu de mots, suivant sa coutume : « Ta fille ne sera mariée que quand elle aura couru le monde. » Bélus, étonné, revient au conseil, et rapporte cette réponse.

Tous les ministres avaient un profond respect pour les oracles ; tous convenaient ou feignaient de convenir qu'ils étaient le fondement de la religion ; que la raison doit se taire devant eux ; que c'est par eux que les rois règnent sur les peuples, et les mages sur les rois ; que sans les oracles il n'y aurait ni vertu ni repos sur la terre. Enfin, après avoir témoigné la plus profonde vénération pour eux, presque tous conclurent que celui-ci était impertinent, qu'il ne fallait pas lui obéir ; que rien n'était plus indécent pour une fille, et surtout pour celle du grand roi de Babylone, que d'aller courir sans savoir où ; que c'était le vrai moyen de n'être point mariée, ou de faire un mariage clandestin, honteux et ridicule ; qu'en un mot cet oracle n'avait pas le sens commun.

Le plus jeune des ministres, nommé Onadase, qui avait plus d'esprit qu'eux, dit que l'oracle entendait sans doute quelque pèlerinage de dévotion, et qu'il s'offrait à être le conducteur de la princesse. Le conseil revint à son avis, mais chacun voulut servir d'écuyer. Le roi décida que la princesse pourrait aller à trois cents parasanges sur le chemin de l'Arabie, à un temple dont le saint avait la réputation de procurer d'heureux mariages aux filles, et que ce serait le doyen du conseil qui l'accompagnerait. Après cette décision on alla souper.

III

Au milieu des jardins, entre deux cascades, s'élevait un salon ovale de trois cents pieds de diamètre, dont la voûte d'azur semée d'étoiles d'or représentait toutes les constellations avec les planètes, chacune à leur véritable place, et cette voûte tournait, ainsi que le ciel, par des machines aussi invisibles que le sont celles qui dirigent les mouvements célestes. Cent mille flambeaux enfermés dans des cylindres de cristal de roche éclairaient les dehors et l'intérieur de la salle à manger. Un buffet en gradins portait vingt mille vases ou plats d'or ; et vis-à-vis le buffet d'autres gradins étaient remplis de musiciens. Deux autres amphithéâtres étaient chargés, l'un, des fruits de toutes les saisons ; l'autre, d'amphores de cristal où brillaient tous les vins de la terre.

Les convives prirent leurs places autour d'une table de compartiments qui figuraient des fleurs et des fruits, tous en pierres précieuses. La belle Formosante fut placée entre le roi des Indes et celui d'Égypte, la belle Aldée auprès du roi des Scythes. Il y avait une trentaine de princes, et chacun d'eux était à côté d'une des plus belles dames du palais. Le roi de Babylone au milieu, vis-à-vis de sa fille, paraissait partagé entre le chagrin de n'avoir pu la marier et le plaisir de la garder encore. Formosante lui demanda la permission de mettre son oiseau sur la table à côté d'elle. Le roi le trouva très bon.

La musique, qui se fit entendre, donna une pleine liberté à chaque prince d'entretenir sa voisine. Le festin parut aussi agréable que magnifique. On avait servi devant Formosante un ragoût que le roi son père aimait beaucoup. La princesse dit qu'il fallait le porter devant Sa Majesté; aussitôt l'oiseau se saisit du plat avec une dextérité merveilleuse et va le présenter au roi. Jamais on ne fut plus étonné à souper. Bélus lui fit autant de caresses que sa fille. L'oiseau reprit ensuite son vol pour retourner auprès d'elle. Il déployait en volant une si belle queue, ses ailes étendues étalaient tant de brillantes couleurs, l'or de son plumage jetait un éclat si éblouissant, que tous les yeux ne regardaient que lui. Tous les concertants cessèrent leur musique et devinrent immobiles. Personne ne mangeait, personne ne parlait, on n'entendait qu'un murmure d'admiration. La princesse de Babylone le baisa pendant tout le souper, sans songer seulement s'il y avait des rois dans le monde. Ceux des Indes et d'Égypte sentirent redoubler leur dépit et leur indignation, et chacun d'eux se promit bien de hâter la marche de ses trois cent mille hommes pour se venger.

Pour le roi des Scythes, il était occupé à entretenir la belle Aldée : son cœur altier, méprisant sans dépit les inattentions de Formosante, avait conçu pour elle plus d'indifférence que de colère. Elle est belle, disait-il, je l'avoue; mais elle me paraît de ces femmes qui ne sont occupées que de leur beauté, et qui pensent que le genre humain doit leur être bien obligé quand elles daignent se laisser voir en public. On n'adore point des idoles dans mon pays. J'aimerais mieux une laideron complaisante et attentive que cette belle statue. Vous avez, madame, autant de charmes qu'elle, et vous daignez au moins faire conversation avec les étrangers. Je vous avoue, avec la franchise d'un Scythe, que je vous donne la préférence sur votre cousine. » Il se trompait pourtant sur le caractère de Formosante : elle n'était pas si dédaigneuse qu'elle le paraissait ; mais son compliment fut très bien reçu de la princesse Aldée. Leur entretien devint fort intéressant : ils étaient très contents, et déjà sûrs l'un de l'autre avant qu'on sortît de table.

Après le souper, on alla se promener dans les bosquets. Le roi des Scythes et Aldée ne manquèrent pas de chercher un cabinet solitaire. Aldée, qui était la franchise même, parla ainsi à ce prince :

« Je ne hais point ma cousine, quoiqu'elle soit plus belle que moi, et qu'elle soit destinée au trône de Babylone : l'honneur de vous plaire me tient lieu d'attraits. Je préfère la Scythie avec vous à la couronne de Babylone sans vous ; mais cette couronne m'appartient de droit, s'il y a des droits dans le monde : car je suis de la branche aînée de Nembrod, et Formosante n'est que de la cadette. Son grand-père détrôna le mien, et le fit mourir.

— Telle est donc la force du sang dans la maison de Babylone ! dit le Scythe. Comment s'appelait votre grand-père ? — Il se nommait Aldée, comme moi. Mon père avait le même nom : il fut relégué au fond de l'empire avec ma mère ; et Bélus, après leur mort, ne craignant rien de moi, voulut m'élever auprès de sa fille ; mais il a décidé que je ne serais jamais mariée.

— Je veux venger votre père, et votre grand-père, et vous, dit le roi des Scythes. Je vous réponds que vous serez mariée ; je vous enlèverai après-demain de grand matin, car il faut dîner demain avec le roi de Babylone, et je reviendrai soutenir vos droits avec une

armée de trois cent mille hommes. — Je le veux
bien », dit la belle Aldée; et, après s'être donné leur
parole d'honneur, ils se séparèrent.

Il y avait longtemps que l'incomparable Formosante s'était allée coucher. Elle avait fait placer à côté
de son lit un petit oranger dans une caisse d'argent
pour y faire reposer son oiseau. Ses rideaux étaient
fermés; mais elle n'avait nulle envie de dormir. Son
cœur et son imagination étaient trop éveillés. Le charmant inconnu était devant ses yeux; elle le voyait
tirant une flèche avec l'arc de Nembrod; elle le
contemplait coupant la tête du lion; elle récitait son
madrigal; enfin elle le voyait s'échapper de la foule,
monté sur sa licorne; alors elle éclatait en sanglots;
elle s'écriait avec larmes : « Je ne le reverrai donc
plus; il ne reviendra pas.

— Il reviendra, madame, lui répondit l'oiseau du
haut de son oranger; peut-on vous avoir vue, et ne
pas vous revoir?

— O ciel! ô puissances éternelles! mon oiseau
parle le pur chaldéen! » En disant ces mots, elle tire
ses rideaux, lui tend les bras, se met à genoux sur son
lit : « Êtes-vous un dieu descendu sur la terre? êtes-
vous le grand Orosmade caché sous ce beau plumage? Si vous êtes un dieu, rendez-moi ce beau jeune
homme.

— Je ne suis qu'une volatile, répliqua l'autre; mais
je naquis dans le temps que toutes les bêtes parlaient
encore, et que les oiseaux, les serpents, les ânesses, les
chevaux, et les griffons, s'entretenaient familièrement
avec les hommes. Je n'ai pas voulu parler devant le
monde, de peur que vos dames d'honneur ne me
prissent pour un sorcier : je ne veux me découvrir
qu'à vous. »

Formosante, interdite, égarée, enivrée de tant de
merveilles, agitée de l'empressement de faire cent
questions à la fois, lui demanda d'abord quel âge il
avait. « Vingt-sept mille neuf cents ans et six mois,
madame; je suis de l'âge de la petite révolution du ciel
que vos mages appellent *la précession des équinoxes* et

qui s'accomplit en près de vingt-huit mille de vos années. Il y a des révolutions infiniment plus longues : aussi nous avons des êtres beaucoup plus vieux que moi. Il y a vingt-deux mille ans que j'appris le chaldéen dans un de mes voyages. J'ai toujours conservé beaucoup de goût pour la langue chaldéenne ; mais les autres animaux mes confrères ont renoncé à parler dans vos climats. — Et pourquoi cela, mon divin oiseau ? — Hélas ! c'est parce que les hommes ont pris enfin l'habitude de nous manger, au lieu de converser et de s'instruire avec nous. Les barbares ! ne devaient-ils pas être convaincus qu'ayant les mêmes organes qu'eux, les mêmes sentiments, les mêmes besoins, les mêmes désirs, nous avions ce qui s'appelle *une âme* tout comme eux ; que nous étions leurs frères, et qu'il ne fallait cuire et manger que les méchants ? Nous sommes tellement vos frères que le grand Être, l'Être éternel et formateur, ayant fait un pacte avec les hommes [1], nous comprit expressément dans le traité. Il vous défendit de vous nourrir de notre sang, et à nous, de sucer le vôtre.

« Les fables de votre ancien Locman, traduites en tant de langues, seront un témoignage éternellement subsistant de l'heureux commerce que vous avez eu autrefois avec nous. Elles commencent toutes par ces mots : *Du temps que les bêtes parlaient*. Il est vrai qu'il y a beaucoup de femmes parmi vous qui parlent toujours à leurs chiens ; mais ils ont résolu de ne point répondre depuis qu'on les a forcés à coups de fouet d'aller à la chasse, et d'être les complices du meurtre de nos anciens amis communs, les cerfs, les daims, les lièvres et les perdrix.

« Vous avez encore d'anciens poèmes dans lesquels les chevaux parlent, et vos cochers leur adressent la parole tous les jours ; mais c'est avec tant de grossièreté, et en prononçant des mots si infâmes, que les chevaux, qui vous aimaient tant autrefois, vous détestent aujourd'hui.

---

1. Voyez le chap. 9 de la *Genèse* ; et les chap. 3, 18 et 19 de l'*Ecclésiaste*.

« Les pays où demeure votre charmant inconnu, le plus parfait des hommes, est demeuré le seul où votre espèce sache encore aimer la nôtre et lui parler; — et c'est la seule contrée de la terre où les hommes soient justes.

— Et où est-il ce pays de mon cher inconnu ? quel est le nom de ce héros ? comment se nomme son empire ? car je ne croirai pas plus qu'il est un berger que je ne crois que vous êtes une chauve-souris.

— Son pays, madame, est celui des Gangarides, peuple vertueux et invincible qui habite la rive orientale du Gange. Le nom de mon ami est Amazan. Il n'est pas roi, et je ne sais même s'il voudrait s'abaisser à l'être; il aime trop ses compatriotes : il est berger comme eux. Mais n'allez pas vous imaginer que ces bergers ressemblent aux vôtres, qui, couverts à peine de lambeaux déchirés, gardent des moutons infiniment mieux habillés qu'eux; qui gémissent sous le fardeau de la pauvreté, et qui payent à un exacteur la moitié des gages chétifs qu'ils reçoivent de leurs maîtres. Les bergers gangarides, nés tous égaux, sont les maîtres des troupeaux innombrables qui couvrent leurs prés éternellement fleuris. On ne les tue jamais : c'est un crime horrible vers le Gange de tuer et de manger son semblable. Leur laine, plus fine et plus brillante que la plus belle soie, est le plus grand commerce de l'Orient. D'ailleurs la terre des Gangarides produit tout ce qui peut flatter les désirs de l'homme. Ces gros diamants qu'Amazan a eu l'honneur de vous offrir sont d'une mine qui lui appartient. Cette licorne que vous l'avez vu monter est la monture ordinaire des Gangarides. C'est le plus bel animal, le plus fier, le plus terrible, et le plus doux qui orne la terre. Il suffirait de cent Gangarides et de cent licornes pour dissiper des armées innombrables. Il y a environ deux siècles qu'un roi des Indes fut assez fou pour vouloir conquérir cette nation : il se présenta suivi de dix mille éléphants et d'un million de guerriers. Les licornes percèrent les éléphants, comme j'ai vu sur votre table des mauviettes enfilées dans des brochettes d'or. Les guerriers tombaient sous le sabre des Gangarides comme les moissons de riz sont coupées par les mains des peuples de l'Orient. On prit le roi prisonnier avec plus de six cent mille hommes. On le baigna dans les eaux salutaires du Gange ; on le mit au régime du pays, qui consiste à ne se nourrir que de végétaux prodigués par la nature pour nourrir tout ce qui respire. Les hommes alimentés de carnage et abreuvés de liqueurs fortes ont tous un sang aigri et aduste qui les rend fous en cent manières différentes. Leur principale démence est la fureur de verser le sang de leurs frères, et de dévaster des plaines fertiles pour régner sur des cimetières. On employa six mois entiers à guérir le roi des Indes de sa maladie. Quand les médecins eurent enfin jugé qu'il avait le pouls plus tranquille et l'esprit plus rassis, ils en donnèrent le certificat au conseil des Gangarides. Ce conseil, ayant pris l'avis des licornes, renvoya humainement le roi des Indes, sa sotte cour et ses imbéciles guerriers dans leur pays. Cette leçon les rendit sages, et, depuis ce temps, les Indiens respectèrent les Gangarides, comme les ignorants qui voudraient s'instruire respectent parmi vous les philosophes chaldéens, qu'ils ne peuvent égaler. — A propos, mon cher oiseau, lui dit la princesse, y a-t-il une religion chez les Gangarides ? — S'il y en a une ? Madame, nous nous assemblons pour rendre grâces à Dieu, les jours de la pleine lune, les hommes dans un grand temple de cèdre, les femmes dans un autre, de peur des distractions ; tous les oiseaux dans un bocage, les quadrupèdes sur une belle pelouse. Nous remercions Dieu de tous les biens qu'il nous a faits. Nous avons surtout des perroquets qui prêchent à merveille.

« Telle est la patrie de mon cher Amazan ; c'est là que je demeure ; j'ai autant d'amitié pour lui qu'il vous a inspiré d'amour. Si vous m'en croyez, nous partirons ensemble, et vous irez lui rendre sa visite.

— Vraiment, mon oiseau, vous faites là un joli métier, répondit en souriant la princesse, qui brûlait d'envie de faire le voyage, et qui n'osait le dire. — Je

sers mon ami, dit l'oiseau; et, après le bonheur de
vous aimer, le plus grand est celui de servir vos
amours. »

Formosante ne savait plus où elle en était; elle se
croyait transportée hors de la terre. Tout ce qu'elle
avait vu dans cette journée, tout ce qu'elle voyait, tout
ce qu'elle entendait, et surtout ce qu'elle sentait dans
son cœur, la plongeait dans un ravissement qui passait de bien loin celui qu'éprouvent aujourd'hui les
fortunés musulmans quand, dégagés de leurs liens
terrestres, ils se voient dans le neuvième ciel entre les
bras de leurs houris, environnés et pénétrés de la
gloire et de la félicité célestes.

IV

Elle passa toute la nuit à parler d'Amazan. Elle ne
l'appelait plus que son *berger;* et c'est depuis ce
temps-là que les noms de *berger* et d'*amant* sont toujours employés l'un pour l'autre chez quelques
nations.

Tantôt elle demandait à l'oiseau si Amazan avait eu
d'autres maîtresses. Il répondait que non, et elle était
au comble de la joie. Tantôt elle voulait savoir à quoi
il passait sa vie; et elle apprenait avec transport qu'il
l'employait à faire du bien, à cultiver les arts, à péné-
trer les secrets de la nature, à perfectionner son être.
Tantôt elle voulait savoir si l'âme de son oiseau était
de la même nature que celle de son amant; pourquoi
il avait vécu près de vingt-huit mille ans, tandis que
son amant n'en avait que dix-huit ou dix-neuf. Elle
faisait cent questions pareilles, auxquelles l'oiseau
répondait avec une discrétion qui irritait sa curiosité.
Enfin, le sommeil ferma leurs yeux, et livra Formosante à la douce illusion des songes envoyés par les
dieux, qui surpassent quelquefois la réalité même, et
que toute la philosophie des Chaldéens a bien de la
peine à expliquer.

Formosante ne s'éveilla que très tard. Il était petit

jour chez elle quand le roi son père entra dans sa chambre. L'oiseau reçut Sa Majesté avec une politesse respectueuse, alla au-devant de lui, battit des ailes, allongea son cou, et se remit sur son oranger. Le roi s'assit sur le lit de sa fille, que ses rêves avaient encore embellie. Sa grande barbe s'approcha de ce beau visage, et après lui avoir donné deux baisers, il lui parla en ces mots :

« Ma chère fille, vous n'avez pu trouver hier un mari, comme je l'espérais ; il vous en faut un pourtant : le salut de mon empire l'exige. J'ai consulté l'oracle, qui, comme vous savez, ne ment jamais, et qui dirige toute ma conduite. Il m'a ordonné de vous faire courir le monde. Il faut que vous voyagiez. — Ah ! chez les Gangarides sans doute », dit la princesse ; et en prononçant ces mots, qui lui échappaient, elle sentit bien qu'elle disait une sottise. Le roi, qui ne savait pas un mot de géographie, lui demanda ce qu'elle entendait par des Gangarides. Elle trouva aisément une défaite. Le roi lui apprit qu'il fallait faire un pèlerinage ; qu'il avait nommé les personnes de sa suite, le doyen des conseillers d'État, le grand aumônier, une dame d'honneur, un médecin, un apothicaire, et son oiseau, avec tous les domestiques convenables.

Formosante, qui n'était jamais sortie du palais du roi son père, et qui jusqu'à la journée des trois rois et d'Amazan n'avait mené qu'une vie très insipide dans l'étiquette du faste et dans l'apparence des plaisirs, fut ravie d'avoir un pèlerinage à faire. « Qui sait, disait-elle tout bas à son cœur, si les dieux n'inspireront pas à mon cher Gangaride le même désir d'aller à la même chapelle, et si je n'aurai pas le bonheur de revoir le pèlerin ? » Elle remercia tendrement son père, en lui disant qu'elle avait eu toujours une secrète dévotion pour le saint chez lequel on l'envoyait.

Bélus donna un excellent dîner à ses hôtes ; il n'y avait que des hommes. C'étaient tous gens fort mal assortis : rois, princes, ministres, pontifes, tous jaloux les uns des autres, tous pesant leurs paroles, tous embarrassés de leurs voisins et d'eux-mêmes. Le repas fut triste, quoiqu'on y bût beaucoup. Les princesses restèrent dans leurs appartements, occupées chacune de leur départ. Elles mangèrent à leur petit couvert. Formosante ensuite alla se promener dans les jardins avec son cher oiseau, qui, pour l'amuser, vola d'arbre en arbre en étalant sa superbe queue et son divin plumage.

Le roi d'Égypte, qui était chaud de vin, pour ne pas dire ivre, demanda un arc et des flèches à un de ses pages. Ce prince était à la vérité l'archer le plus maladroit de son royaume. Quand il tirait au blanc, la place où l'on était le plus en sûreté était le but où il visait. Mais le bel oiseau, en volant aussi rapidement que la flèche, se présenta lui-même au coup, et tomba tout sanglant entre les bras de Formosante. L'Égyptien, en riant d'un sot rire, se retira dans son quartier. La princesse perça le ciel de ses cris, fondit en larmes, se meurtrit les joues et la poitrine. L'oiseau mourant lui dit tout bas : « Brûlez-moi, et ne manquez pas de porter mes cendres vers l'Arabie Heureuse, à l'orient de l'ancienne ville d'Aden ou d'Eden, et de les exposer au soleil sur un petit bûcher de gérofle et de cannelle. » Après avoir proféré ces paroles, il expira. Formosante resta longtemps évanouie et ne revit le jour que pour éclater en sanglots. Son père, partageant sa douleur et faisant des imprécations contre le roi d'Égypte, ne douta pas que cette aventure n'annonçât un avenir sinistre. Il alla vite consulter l'oracle de sa chapelle. L'oracle répondit : « Mélange de tout ; mort vivant, infidélité et constance, perte et gain, calamités et bonheur. » Ni lui ni son conseil n'y purent rien comprendre ; mais enfin il était satisfait d'avoir rempli ses devoirs de dévotion.

Sa fille, éplorée, pendant qu'il consultait l'oracle, fit rendre à l'oiseau les honneurs funèbres qu'il avait ordonnés, et résolut de le porter en Arabie au péril de ses jours. Il fut brûlé dans du lin incombustible avec l'oranger sur lequel il avait couché ; elle en recueillit la

cendre dans un petit vase d'or tout entouré d'escar-
boucles et des diamants qu'on ôta de la gueule du
lion. Que ne put-elle, au lieu d'accomplir ce devoir
funeste, brûler tout en vie le détestable roi d'Égypte !
C'était là tout son désir. Elle fit tuer, dans son dépit,
les deux crocodiles, ses deux hippopotames, ses deux
zèbres, ses deux rats, et fit jeter ses deux momies dans
l'Euphrate ; si elle avait tenu son bœuf Apis, elle ne
l'aurait pas épargné.

Le roi d'Égypte, outré de cet affront, partit sur-le-
champ pour faire avancer ses trois cent mille
hommes. Le roi des Indes, voyant partir son allié, s'en
retourna le jour même, dans le ferme dessein de
joindre ses trois cent mille Indiens à l'armée égyptienne. Le roi de Scythie délogea dans la nuit avec la
princesse Aldée, bien résolu de venir combattre pour
elle à la tête de trois cent mille Scythes, et de lui
rendre l'héritage de Babylone, qui lui était dû,
puisqu'elle descendait de la branche aînée.

De son côté la belle Formosante se mit en route à
trois heures du matin avec sa caravane de pèlerins, se
flattant bien qu'elle pourrait aller en Arabie exécuter
les dernières volontés de son oiseau, et que la justice
des dieux immortels lui rendrait son cher Amazan
sans qui elle ne pouvait plus vivre.

Ainsi, à son réveil, le roi de Babylone ne trouva plus
personne. « Comme les grandes fêtes se terminent,
disait-il, et comme elles laissent un vide étonnant
dans l'âme, quand le fracas est passé. » Mais il fut
transporté d'une colère vraiment royale lorsqu'il
apprit qu'on avait enlevé la princesse Aldée. Il donna
ordre qu'on éveillât tous ses ministres, et qu'on
assemblât le conseil. En attendant qu'ils vinssent, il
ne manqua pas de consulter son oracle ; mais il ne put
jamais en tirer que ces paroles si célèbres depuis dans
tout l'univers : *Quand on ne marie pas les filles, elles se
marient elles-mêmes.*

Aussitôt l'ordre fut donné de faire marcher trois
cent mille hommes contre le roi des Scythes. Voilà
donc la guerre la plus terrible allumée de tous les

côtés ; et elle fut produite par les plaisirs de la plus belle fête qu'on ait jamais donnée sur la terre. L'Asie allait être désolée par quatre armées de trois cent mille combattants chacune. On sent bien que la guerre de Troie, qui étonna le monde quelques siècles après, n'était qu'un jeu d'enfants en comparaison ; mais aussi on doit considérer que dans la querelle des Troyens il ne s'agissait que d'une vieille femme fort libertine qui s'était fait enlever deux fois, au lieu qu'ici il s'agissait de deux filles et d'un oiseau.

Le roi des Indes allait attendre son armée sur le grand et magnifique chemin qui conduisait alors en droiture de Babylone à Cachemire. Le roi des Scythes courait avec Aldée par la belle route qui menait au mont Immaüs. Tous ces chemins ont disparu dans la suite par le mauvais gouvernement. Le roi d'Égypte avait marché à l'occident, et côtoyait la petite mer Méditerranée, que les ignorants Hébreux ont depuis nommée *la Grande Mer*.

A l'égard de la belle Formosante, elle suivait le chemin de Bassora, planté de hauts palmiers qui fournissaient un ombrage éternel et des fruits dans toutes les saisons. Le temple où elle allait en pèlerinage était dans Bassora même. Le saint à qui ce temple avait été dédié était à peu près dans le goût de celui qu'on adora depuis à Lampsaque. Non seulement il procurait des maris aux filles mais il tenait lieu souvent de mari. C'était le saint le plus fêté de toute l'Asie.

Formosante ne se souciait point du tout du saint de Bassora : elle n'invoquait que son cher berger gangaride, son bel Amazan. Elle comptait s'embarquer à Bassora, et entrer dans l'Arabie Heureuse pour faire ce que l'oiseau mort avait ordonné.

A la troisième couchée, à peine était-elle entrée dans une hôtellerie où ses fourriers avaient tout préparé pour elle, qu'elle apprit que le roi d'Égypte y entrait aussi. Instruit de la marche de la princesse par ses espions, il avait sur-le-champ changé de route, suivi d'une nombreuse escorte. Il arrive ; il fait placer des sentinelles à toutes les portes ; il monte dans la chambre de la belle Formosante, et lui dit : « Mademoiselle, c'est vous précisément que je cherchais ; vous avez fait très peu de cas de moi lorsque j'étais à Babylone ; il est juste de punir les dédaigneuses et les capricieuses : vous aurez, s'il vous plaît, la bonté de souper avec moi ce soir ; vous n'aurez point d'autre lit que le mien, et je me conduirai avec vous selon que j'en serai content. »

Formosante vit bien qu'elle n'était pas la plus forte ; elle savait que le bon esprit consiste à se conformer à sa situation ; elle prit le parti de se délivrer du roi d'Égypte par une innocente adresse : elle le regarda du coin de l'œil, ce qui plusieurs siècles après s'est appelé *lorgner* ; et voici comme elle lui parla avec une modestie, une grâce, une douceur, un embarras, et une foule de charmes qui auraient rendu fou le plus sage des hommes, et aveuglé le plus clairvoyant :

« Je vous avoue, monsieur, que je baissai toujours les yeux devant vous quand vous fîtes l'honneur au roi mon père de venir chez lui. Je craignais mon cœur, je craignais ma simplicité trop naïve : je tremblais que mon père et vos rivaux ne s'aperçussent de la préférence que je vous donnais, et que vous méritez si bien. Je puis à présent me livrer à mes sentiments. Je jure par le bœuf Apis, qui est, après vous, tout ce que je respecte le plus au monde, que vos propositions m'ont enchantée. J'ai déjà soupé avec vous chez le roi mon père ; j'y souperai encore bien ici sans qu'il soit de la partie : tout ce que je vous demande, c'est que votre grand aumônier boive avec nous, il m'a paru à Babylone un très bon convive ; j'ai d'excellent vin de Chiraz, je veux vous en faire goûter à tous deux. A l'égard de votre seconde proposition, elle est très engageante ; mais il ne convient pas à une fille bien née d'en parler : qu'il vous suffise de savoir que je vous regarde comme le plus grand des rois et le plus aimable des hommes. »

Ce discours fit tourner la tête au roi d'Égypte ; il voulut bien que l'aumônier fût en tiers. « J'ai encore une grâce à vous demander, lui dit la princesse ; c'est

de permettre que mon apothicaire vienne me parler :
les filles ont toujours de certaines petites incommodi-
tés qui demandent de certains soins, comme vapeurs
de tête, battements de cœur, coliques, étouffements,
auxquels il faut mettre un certain ordre dans de certaines circonstances ; en un mot, j'ai un besoin pressant de mon apothicaire, et j'espère que vous ne me
refuserez pas cette légère marque d'amour.

— Mademoiselle, lui répondit le roi d'Égypte,
quoiqu'un apothicaire ait des vues précisément oppo-
sées aux miennes, et que les objets de son art soient le
contraire de ceux du mien, je sais trop bien vivre pour
vous refuser une demande si juste : je vais ordonner
qu'il vienne vous parler en attendant le souper ; je
conçois que vous devez être un peu fatiguée du
voyage ; vous devez aussi avoir besoin d'une femme
de chambre, vous pourrez faire venir celle qui vous
agréera davantage ; j'attendrai ensuite vos ordres et
votre commodité. » Il se retira ; l'apothicaire et la
femme de chambre nommée Irla arrivèrent. La princesse avait en elle une entière confiance ; elle lui
ordonna de faire apporter six bouteilles de vin de
Chiraz pour le souper, et d'en faire boire de pareil à
tous les sentinelles qui tenaient ses officiers aux
arrêts ; puis elle recommanda à l'apothicaire de faire
mettre dans toutes les bouteilles certaines drogues de
sa pharmacie qui faisaient dormir les gens vingt-
quatre heures, et dont il était toujours pourvu. Elle
fut ponctuellement obéie. Le roi revint avec le grand
aumônier au bout d'une demi-heure : le souper fut
très gai ; le roi et le prêtre vidèrent les six bouteilles, et
avouèrent qu'il n'y avait pas de si bon vin en Égypte ;
la femme de chambre eut soin d'en faire boire aux
domestiques qui avaient servi. Pour la princesse, elle
eut grande attention de n'en point boire, disant que
son médecin l'avait mise au régime. Tout fut bientôt
endormi.

L'aumônier du roi d'Égypte avait la plus belle barbe
que pût porter un homme de sa sorte. Formosante la
coupa très adroitement ; puis, l'ayant fait coudre à un

petit ruban, elle l'attacha à son menton. Elle s'affubla de la robe du prêtre et de toutes les marques de sa dignité, habilla sa femme de chambre en sacristain de la déesse Isis ; enfin, s'étant munie de son urne et de ses pierreries, elle sortit de l'hôtellerie à travers les sentinelles, qui dormaient comme leur maître. La suivante avait eu soin de faire tenir à la porte deux chevaux prêts. La princesse ne pouvait mener avec elle aucun des officiers de sa suite : ils auraient été arrêtés par les grandes gardes.

Formosante et Irla passèrent à travers des haies de soldats qui, prenant la princesse pour le grand prêtre, l'appelaient *mon révérendissime père en Dieu*, et lui demandaient sa bénédiction. Les deux fugitives arrivent en vingt-quatre heures à Bassora, avant que le roi fût éveillé. Elles quittèrent alors leur déguisement, qui eût pu donner des soupçons. Elles frétèrent au plus vite un vaisseau qui les porta, par le détroit d'Ormus, au beau rivage d'Eden, dans l'Arabie Heureuse. C'est cet Éden dont les jardins furent si renommés qu'on en fit depuis la demeure des justes ; ils furent le modèle des Champs-Élysées, des jardins des Hespérides, et de ceux des îles Fortunées : car, dans ces climats chauds, les hommes n'imaginèrent point de plus grande béatitude que les ombrages et les murmures des eaux. Vivre éternellement dans les cieux avec l'Être suprême, ou aller se promener dans le jardin, dans le paradis, fut la même chose pour les hommes, qui parlent toujours sans s'entendre, et qui n'ont pu guère avoir encore d'idées nettes ni d'expressions justes.

Dès que la princesse se vit dans cette terre, son premier soin fut de rendre à son cher oiseau les honneurs funèbres qu'il avait exigés d'elle. Ses belles mains dressèrent un petit bûcher de gérofle et de cannelle. Quelle fut sa surprise lorsqu'ayant répandu les cendres de l'oiseau sur ce bûcher, elle le vit s'enflammer de lui-même ! Tout fut bientôt consumé. Il ne parut, à la place des cendres, qu'un gros œuf dont elle vit sortir son oiseau plus brillant qu'il ne l'avait jamais été. Ce fut le plus beau des moments que la princesse eût éprouvés dans toute sa vie; il n'y en avait qu'un qui pût lui être plus cher : elle le désirait, mais elle ne l'espérait pas.

« Je vois bien, dit-elle à l'oiseau, que vous êtes le phénix dont on m'avait tant parlé. Je suis prête à mourir d'étonnement et de joie. Je ne croyais point à la résurrection; mais mon bonheur m'en a convaincue. — La résurrection, madame, lui dit le phénix, est la chose du monde la plus simple. Il n'est pas plus surprenant de naître deux fois qu'une. Tout est résurrection dans ce monde; les chenilles ressuscitent en papillons; un noyau mis en terre ressuscite en arbre; tous les animaux ensevelis dans la terre ressuscitent en herbes, en plantes, et nourrissent d'autres animaux dont ils font bientôt une partie de la substance : toutes les particules qui composaient les corps sont changées en différents êtres. Il est vrai que je suis le seul à qui le puissant Orosmade ait fait la grâce de ressusciter dans sa propre nature. »

Formosante, qui, depuis le jour qu'elle vit Amazan et le phénix pour la première fois, avait passé toutes ses heures à s'étonner, lui dit : « Je conçois bien que le grand Être ait pu former de vos cendres un phénix à peu près semblable à vous; mais que vous soyez précisément la même personne, que vous ayez la même âme, j'avoue que je ne le comprends pas bien clairement. Qu'est devenue votre âme pendant que je vous portais dans ma poche après votre mort?

— Eh! mon Dieu! madame, n'est-il pas aussi facile au grand Orosmade de continuer son action sur une petite étincelle de moi-même que de commencer cette action? Il m'avait accordé auparavant le sentiment, la mémoire et la pensée : il me les accorde encore; qu'il ait attaché cette faveur à un atome de feu élémentaire caché dans moi, ou à l'assemblage de mes organes, cela ne fait rien au fond : les phénix et les hommes ignoreront toujours comment la chose se passe; mais la plus grande grâce que l'Être suprême m'ait accordée est de me faire renaître pour vous. Que ne puis-je passer les vingt-huit mille ans que j'ai encore à vivre jusqu'à ma prochaine résurrection entre vous et mon cher Amazan !

— Mon phénix, lui repartit la princesse, songez que les premières paroles que vous me dîtes à Babylone, et que je n'oublierai jamais, me flattèrent de l'espérance de revoir ce cher berger que j'idolâtre : il faut absolument que nous allions ensemble chez les Gangarides, et que je le ramène à Babylone. — C'est bien mon dessein, dit le phénix ; il n'y a pas un moment à perdre. Il faut aller trouver Amazan par le plus court chemin, c'est-à-dire par les airs. Il y a dans l'Arabie Heureuse deux griffons, mes amis intimes, qui ne demeurent qu'à cent cinquante milles d'ici : je vais leur écrire par la poste aux pigeons ; ils viendront avant la nuit. Nous aurons tout le temps de vous faire travailler un petit canapé commode avec des tiroirs où l'on mettra vos provisions de bouche. Vous serez très à votre aise dans cette voiture avec votre demoiselle. Les deux griffons sont les plus vigoureux de leur espèce ; chacun d'eux tiendra un des bras du canapé entre ses griffes ; mais, encore une fois, les moments sont chers. » Il alla sur-le-champ avec Formosante commander le canapé à un tapissier de sa connaissance. Il fut achevé en quatre heures. On mit dans les tiroirs des petits pains à la reine, des biscuits meilleurs que ceux de Babylone, des poncires, des ananas, des cocos, des pistaches, et du vin d'Éden, qui l'emporte sur le vin de Chiras autant que celui de Chiras est au-dessus de celui de Surenne.

Le canapé était aussi léger que commode et solide. Les deux griffons arrivèrent dans Éden à point nommé. Formosante et Irla se placèrent dans la voiture. Les deux griffons l'enlevèrent comme une plume. Le phénix tantôt volait auprès, tantôt se perchait sur le dossier. Les deux griffons cinglèrent vers le Gange avec la rapidité d'une flèche qui fend les airs. On ne se reposait que la nuit pendant quelques moments pour manger, et pour faire boire un coup aux deux voituriers.

On arriva enfin chez les Gangarides. Le cœur de la princesse palpitait d'espérance, d'amour et de joie. Le phénix fit arrêter la voiture devant la maison d'Amazan : il demande à lui parler ; mais il y avait trois heures qu'il en était parti, sans qu'on sût où il était allé.

Il n'y a point de termes dans la langue même des Gangarides qui puissent exprimer le désespoir dont Formosante fut accablée. « Hélas ! voilà ce que j'avais craint, dit le phénix ; les trois heures que vous avez passées dans votre hôtellerie sur le chemin de Bassora avec ce malheureux roi d'Égypte vous ont enlevé peut-être pour jamais le bonheur de votre vie : j'ai bien peur que nous n'ayons perdu Amazan sans retour. »

Alors il demanda aux domestiques si on pouvait saluer madame sa mère. Ils répondirent que son mari était mort l'avant-veille et qu'elle ne voyait personne. Le phénix, qui avait du crédit dans la maison, ne laissa pas de faire entrer la princesse de Babylone dans un salon dont les murs étaient revêtus de bois d'oranger à filets d'ivoire ; les sous-bergers et sous-bergères, en longues robes blanches ceintes de garnitures aurore, lui servirent dans cent corbeilles de simple porcelaine cent mets délicieux, parmi lesquels on ne voyait aucun cadavre déguisé : c'était du riz, du sagou, de la semoule, du vermicelle, des macaronis, des omelettes, des œufs au lait, des fromages à la crème, des pâtisseries de toute espèce, des légumes, des fruits d'un parfum et d'un goût dont on n'a point d'idée dans les autres climats ; c'était une profusion de liqueurs rafraîchissantes, supérieures aux meilleurs vins.

Pendant que la princesse mangeait, couchée sur un lit de roses, quatre pavons, ou paons, ou pans, heureusement muets, l'éventaient de leurs brillantes ailes ; deux cents oiseaux, cent bergers et cent bergères, lui donnèrent un concert à deux chœurs ; les rossignols, les serins, les fauvettes, les pinsons, chantaient le dessus avec les bergères ; les bergers faisaient la haute-contre et la basse : c'était en tout la belle et simple nature. La princesse avoua que, s'il y avait plus de magnificence à Babylone, la nature était mille fois plus agréable chez les Gangarides ; mais, pendant qu'on lui donnait cette musique si consolante et si voluptueuse, elle versait des larmes ; elle disait à la jeune Irla sa compagne : « Ces bergers et ces bergères, ces rossignols et ces serins font l'amour, et moi, je suis privée du héros gangaride, digne objet de mes très tendres et très impatients désirs. »

Pendant qu'elle faisait ainsi cette collation, qu'elle admirait et qu'elle pleurait, le phénix disait à la mère d'Amazan : « Madame, vous ne pouvez vous dispenser de voir la princesse de Babylone ; vous savez... — Je sais tout, dit-elle, jusqu'à son aventure dans l'hôtellerie sur le chemin de Bassora ; un merle m'a tout conté ce matin ; et ce cruel merle est cause que mon fils, au désespoir, est devenu fou, et a quitté la maison paternelle. — Vous ne savez donc pas, reprit le phénix, que la princesse m'a ressuscité ? — Non, mon cher enfant ; je savais par le merle que vous étiez mort, et j'en étais inconsolable. J'étais si affligée de cette perte, de la mort de mon mari, et du départ précipité de mon fils, que j'avais fait défendre ma porte. Mais puisque la princesse de Babylone me fait l'honneur de me venir voir, faites-la entrer au plus vite ; j'ai des choses de la dernière conséquence à lui dire, et je veux que vous y soyez présent. » Elle alla aussitôt dans un autre salon au-devant de la princesse. Elle ne marchait pas facilement : c'était une dame d'environ trois cents années ; mais elle avait encore de beaux restes, et on voyait bien que vers les deux cent trente à quarante ans elle avait été charmante. Elle reçut Formosante avec une noblesse respectueuse, mêlée d'un air d'intérêt et de douleur qui fit sur la princesse une vive impression.

Formosante lui fit d'abord ses tristes compliments sur la mort de son mari. « Hélas ! dit la veuve, vous devez vous intéresser à sa perte plus que vous ne pensez. — J'en suis touchée sans doute, dit Formosante ; il était le père de... » A ces mots elle pleura. « Je n'étais venue que pour lui et à travers bien des dangers. J'ai quitté pour lui mon père et la plus brillante cour de l'univers; j'ai été enlevée par un roi d'Égypte, que je déteste. Échappée à ce ravisseur, j'ai traversé les airs pour venir voir ce que j'aime; j'arrive, et il me fuit! » Les pleurs et les sanglots l'empêchèrent d'en dire davantage.

La mère lui dit alors : « Madame, lorsque le roi d'Égypte vous ravissait, lorsque vous soupiez avec lui dans un cabaret sur le chemin de Bassora, lorsque vos belles mains lui versaient du vin de Chiras, vous souvenez-vous d'avoir vu un merle qui voltigeait dans la chambre? — Vraiment oui, vous m'en rappelez la mémoire; je n'y avais pas fait d'attention; mais, en recueillant mes idées, je me souviens très bien qu'au moment que le roi d'Égypte se leva de table pour me donner un baiser, le merle s'envola par la fenêtre en jetant un grand cri, et ne reparut plus.

— Hélas! madame, reprit la mère d'Amazan, voilà ce qui fait précisément le sujet de nos malheurs; mon fils avait envoyé ce merle s'informer de l'état de votre santé et de tout ce qui se passait à Babylone; il comptait revenir bientôt se mettre à vos pieds et vous consacrer sa vie. Vous ne savez pas à quel excès il vous adore. Tous les Gangarides sont amoureux et fidèles; mais mon fils est le plus passionné et le plus constant de tous. Le merle vous rencontra dans un cabaret; vous buviez très gaiement avec le roi d'Égypte et un vilain prêtre; il vous vit enfin donner un tendre baiser à ce monarque, qui avait tué le phénix, et pour qui mon fils conserve une horreur invincible. Le merle à cette vue fut saisi d'une juste indignation; il s'envola en maudissant vos funestes amours; il est revenu aujourd'hui, il a tout conté; mais dans quels moments, juste ciel! dans le temps où mon fils pleurait avec moi la mort de son père et celle du phénix; dans le temps qu'il apprenait de moi qu'il est votre cousin issu de germain!

— O ciel! mon cousin! madame, est-il possible? par quelle aventure? comment? quoi! je serais heu-

reuse à ce point! et je serais en même temps assez
infortunée pour l'avoir offensé!

— Mon fils est votre cousin, vous dis-je, reprit la
mère, et je vais bientôt — vous en donner la preuve;
mais en devenant ma parente vous m'arrachez mon
fils; il ne pourra survivre à la douleur que lui a causée
votre baiser donné au roi d'Égypte.

— Ah! ma tante, s'écria la belle Formosante, je jure
par lui et par le puissant Orosmade que ce baiser
funeste, loin d'être criminel, était la plus forte preuve
d'amour que je pusse donner à votre fils. Je désobéis-
sais à mon père pour lui. J'allais pour lui de
l'Euphrate au Gange. Tombée entre les mains de
l'indigne pharaon d'Égypte, je ne pouvais lui échapper qu'en le trompant. J'en atteste les cendres et l'âme
du phénix, qui étaient alors dans ma poche; il peut
me rendre justice; mais comment votre fils, né sur les
bords du Gange, peut-il être mon cousin, moi dont la
famille règne sur les bords de l'Euphrate depuis tant
de siècles?

— Vous savez, lui dit la vénérable Gangaride, que
votre grand-oncle Aldée était roi de Babylone, et qu'il
fut détrôné par le père de Bélus. — Oui, madame. —
Vous savez que son fils Aldée avait eu de son mariage
la princesse Aldée, élevée dans votre cour. C'est ce
prince, qui, étant persécuté par votre père, vint se
réfugier dans notre heureuse contrée, sous un autre
nom; c'est lui qui m'épousa; j'en ai eu le jeune prince
Aldée-Amazan, le plus beau, le plus fort, le plus courageux, le plus vertueux des mortels, et aujourd'hui le
plus fou. Il alla aux fêtes de Babylone sur la réputation de votre beauté: depuis ce temps-là il vous idolâtre, et peut-être je ne reverrai jamais mon cher fils. »

Alors elle fit déployer devant la princesse tous les
titres de la maison des Aldées; à peine Formosante
daigna les regarder. Ah! madame, s'écria-t-elle,
examine-t-on ce qu'on désire? Mon cœur vous en
croit assez. Mais où est Aldée-Amazan? où est mon
parent, mon amant, mon roi? où est ma vie? quel
chemin a-t-il pris? J'irais le chercher dans tous les

globes que l'Éternel a formés, et dont il est le plus bel ornement. J'irais dans l'étoile Canope, dans Sheat, dans Aldébaran ; j'irais le convaincre de mon amour et de mon innocence. »

Le phénix justifia la princesse du crime que lui imputait le merle d'avoir donné par amour un baiser au roi d'Égypte ; mais il fallait détromper Amazan et le ramener. Il envoie des oiseaux sur tous les chemins ; il met en campagne les licornes : on lui rapporte enfin qu'Amazan a pris la route de la Chine. « Eh bien ! allons à la Chine, s'écria la princesse ; le voyage n'est pas long ; j'espère bien vous ramener votre fils dans quinze jours au plus tard. » A ces mots, que de larmes de tendresse versèrent la mère gangaride et la princesse de Babylone ! que d'embrassements ! que d'effusion de cœur !

Le phénix commanda sur-le-champ un carrosse à six licornes. La mère fournit deux cents cavaliers, et fit présent à la princesse, sa nièce, de quelques milliers des plus beaux diamants du pays. Le phénix, affligé du mal que l'indiscrétion du merle avait causé, fit ordonner à tous les merles de vider le pays ; et c'est depuis ce temps qu'il ne s'en trouve plus sur les bords du Gange.

V

Les licornes, en moins de huit jours, amenèrent Formosante, Irla, et le phénix, à Cambalu, capitale de la Chine. C'était une ville plus grande que Babylone, et d'une espèce de magnificence toute différente. Ces nouveaux objets, ces mœurs nouvelles, auraient amusé Formosante si elle avait pu être occupée d'autre chose que d'Amazan.

Dès que l'empereur de la Chine eut appris que la princesse de Babylone était à une porte de la ville, il lui dépêcha quatre mille mandarins en robes de cérémonie ; tous se prosternèrent devant elle, et lui présentèrent chacun un compliment écrit en lettres d'or

sur une feuille de soie pourpre. Formosante leur dit
que si elle avait quatre mille langues, elle ne manque-
rait pas de répondre sur-le-champ à chaque mandarin; mais que, n'en ayant qu'une, elle les priait de
trouver bon qu'elle s'en servît pour les remercier tous
en général. Ils la conduisirent respectueusement chez
l'empereur.

C'était le monarque de la terre le plus juste, le plus
poli, et le plus sage. Ce fut lui qui, le premier, laboura
un petit champ de ses mains impériales, pour rendre
l'agriculture respectable à son peuple. Il établit, le
premier, des prix pour la vertu. Les lois, partout ailleurs, étaient honteusement bornées à punir les
crimes. Cet empereur venait de chasser de ses États
une troupe de bonzes étrangers qui étaient venus du
fond de l'Occident, dans l'espoir insensé de forcer
toute la Chine à penser comme eux, et qui, sous prétexte d'annoncer des vérités, avaient acquis déjà des
richesses et des honneurs. Il leur avait dit, en les chas-
sant, ces propres paroles enregistrées dans les
annales de l'empire :

« Vous pourriez faire ici autant de mal que vous en
avez fait ailleurs : vous êtes venus prêcher des dogmes
d'intolérance chez la nation la plus tolérante de la
terre. Je vous renvoie pour n'être jamais forcé de vous
punir. Vous serez reconduits honorablement sur mes
frontières; on vous fournira tout pour retourner aux
bornes de l'hémisphère dont vous êtes partis. Allez en
paix si vous pouvez être en paix, et ne revenez plus. »

La princesse de Babylone apprit avec joie ce jugement et ce discours; elle en était plus sûre d'être bien
reçue à la cour, puisqu'elle était très éloignée d'avoir
des dogmes intolérants. L'empereur de la Chine, en
dînant avec elle tête à tête, eut la politesse de bannir
l'embarras de toute étiquette gênante; elle lui présenta le phénix, qui fut très caressé de l'empereur, et
qui se percha sur son fauteuil. Formosante, sur la fin
du repas, lui confia ingénument le sujet de son
voyage, et le pria de faire chercher dans Cambalu le
bel Amazan, dont elle lui conta l'aventure, sans lui

rien cacher de la fatale passion dont son cœur était
enflammé pour ce jeune héros. « A qui en parlez-
vous ? lui dit l'empereur de la Chine ; il m'a fait le plaisir de venir dans ma cour ; il m'a enchanté, cet
aimable Amazan : il est vrai qu'il est profondément
affligé ; mais ses grâces n'en sont que plus tou-
chantes ; aucun de mes favoris n'a plus d'esprit que
lui ; nul mandarin de robe n'a de plus vastes connais-
sances ; nul mandarin d'épée n'a l'air plus martial et
plus héroïque ; son extrême jeunesse donne un nouveau prix à tous ses talents ; si j'étais assez malheureux, assez abandonné du Tien et du Changti pour
vouloir être conquérant, je prierais Amazan de se
mettre à la tête de mes armées, et je serais sûr de
triompher de l'univers entier. C'est bien dommage
que son chagrin lui dérange quelquefois l'esprit.

— Ah ! monsieur, lui dit Formosante avec un air
enflammé et un ton de douleur, de saisissement et de
reproche, pourquoi ne m'avez-vous pas fait dîner avec
lui ? Vous me faites mourir ; envoyez-le prier tout à
l'heure. — Madame il est parti ce matin, et il n'a point
dit dans quelle contrée il portait ses pas. » Formosante se tourna vers le phénix : « Eh bien, dit-elle,
phénix, avez-vous jamais vu une fille plus malheureuse que moi ? Mais, monsieur, continua-t-elle, comment, pourquoi a-t-il pu quitter si brusquement une
cour aussi polie que la vôtre, dans laquelle il me
semble qu'on voudrait passer sa vie ?

— Voici, madame, ce qui est arrivé. Une princesse
du sang, des plus aimables, s'est éprise de passion
pour lui, et lui a donné un rendez-vous chez elle à
midi ; il est parti au point du jour, et il a laissé ce billet, qui a coûté bien des larmes à ma parente.

« Belle princesse du sang de la Chine, vous méritez
un cœur qui n'ait jamais été qu'à vous ; j'ai juré aux
dieux immortels de n'aimer jamais que Formosante,
princesse de Babylone, et de lui apprendre comment
on peut dompter ses désirs dans ses voyages ; elle a eu
le malheur de succomber avec un indigne roi
d'Égypte : je suis le plus malheureux des hommes ; j'ai

perdu mon père et le phénix, et l'espérance d'être aimé de Formosante ; j'ai quitté ma mère affligée, ma patrie, ne pouvant vivre un moment dans les lieux où j'ai appris que Formosante en aimait un autre que moi ; j'ai juré de parcourir la terre et d'être fidèle. Vous me mépriseriez, et les dieux me puniraient, si je violais mon serment ; prenez un amant, madame, et soyez aussi fidèle que moi. »

— Ah ! laissez-moi cette étonnante lettre, dit la belle Formosante, elle fera ma consolation ; je suis heureuse dans mon infortune. Amazan m'aime ; Amazan renonce pour moi à la possession des princesses de la Chine ; il n'y a que lui sur la terre capable de remporter une telle victoire ; il me donne un grand exemple ; le phénix sait que je n'en avais pas besoin ; il est bien cruel d'être privée de son amant pour le plus innocent des baisers donné par pure fidélité. Mais enfin où est-il allé ? quel chemin a-t-il pris ? daignez me l'enseigner, et je pars. »

L'empereur de la Chine lui répondit qu'il croyait, sur les rapports qu'on lui avait faits, que son amant avait suivi une route qui menait en Scythie. Aussitôt les licornes furent attelées, et la princesse, après les plus tendres compliments, prit congé de l'empereur avec le phénix, sa femme de chambre Irla, et toute sa suite.

Dès qu'elle fut en Scythie, elle vit plus que jamais combien les hommes et les gouvernements diffèrent, et différeront toujours jusqu'au temps où quelque peuple plus éclairé que les autres communiquera la lumière de proche en proche après mille siècles de ténèbres, et qu'il se trouvera dans des climats barbares des âmes héroïques qui auront la force et la persévérance de changer les brutes en hommes. Point de villes en Scythie, par conséquent point d'arts agréables. On ne voyait que de vastes prairies et des nations entières sous des tentes et sur des chars. Cet aspect imprimait la terreur. Formosante demanda dans quelle tente ou dans quelle charrette logeait le roi. On lui dit que depuis huit jours il s'était mis en marche à la tête de trois cent mille hommes de cavalerie pour aller à la rencontre du roi de Babylone, dont il avait enlevé la nièce, la belle princesse Aldée. « Il a enlevé ma cousine! s'écria Formosante; je ne m'attendais pas à cette nouvelle aventure. Quoi! ma cousine, qui était trop heureuse de me faire la cour, est devenue reine, et je ne suis pas encore mariée. » Elle se fit conduire incontinent aux tentes de la reine.

Leur réunion inespérée dans ces climats lointains, les choses singulières qu'elles avaient mutuellement à s'apprendre, finirent dans leur entrevue un charme qui leur fit oublier qu'elles ne s'étaient jamais aimées; elles se revirent avec transport; une douce illusion se mit à la place de la vraie tendresse; elles s'embrassèrent en pleurant, et il y eut même entre elles de la cordialité et de la franchise, attendu que l'entrevue ne se faisait pas dans un palais.

Aldée reconnut le phénix et la confidente Irla; elle donna des fourrures de zibeline à sa cousine, qui lui donna des diamants. On parla de la guerre que les deux rois entreprenaient; on déplora la condition des hommes, que des monarques envoient par fantaisie s'égorger pour des différends que deux honnêtes gens pourraient concilier en une heure; mais surtout on s'entretint du bel étranger vainqueur des lions, donneur des plus gros diamants de l'univers, faiseur de madrigaux, possesseur du phenix, devenu le plus malheureux des hommes sur le rapport d'un merle. « C'est mon cher frère, disait Aldée. — C'est mon amant! s'écriait Formosante; vous l'avez vu sans doute, il est peut-être encore ici; car, ma cousine, il sait qu'il est votre frère; il ne vous aura pas quittée brusquement comme il a quitté le roi de la Chine.

— Si je l'ai vu, grands dieux! reprit Aldée; il a passé quatre jours entiers avec moi. Ah! ma cousine, que mon frère est à plaindre! Un faux rapport l'a rendu absolument fou; il court le monde sans savoir où il va. Figurez-vous qu'il a poussé la démence jusqu'à refuser les faveurs de la plus belle Scythe de toute la Scythie. Il partit hier après lui avoir écrit une

lettre dont elle a été désespérée. Pour lui, il est allé
chez les Cimmériens. — Dieu soit loué ! s'écria Formosante ; encore un refus en ma faveur ! mon bonheur a passé mon espoir, comme mon malheur a surpassé toutes mes craintes. Faites-moi donner cette
lettre charmante, que je parte, que je le suive, les
mains pleines de ses sacrifices. Adieu, ma cousine ;
Amazan est chez les Cimmériens : j'y vole. »

Aldée trouva que la princesse sa cousine était
encore plus folle que son frère Amazan. Mais comme
elle avait senti elle-même les atteintes de cette épidé-
mie, comme elle avait quitté les délices et la magnificence de Babylone pour le roi des Scythes, comme
les femmes s'intéressent toujours aux folies dont
l'amour est cause, elle s'attendrit véritablement pour
Formosante, lui souhaita un heureux voyage, et lui
promit de servir sa passion si jamais elle était assez
heureuse pour revoir son frère.

VI

Bientôt la princesse de Babylone et le phénix arrivèrent dans l'empire des Cimmériens, bien moins
peuplé, à la vérité, que la Chine, mais deux fois plus
étendu ; autrefois semblable à la Scythie, et devenu
depuis quelque temps aussi florissant que les
royaumes qui se vantaient d'instruire les autres États.

Après quelques jours de marche on entra dans une
très grande ville que l'impératrice régnante faisait
embellir ; mais elle n'y était pas : elle voyageait alors
des frontières de l'Europe à celles de l'Asie pour
connaître ses États par ses yeux, pour juger des maux
et porter les remèdes, pour accroître les avantages,
pour semer l'instruction.

Un des principaux officiers de cette ancienne capitale, instruit de l'arrivée de la Babylonienne et du phénix, s'empressa de rendre ses hommages à la princesse, et de lui faire les honneurs du pays, bien sûr
que sa maîtresse, qui était la plus polie et la plus

magnifique des reines, lui saurait gré d'avoir reçu une si grande dame avec les mêmes égards qu'elle aurait prodigués elle-même.

On logea Formosante au palais, dont on écarta une foule importune de peuple ; on lui donna des fêtes ingénieuses. Le seigneur cimmérien, qui était un grand naturaliste, s'entretint beaucoup avec le phénix dans les temps où la princesse était retirée dans son appartement. Le phénix lui avoua qu'il avait autrefois voyagé chez les Cimmériens, et qu'il ne reconnaissait plus le pays. « Comment de si prodigieux changements, disait-il, ont-ils pu être opérés dans un temps si court ? Il n'y a pas trois cents ans que je vis ici la nature sauvage dans toute son horreur ; j'y trouve aujourd'hui les arts, la splendeur, la gloire et la politesse. — Un seul homme a commencé ce grand ouvrage, répondit le Cimmérien ; une femme l'a perfectionné ; une femme a été meilleure législatrice que l'Isis des Égyptiens et la Cérès des Grecs. La plupart des législateurs ont eu un génie étroit et despotique qui a resserré leurs vues dans le pays qu'ils ont gouverné ; chacun a regardé son peuple comme étant seul sur la terre, ou comme devant être l'ennemi du reste de la terre. Ils ont formé des institutions pour ce seul peuple, introduit des usages pour lui seul, établi une religion pour lui seul. C'est ainsi que les Égyptiens, si fameux par des monceaux de pierres, se sont abrutis et déshonorés par leurs superstitions barbares. Ils croient les autres nations profanes, ils ne communiquent point avec elles ; et, excepté la cour, qui s'élève quelquefois au-dessus des préjugés vulgaires, il n'y a pas un Égyptien qui voulût manger dans un plat dont un étranger se serait servi. Leurs prêtres sont cruels et absurdes. Il vaudrait mieux n'avoir point de lois, et n'écouter que la nature, qui a gravé dans nos cœurs les caractères du juste et de l'injuste, que de soumettre la société à des lois si insociables.

« Notre impératrice embrasse des projets entièrement opposés : elle considère son vaste État, sur lequel tous les méridiens viennent se joindre, comme devant correspondre à tous les peuples qui habitent sous ces différents méridiens. La première de ses lois a été la tolérance de toutes les religions, et la compassion pour toutes les erreurs. Son puissant génie a connu que si les cultes sont différents, la morale est partout la même; par ce principe elle a lié sa nation à toutes les nations du monde, et les Cimmériens vont regarder le Scandinavien et le Chinois comme leurs frères. Elle a fait plus : elle a voulu que cette précieuse tolérance, le premier lien des hommes, s'établît chez ses voisins; ainsi elle a mérité le titre de mère de la patrie, et elle aura celui de bienfaitrice du genre humain, si elle persévère.

« Avant elle, des hommes malheureusement puissants envoyaient des troupes de meurtriers ravir à des peuplades inconnues et arroser de leur sang les héritages de leurs pères : on appelait ces assassins des héros; leur brigandage était de la gloire. Notre souveraine a une autre gloire : elle a fait marcher des armées pour apporter la paix, pour empêcher les hommes de se nuire, pour les forcer à se supporter les uns les autres; et ses étendards ont été ceux de la concorde publique. »

Le phénix, enchanté de tout ce que lui apprenait ce seigneur, lui dit : « Monsieur, il y a vingt-sept mille neuf cents années et sept mois que je suis au monde; je n'ai encore rien vu de comparable à ce que vous me faites entendre. » Il lui demanda des nouvelles de son ami Amazan; le Cimmérien lui conta les mêmes choses qu'on avait dites à la princesse chez les Chinois et chez les Scythes. Amazan s'enfuyait de toutes les cours qu'il visitait sitôt qu'une dame lui avait donné un rendez-vous auquel il craignait de succomber. Le phénix instruisit bientôt Formosante de cette nouvelle marque de fidélité qu'Amazan lui donnait, fidélité d'autant plus étonnante qu'il ne pouvait pas soupçonner que sa princesse en fût jamais informée.

Il était parti pour la Scandinavie. Ce fut dans ces climats que des spectacles nouveaux frappèrent encore ses yeux. Ici la royauté et la liberté subsistaient ensemble par un accord qui paraît impossible dans d'autres États; les agriculteurs avaient part à la législation, aussi bien que les grands du royaume; et un jeune prince donnait les plus grandes espérances d'être digne de commander à une nation libre. Là c'était quelque chose de plus étrange : le seul roi qui fût despotique de droit sur la terre par un contrat formel avec son peuple était en même temps le plus jeune et le plus juste des rois.

Chez les Sarmates, Amazan vit un philosophe sur le trône : on pouvait l'appeler *le roi de l'anarchie,* car il était le chef de cent mille petits rois dont un seul pouvait d'un mot anéantir les résolutions de tous les autres. Éole n'avait pas plus de peine à contenir tous les vents qui se combattent sans cesse, que ce monarque n'en avait à concilier les esprits : c'était un pilote environné d'un éternel orage; et cependant le vaisseau ne se brisait pas, car le prince était un excellent pilote.

En parcourant tous ces pays si différents de sa patrie, Amazan refusait constamment toutes les bonnes fortunes qui se présentaient à lui, toujours désespéré du baiser que Formosante avait donné au roi d'Égypte, toujours affermi dans son inconcevable résolution de donner à Formosante l'exemple d'une fidélité unique et inébranlable.

La princesse de Babylone avec le phénix le suivait partout à la piste, et ne le manquait jamais que d'un jour ou deux, sans que l'un se lassât de courir, et sans que l'autre perdît un moment à le suivre.

Ils traversèrent ainsi toute la Germanie; ils admirèrent les progrès que la raison et la philosophie faisaient dans le Nord : tous les princes y étaient instruits, tous autorisaient la liberté de penser; leur éducation n'avait point été confiée à des hommes qui eussent intérêt de les tromper, ou qui fussent trompés eux-mêmes : on les avait élevés dans la connaissance de la morale universelle, et dans le mépris des superstitions; on avait banni dans tous ces États un usage insensé, qui énervait et dépeuplait plusieurs pays méridionaux : cette coutume était d'enterrer tout vivants, dans de vastes cachots, un nombre infini des deux sexes éternellement séparés l'un de l'autre, et de leur faire jurer de n'avoir jamais de communication ensemble. Cet excès de démence, accrédité pendant des siècles, avait dévasté la terre autant que les guerres les plus cruelles.

Les princes du Nord avaient à la fin compris que, si on voulait avoir des haras, il ne fallait pas séparer les plus forts chevaux des cavales. Ils avaient détruit aussi des erreurs non moins bizarres et non moins pernicieuses. Enfin les hommes osaient être raisonnables dans ces vastes pays, tandis qu'ailleurs on croyait encore qu'on ne peut les gouverner qu'autant qu'ils sont imbéciles.

VII

Amazan arriva chez les Bataves ; son cœur éprouva une douce satisfaction dans son chagrin d'y retrouver quelque faible image du pays des heureux Gangarides : la liberté, l'égalité, la propreté, l'abondance, la tolérance ; mais les dames du pays étaient si froides qu'aucune ne lui fit d'avances comme on lui en avait fait partout ailleurs ; il n'eut pas la peine de résister. S'il avait voulu attaquer ces dames, il les aurait toutes subjuguées l'une après l'autre, sans être aimé d'aucune ; mais il était bien éloigné de songer à faire des conquêtes.

Formosante fut sur le point de l'attraper chez cette nation insipide : il ne s'en fallut que d'un moment.

Amazan avait entendu parler chez les Bataves avec tant d'éloges d'une certaine île, nommée Albion, qu'il s'était déterminé à s'embarquer, lui et ses licornes, sur un vaisseau qui, par un vent d'orient favorable, l'avait porté en quatre heures au rivage de cette terre plus célèbre que Tyr et que l'île Atlantide.

La belle Formosante, qui l'avait suivi au bord de la

Duina, de la Vistule, de l'Elbe, du Véser, arrive enfin aux bouches du Rhin, qui portait alors ses eaux rapides dans la mer Germanique.

Elle apprend que son cher amant a vogué aux côtes d'Albion ; elle croit voir son vaisseau ; elle pousse des cris de joie dont toutes les dames bataves furent surprises, n'imaginant pas qu'un jeune homme pût causer tant de joie ; et à l'égard du phénix, elles n'en firent pas grand cas, parce qu'elles jugèrent que ses plumes ne pourraient probablement se vendre aussi bien que celles des canards et des oisons de leurs marais. La princesse de Babylone loua ou nolisa deux vaisseaux pour la transporter avec tout son monde dans cette bienheureuse île, qui allait posséder l'unique objet de tous ses désirs, l'âme de sa vie, le dieu de son cœur.

Un vent funeste d'occident s'éleva tout à coup dans le moment même où le fidèle et malheureux Amazan mettait pied à terre en Albion : les vaisseaux de la princesse de Babylone ne purent démarrer. Un serrement de cœur, une douleur amère, une mélancolie profonde, saisirent Formosante : elle se mit au lit, dans sa douleur, en attendant que le vent changeât ; mais il souffla huit jours entiers avec une violence désespérante. La princesse, pendant ce siècle de huit jours, se faisait lire par Irla des romans : ce n'est pas que les Bataves en sussent faire ; mais, comme ils étaient les facteurs de l'univers, ils vendaient l'esprit des autres nations, ainsi que leurs denrées. La princesse fit acheter chez Marc-Michel Rey tous les contes que l'on avait écrits chez les Ausoniens et chez les Velches, et dont le débit était défendu sagement chez ces peuples pour enrichir les Bataves ; elle espérait qu'elle trouverait dans ces histoires quelque aventure qui ressemblerait à la sienne, et qui charmerait sa douleur. Irla lisait, le phénix disait son avis, et la princesse ne trouvait rien dans *la Paysanne parvenue*, ni dans *le Sopha*, ni dans *les Quatre Facardins*, qui eût le moindre rapport à ses aventures ; elle interrompait à tout moment la lecture pour demander de quel côté venait le vent.

VIII

Cependant Amazan était déjà sur le chemin de la capitale d'Albion, dans son carrosse à six licornes, et rêvait à sa princesse. Il aperçut un équipage versé dans un fossé ; les domestiques s'étaient écartés pour aller chercher du secours ; le maître de l'équipage restait tranquillement dans sa voiture, ne témoignant pas la plus légère impatience, et s'amusant à fumer, car on fumait alors : il se nommait milord *What-then*, ce qui signifie à peu près milord *Qu'importe* en la langue dans laquelle je traduis ces mémoires.

Amazan se précipita pour lui rendre service ; il releva tout seul la voiture, tant sa force était supérieure à celle des autres hommes. Milord Qu'importe se contenta de dire : « Voilà un homme bien vigoureux. » Des rustres du voisinage, étant accourus, se mirent en colère de ce qu'on les avait fait venir inutilement, et s'en prirent à l'étranger : ils le menacèrent en l'appelant *chien d'étranger*, et ils voulurent le battre.

Amazan en saisit deux de chaque main, et les jeta à vingt pas ; les autres le respectèrent, le saluèrent, lui demandèrent pour boire : il leur donna plus d'argent qu'ils n'en avaient jamais vu. Milord Qu'importe lui dit : « Je vous estime ; venez dîner avec moi dans ma maison de campagne, qui n'est qu'à trois milles » ; il monta dans la voiture d'Amazan, parce que la sienne était dérangée par la secousse.

Après un quart d'heure de silence, il regarda un moment Amazan, et lui dit : *How dye do ;* à la lettre : *Comment faites-vous faire ?* et dans la langue du traducteur : *Comment vous portez-vous ?* ce qui ne veut rien dire du tout en aucune langue ; puis il ajouta : « Vous avez là six jolies licornes » ; et il se remit à fumer.

Le voyageur lui dit que ses licornes étaient à son service ; qu'il venait avec elles du pays des Gangarides ; et il en prit occasion de lui parler de la prin-

cesse de Babylone, et du fatal baiser qu'elle avait
donné au roi d'Égypte ; à quoi l'autre ne répliqua rien
du tout, se souciant très peu qu'il y eût dans le monde
un roi d'Égypte et une princesse de Babylone. Il fut
encore un quart d'heure sans parler ; après quoi il
redemanda à son compagnon *comment il faisait faire*,
et si on mangeait du bon *roastbeef* dans le pays des
Gangarides. Le voyageur lui répondit avec sa politesse ordinaire qu'on ne mangeait point ses frères sur
les bords du Gange. Il lui expliqua le système qui fut,
après tant de siècles, celui de Pythagore, de Porphyre,
de Iamblique. Sur quoi milord s'endormit, et ne fit
qu'un somme jusqu'à ce qu'on fût arrivé à sa maison.

Il avait une femme jeune et charmante, à qui la
nature avait donné une âme aussi vive et aussi sensible que celle de son mari était indifférente. Plusieurs seigneurs albioniens étaient venus ce jour-là
dîner avec elle. Il y avait des caractères de toutes les
espèces : car le pays n'ayant presque jamais été gouverné que par des étrangers, les familles venues avec
ces princes avaient toutes apporté des mœurs différentes. Il se trouva dans la compagnie des gens très
aimables, d'autres d'un esprit supérieur, quelques-uns
d'une science profonde.

La maîtresse de la maison n'avait rien de cet air
emprunté et gauche, de cette roideur, de cette mauvaise honte qu'on reprochait alors aux jeunes femmes
d'Albion ; elle ne cachait point, par un maintien
dédaigneux et par un silence affecté, la stérilité de ses
idées et l'embarras humiliant de n'avoir rien à dire :
nulle femme n'était plus engageante. Elle reçut Amazan avec la politesse et les grâces qui lui étaient naturelles. L'extrême beauté de ce jeune étranger, et la
comparaison soudaine qu'elle fit entre lui et son mari,
la frappèrent d'abord sensiblement.

On servit. Elle fit asseoir Amazan à côté d'elle, et lui
fit manger des poudings de toute espèce, ayant su de
lui que les Gangarides ne se nourrissaient de rien qui
eût reçu des dieux le don céleste de la vie. Sa beauté,
sa force, les mœurs des Gangarides, les progrès des

arts, la religion et le gouvernement, furent le sujet d'une conversation aussi agréable qu'instructive pendant le repas, qui dura jusqu'à la nuit, et pendant lequel milord Qu'importe but beaucoup et ne dit mot.

Après le dîner, pendant que milady versait du thé et qu'elle dévorait des yeux le jeune homme, il s'entretenait avec un membre du parlement : car chacun sait que dès lors il y avait un parlement, et qu'il s'appelait *wittenagemoth*, ce qui signifie *l'assemblée des gens d'esprit*. Amazan s'informait de la constitution, des mœurs, des lois, des forces, des usages, des arts, qui rendaient ce pays si recommandable ; et ce seigneur lui parlait en ces termes :

« Nous avons longtemps marché tout nus, quoique le climat ne soit pas chaud. Nous avons été longtemps traités en esclaves par des gens venus de l'antique terre de Saturne, arrosée des eaux du Tibre ; mais nous nous sommes fait nous-mêmes beaucoup plus de maux que nous n'en avions essuyé de nos premiers vainqueurs. Un de nos rois poussa la bassesse jusqu'à se déclarer sujet d'un prêtre qui demeurait aussi sur les bords du Tibre, et qu'on appelait *le Vieux des sept montagnes :* tant la destinée de ces sept montagnes a été longtemps de dominer sur une grande partie de l'Europe habitée alors par des brutes !

« Après ces temps d'avilissement sont venus des siècles de férocité et d'anarchie. Notre terre, plus orageuse que les mers qui l'environnent, a été saccagée et ensanglantée par nos discordes. Plusieurs têtes couronnées ont péri par le dernier supplice. Plus de cent princes du sang des rois ont fini leurs jours sur l'échafaud ; on a arraché le cœur de tous leurs adhérents, et on en a battu leurs joues. C'était au bourreau qu'il appartenait d'écrire l'histoire de notre île, puisque c'était lui qui avait terminé toutes les grandes affaires.

« Il n'y a pas longtemps que, pour comble d'horreur, quelques personnes portant un manteau noir, et d'autres qui mettaient une chemise blanche par-dessus leur jaquette, ayant été mordues par des chiens enragés communiquèrent la rage à la nation entière.

Tous les citoyens furent ou meurtriers ou égorgés, ou bourreaux ou suppliciés, ou déprédateurs ou esclaves, au nom du ciel et en cherchant le Seigneur.

« Qui croirait que de cet abîme épouvantable, de ce chaos de dissensions, d'atrocités, d'ignorance et de fanatisme, il est enfin résulté le plus parfait gouvernement peut-être qui soit aujourd'hui dans le monde ? Un roi honoré et riche, tout-puissant pour faire le bien, impuissant pour faire le mal, est à la tête d'une nation libre, guerrière, commerçante et éclairée. Les grands d'un côté, et les représentants des villes de l'autre, partagent la législation avec le monarque.

« On avait vu, par une fatalité singulière, le désordre, les guerres civiles, l'anarchie et la pauvreté, désoler le pays quand les rois affectaient le pouvoir arbitraire. La tranquillité, la richesse, la félicité publique, n'ont régné chez nous que quand les rois ont reconnu qu'ils n'étaient pas absolus. Tout était subverti quand on disputait sur des choses inintelligibles ; tout a été dans l'ordre quand on les a méprisées. Nos flottes victorieuses portent notre gloire sur toutes les mers ; et les lois mettent en sûreté nos fortunes : jamais un juge ne peut les expliquer arbitrairement ; jamais on ne rend un arrêt qui ne soit motivé. Nous punirions comme des assassins des juges qui oseraient envoyer à la mort un citoyen sans manifester les témoignages qui l'accusent et la loi qui le condamne.

« Il est vrai qu'il y a toujours chez nous deux partis qui se combattent avec la plume et avec des intrigues ; mais aussi ils se réunissent toujours quand il s'agit de prendre les armes pour défendre la patrie et la liberté. Ces deux partis veillent l'un sur l'autre ; ils s'empêchent mutuellement de violer le dépôt sacré des lois ; ils se haïssent, mais ils aiment l'État : ce sont des amants jaloux qui servent à l'envi la même maîtresse.

« Du même fonds d'esprit qui nous a fait connaître et soutenir les droits de la nature humaine nous avons porté les sciences au plus haut point où elles puissent parvenir chez les hommes. Vos Égyptiens, qui passent pour de si grands mécaniciens ; vos Indiens, qu'on croit de si grands philosophes ; vos Babyloniens, qui se vantent d'avoir observé les astres pendant quatre cent trente mille années ; les Grecs, qui ont écrit tant de phrases et si peu de choses, ne savent précisément rien en comparaison de nos moindres écoliers, qui ont étudié les découvertes de nos grands maîtres. Nous avons arraché plus de secrets à la nature dans l'espace de cent années que le genre humain n'en avait découvert dans la multitude des siècles.

« Voilà au vrai l'état où nous sommes. Je ne vous ai caché ni le bien, ni le mal, ni nos opprobres, ni notre gloire ; et je n'ai rien exagéré. »

Amazan, à ce discours, se sentit pénétré du désir de s'instruire dans ces sciences sublimes dont on lui parlait ; et si sa passion pour la princesse de Babylone, son respect filial pour sa mère, qu'il avait quittée, et l'amour de sa patrie, n'eussent fortement parlé à son cœur déchiré, il aurait voulu passer sa vie dans l'île d'Albion ; mais ce malheureux baiser donné par sa princesse au roi d'Égypte ne lui laissait pas assez de liberté dans l'esprit pour étudier les hautes sciences.

« Je vous avoue, dit-il, que m'ayant imposé la loi de courir le monde et de m'éviter moi-même, je serais curieux de voir cette antique terre de Saturne, ce peuple du Tibre et des sept montagnes à qui vous avez obéi autrefois ; il faut, sans doute, que ce soit le premier peuple de la terre. — Je vous conseille de faire ce voyage, lui répondit l'Albionien, pour peu que vous aimiez la musique et la peinture. Nous allons très souvent nous-mêmes porter quelquefois notre ennui vers les sept montagnes. Mais vous serez bien étonné en voyant les descendants de nos vainqueurs. »

Cette conversation fut longue. Quoique le bel Amazan eût la cervelle un peu attaquée, il parlait avec tant d'agréments, sa voix était si touchante, son maintien si noble et si doux, que la maîtresse de la maison ne put s'empêcher de l'entretenir à son tour tête à tête. Elle lui serra tendrement la main en lui parlant, et en le regardant avec des yeux humides et étincelants qui portaient les désirs dans tous les ressorts de la vie. Elle le retint à souper et à coucher. Chaque instant, chaque parole, chaque regard, enflammèrent sa passion. Dès que tout le monde fut retiré, elle lui écrivit un petit billet, ne doutant pas qu'il ne vînt lui faire la cour dans son lit, tandis que milord Qu'importe dormait dans le sien. Amazan eut encore le courage de résister : tant un grain de folie produit d'effets miraculeux dans une âme forte et profondément blessée.

Amazan, selon sa coutume, fit à la dame une réponse respectueuse, par laquelle il lui représentait la sainteté de son serment, et l'obligation étroite où il était d'apprendre à la princesse de Babylone à dompter ses passions ; après quoi il fit atteler ses licornes, et repartit pour la Batavie, laissant toute la compagnie émerveillée de lui, et la dame du logis désespérée. Dans l'excès de sa douleur, elle laissa traîner la lettre d'Amazan ; milord Qu'importe la lut le lendemain matin. « Voilà, dit-il en levant les épaules, de bien plates niaiseries » ; et il alla chasser au renard avec quelques ivrognes du voisinage.

Amazan voguait déjà sur la mer, muni d'une carte géographique dont lui avait fait présent le savant Albionien qui s'était entretenu avec lui chez milord Qu'importe. Il voyait avec surprise une grande partie de la terre sur une feuille de papier.

Ses yeux et son imagination s'égaraient dans ce petit espace ; il regardait le Rhin, le Danube, les Alpes du Tyrol, marqués alors par d'autres noms, et tous les pays par où il devait passer avant d'arriver à la ville des sept montagnes ; mais surtout il jetait les yeux sur la contrée des Gangarides, sur Babylone, où il avait vu sa chère princesse, et sur le fatal pays de Bassora, où elle avait donné un baiser au roi d'Égypte. Il soupirait, il versait des larmes ; mais il convenait que l'Albionien, qui lui avait fait présent de l'univers en raccourci, n'avait pas eu tort en disant qu'on était mille fois plus instruit sur les bords de la Tamise que sur ceux du Nil, de l'Euphrate, et du Gange.

Comme il retournait en Batavie, Formosante volait vers Albion avec ses deux vaisseaux, qui cinglaient à pleines voiles ; celui d'Amazan et celui de la princesse se croisèrent, se touchèrent presque : les deux amants étaient près l'un de l'autre, et ne pouvaient s'en douter. Ah, s'ils l'avaient su ! Mais l'impérieuse destinée ne le permit pas.

IX

Sitôt qu'Amazan fut débarqué sur le terrain égal et fangeux de la Batavie, il partit comme un éclair pour la ville aux sept montagnes. Il fallut traverser la partie méridionale de la Germanie. De quatre milles en quatre milles on trouvait un prince et une princesse, des filles d'honneur, et des gueux. Il était étonné des coquetteries que ces dames et ces filles d'honneur lui faisaient partout avec la bonne foi germanique, et il n'y répondait que par de modestes refus. Après avoir franchi les Alpes, il s'embarqua sur la mer de Dalmatie, et aborda dans une ville qui ne ressemblait à rien du tout de ce qu'il avait vu jusqu'alors. La mer formait les rues, les maisons étaient bâties dans l'eau. Le peu de places publiques qui ornaient cette ville était couvert d'hommes et de femmes qui avaient un double visage, celui que la nature leur avait donné, et une face de carton mal peint, qu'ils appliquaient par-dessus : en sorte que la nation semblait composée de spectres. Les étrangers qui venaient dans cette contrée commençaient par acheter un visage, comme on se pourvoit ailleurs de bonnets et de souliers. Amazan dédaigna cette mode contre nature ; il se présenta tel qu'il était. Il y avait dans la ville douze mille filles enregistrées dans le grand livre de la république : filles utiles à l'État, chargées du commerce le plus avantageux et le plus agréable qui ait jamais enrichi une nation. Les négociants ordinaires envoyaient à grands frais et à grands risques des étoffes dans l'Orient; ces belles négociantes faisaient sans aucun risque un trafic toujours renaissant de leurs attraits. Elles vinrent toutes se présenter au bel Amazan, et lui offrir le choix. Il s'enfuit au plus vite en prononçant le nom de l'incomparable princesse de Babylone, et en jurant par les dieux immortels qu'elle était plus belle que toutes les douze mille filles vénitiennes. « Sublime friponne, s'écriait-il dans ses transports, je vous apprendrai à être fidèle ! »

Enfin les ondes jaunes du Tibre, des marais empestés, des habitants hâves, décharnés et rares, couverts de vieux manteaux troués qui laissaient voir leur peau sèche et tannée, se présentèrent à ses yeux, et lui annoncèrent qu'il était à la porte de la ville aux sept montagnes, de cette ville de héros et de législateurs qui avaient conquis et policé une grande partie du globe.

Il s'était imaginé qu'il verrait à la porte triomphale cinq cents bataillons commandés par des héros, et, dans le sénat, une assemblée de demi-dieux, donnant des lois à la terre; il trouva, pour toute armée, une trentaine de gredins montant la garde avec un parasol, de peur du soleil. Ayant pénétré jusqu'à un temple qui lui parut très beau, mais moins que celui de Babylone, il fut assez surpris d'y entendre une musique exécutée par des hommes qui avaient des voix de femmes.

« Voilà, dit-il, un plaisant pays que cette antique terre de Saturne ! J'ai vu une ville où personne n'avait son visage; en voici une autre où les hommes n'ont ni leur voix ni leur barbe. » On lui dit que ces chantres n'étaient plus hommes, qu'on les avait dépouillés de leur virilité afin qu'ils chantassent plus agréablement les louanges d'une prodigieuse quantité de gens de mérite. Amazan ne comprit rien à ce discours. Ces messieurs le prièrent de chanter; il chanta un air gangaride avec sa grâce ordinaire.

Sa voix était une très belle haute-contre. « Ah ! monsignor, lui dirent-ils, quel charmant soprano vous auriez! Ah! si... — Comment, si? Que prétendez-vous dire? — Ah! monsignor!... — Eh bien? — Si vous n'aviez point de barbe!» Alors ils lui expliquèrent très plaisamment, et avec des gestes fort comiques, selon leur coutume, de quoi il était question. Amazan demeura tout confondu. «J'ai voyagé, dit-il, et jamais je n'ai entendu parler d'une telle fantaisie.»

Lorsqu'on eut bien chanté, le *Vieux des sept montagnes* alla en grand cortège à la porte du temple; il coupa l'air en quatre avec le pouce élevé, deux doigts étendus et deux autres pliés, en disant ces mots dans une langue qu'on ne parlait plus : *A la ville et à l'univers*[1]. Le Gangaride ne pouvait comprendre que deux doigts pussent atteindre si loin.

Il vit bientôt défiler toute la cour du maître du monde : elle était composée de graves personnages, les uns en robes rouges, les autres en violet; presque tous regardaient le bel Amazan en adoucissant les yeux; ils lui faisaient des révérences, et se disaient l'un à l'autre : *San Martino, che bel ragazzo! San Pancratio, che bel fanciullo!*

Les ardents, dont le métier était de montrer aux étrangers les curiosités de la ville, s'empressèrent de lui faire voir des masures où un muletier ne voudrait pas passer la nuit, mais qui avaient été autrefois de dignes monuments de la grandeur d'un peuple roi. Il vit encore des tableaux de deux cents ans, et des statues de plus de vingt siècles, qui lui parurent des chefs-d'œuvre. «Faites-vous encore de pareils ouvrages?

— Non, Votre Excellence, lui répondit un des ardents; mais nous méprisons le reste de la terre, parce que nous conservons ces raretés. Nous sommes des espèces de fripiers qui tirons notre gloire des vieux habits qui restent dans nos magasins.»

Amazan voulut voir le palais du prince : on l'y conduisit. Il vit des hommes en violet qui comptaient

1. *Urbi et orbi.*

l'argent des revenus de l'État : tant d'une terre située sur le Danube, tant d'une autre sur la Loire, ou sur le Guadalquivir, ou sur la Vistule. « Oh ! oh ! dit Amazan après avoir consulté sa carte de géographie, votre maître possède donc toute l'Europe comme ces anciens héros des sept montagnes ? — Il doit posséder l'univers entier de droit divin, lui répondit un violet ; et même il a été un temps où ses prédécesseurs ont approché de la monarchie universelle ; mais leurs successeurs ont la bonté de se contenter aujourd'hui de quelque argent que les rois leurs sujets leur font payer en forme de tribut.

— Votre maître est donc en effet le roi des rois ? C'est donc là son titre ? dit Amazan. — Non, Votre Excellence ; son titre est *serviteur des serviteurs* ; il est originairement poissonnier et portier, et c'est pourquoi les emblèmes de sa dignité sont des clefs et des filets ; mais il donne toujours des ordres à tous les rois. Il n'y a pas longtemps qu'il envoya cent et un commandements à un roi du pays des Celtes, et le roi obéit.

— Votre poissonnier, dit Amazan, envoya donc cinq ou six cent mille hommes pour faire exécuter ses cent et une volontés ?

— Point du tout, Votre Excellence ; notre saint maître n'est point assez riche pour soudoyer dix mille soldats ; mais il a quatre à cinq cent mille prophètes divins distribués dans les autres pays. Ces prophètes de toutes couleurs sont, comme de raison, nourris aux dépens des peuples ; ils annoncent de la part du ciel que mon maître peut avec ses clefs ouvrir et fermer toutes les serrures, et surtout celles des coffres-forts. Un prêtre normand, qui avait auprès du roi dont je vous parle la charge de confident de ses pensées, le convainquit qu'il devait obéir sans réplique aux cent et une pensées de mon maître : car il faut que vous sachiez qu'une des prérogatives du *Vieux des sept montagnes* est d'avoir toujours raison, soit qu'il daigne parler, soit qu'il daigne écrire.

— Parbleu, dit Amazan, voilà un singulier homme !

je serais curieux de dîner avec lui. — Votre Excellence, quand vous seriez roi, vous ne pourriez manger
à sa table ; tout ce qu'il pourrait faire pour vous, ce
serait de vous en faire servir une à côté de lui plus
petite et plus basse que la sienne. Mais, si vous voulez
avoir l'honneur de lui parler, je lui demanderai
audience pour vous, moyennant la *buona mancia*,
que vous aurez la bonté de me donner. — Très volon-
tiers », dit le Gangaride. Le violet s'inclina. « Je vous
introduirai demain, dit-il ; vous ferez trois génu-
flexions, et vous baiserez les pieds du *Vieux des sept
montagnes*. » A ces mots, Amazan fit de si prodigieux
éclats de rire qu'il fut près de suffoquer ; il sortit en se
tenant les côtés, et rit aux larmes pendant tout le chemin, jusqu'à ce qu'il fût arrivé à son hôtellerie, où il
rit encore très longtemps.

A son dîner, il se présenta vingt hommes sans barbe
et vingt violons qui lui donnèrent un concert. Il fut
courtisé le reste de la journée par les seigneurs les
plus importants de la ville : ils lui firent des propositions encore plus étranges que celle de baiser les
pieds du *Vieux des sept montagnes*. Comme il était
extrêmement poli, il crut d'abord que ces messieurs le
prenaient pour une dame, et les avertit de leur
méprise avec l'honnêteté la plus circonspecte. Mais,
étant pressé un peu vivement par deux ou trois des
plus déterminés violets, il les jeta par les fenêtres,
sans croire faire un grand sacrifice à la belle Formosante. Il quitta au plus vite cette ville des maîtres du
monde, où il fallait baiser un vieillard à l'orteil,
comme si sa joue était à son pied, et où l'on n'abor-
dait les jeunes gens qu'avec des cérémonies encore
plus bizarres.

X

De province en province, ayant toujours repoussé
les agaceries de toute espèce, toujours fidèle à la princesse de Babylone, toujours en colère contre le roi

d'Égypte, ce modèle de constance parvint à la capitale nouvelle des Gaules. Cette ville avait passé, comme tant d'autres, par tous les degrés de la barbarie, de l'ignorance, de la sottise et de la misère. Son premier nom avait été *la boue* et *la crotte*; ensuite elle avait pris celui d'Isis, du culte d'Isis parvenu jusque chez elle. Son premier sénat avait été une compagnie de bateliers. Elle avait été longtemps esclave des héros déprédateurs des sept montagnes; et, après quelques siècles, d'autres héros brigands, venus de la rive ultérieure du Rhin, s'étaient emparés de son petit terrain.

Le temps, qui change tout, en avait fait une ville dont la moitié était très noble et très agréable, l'autre un peu grossière et ridicule : c'était l'emblème de ses habitants. Il y avait dans son enceinte environ cent mille personnes au moins qui n'avaient rien à faire qu'à jouer et à se divertir. Ce peuple d'oisifs jugeait des arts que les autres cultivaient. Ils ne savaient rien de ce qui se passait à la cour; quoiqu'elle ne fût qu'à quatre petits milles d'eux, il semblait qu'elle en fût à six cents milles au moins. La douceur de la société, la gaieté, la frivolité, étaient leur importante et leur unique affaire; on les gouvernait comme des enfants à qui l'on prodigue des jouets pour les empêcher de crier. Si on leur parlait des horreurs qui avaient, deux siècles auparavant, désolé leur patrie, et des temps épouvantables où la moitié de la nation avait massacré l'autre pour des sophismes, ils disaient qu'en effet cela n'était pas bien, et puis ils se mettaient à rire et à chanter des vaudevilles.

Plus les oisifs étaient polis, plaisants, et aimables, plus on observait un triste contraste entre eux et des compagnies d'occupés.

Il était, parmi ces occupés, ou qui prétendaient l'être, une troupe de sombres fanatiques, moitié absurdes, moitié fripons, dont le seul aspect contristait la terre, et qui l'auraient bouleversée, s'ils l'avaient pu, pour se donner un peu de crédit; mais la nation des oisifs, en dansant et en chantant, les faisait rentrer dans leurs cavernes, comme les oiseaux obligent les chats-huants à se replonger dans les trous des masures.

D'autres occupés, en plus petit nombre, étaient les conservateurs d'anciens usages barbares contre lesquels la nature effrayée réclamait à haute voix ; ils ne consultaient que leurs registres rongés des vers. S'ils y voyaient une coutume insensée et horrible, ils la regardaient comme une loi sacrée. C'est par cette lâche habitude de n'oser penser par eux-mêmes, et de puiser leurs idées dans les débris des temps où l'on ne pensait pas, que, dans la ville des plaisirs, il était encore des mœurs atroces. C'est par cette raison qu'il n'y avait nulle proportion entre les délits et les peines. On faisait quelquefois souffrir mille morts à un innocent pour lui faire avouer un crime qu'il n'avait pas commis.

On punissait une étourderie de jeune homme comme on aurait puni un empoisonnement ou un parricide. Les oisifs en poussaient des cris perçants, et le lendemain ils n'y pensaient plus, et ne parlaient que de modes nouvelles.

Ce peuple avait vu s'écouler un siècle entier pendant lequel les beaux-arts s'élevèrent à un degré de perfection qu'on n'aurait jamais osé espérer ; les étrangers venaient alors, comme à Babylone, admirer les grands monuments d'architecture, les prodiges des jardins, les sublimes efforts de la sculpture et de la peinture. Ils étaient enchantés d'une musique qui allait à l'âme sans étonner les oreilles.

La vraie poésie, c'est-à-dire celle qui est naturelle et harmonieuse, celle qui parle au cœur autant qu'à l'esprit, ne fut connue de la nation que dans cet heureux siècle. De nouveaux genres d'éloquence déployèrent des beautés sublimes. Les théâtres surtout retentirent de chefs-d'œuvre dont aucun peuple n'approcha jamais. Enfin le bon goût se répandit dans toutes les professions, au point qu'il y eut de bons écrivains même chez les druides.

Tant de lauriers, qui avaient levé leurs têtes jusqu'aux nues, se séchèrent bientôt dans une terre épuisée. Il n'en resta qu'un très petit nombre dont les feuilles étaient d'un vert pâle et mourant. La décadence fut produite par la facilité de faire et par la paresse de bien faire, par la satiété du beau et par le goût du bizarre. La vanité protégea des artistes qui ramenaient les temps de la barbarie ; et cette même vanité, en persécutant les talents véritables, les força de quitter leur patrie ; les frelons firent disparaître les abeilles.

Presque plus de véritables arts, presque plus de génie ; le mérite consistait à raisonner à tort et à travers sur le mérite du siècle passé : le barbouilleur des murs d'un cabaret critiquait savamment les tableaux des grands peintres ; les barbouilleurs de papier défiguraient les ouvrages des grands écrivains. L'ignorance et le mauvais goût avaient d'autres barbouilleurs à leurs gages ; on répétait les mêmes choses dans cent volumes sous des titres différents. Tout était ou dictionnaire ou brochure. Un gazetier druide écrivait deux fois par semaine les annales obscures de quelques énergumènes ignorés de la nation, et de prodiges célestes opérés dans des galetas par de petits gueux et de petites gueuses ; d'autres ex-druides, vêtus de noir, prêts de mourir de colère et de faim, se plaignaient dans cent écrits qu'on ne leur permît plus de tromper les hommes, et qu'on laissât ce droit à des boucs vêtus de gris. Quelques archi-druides imprimaient des libelles diffamatoires.

Amazan ne savait rien de tout cela ; et, quand il l'aurait su, il ne s'en serait guère embarrassé, n'ayant la tête remplie que de la princesse de Babylone, du roi de l'Égypte, et de son serment inviolable de mépriser toutes les coquetteries des dames, dans quelque pays que le chagrin conduisît ses pas.

Toute la populace légère, ignorante, et toujours poussant à l'excès cette curiosité naturelle au genre humain, s'empressa longtemps autour de ses licornes ; les femmes, plus sensées, forcèrent les portes de son hôtel pour contempler sa personne.

Il témoigna d'abord à son hôte quelque désir d'aller

à la cour ; mais des oisifs de bonne compagnie, qui se
trouvèrent là par hasard, lui dirent que ce n'était plus
la mode, que les temps étaient bien changés, et qu'il
n'y avait plus de plaisirs qu'à la ville. Il fut invité le
soir même à souper par une dame dont l'esprit et les
talents étaient connus hors de sa patrie, et qui avait
voyagé dans quelques pays où Amazan avait passé. Il
goûta fort cette dame et la société rassemblée chez
elle. La liberté y était décente, la gaieté n'y était point
bruyante, la science n'y avait rien de rebutant, et
l'esprit rien d'apprêté. Il vit que le nom de bonne compagnie n'est pas un vain nom, quoiqu'il soit souvent
usurpé. Le lendemain il dîna dans une société non
moins aimable, mais beaucoup plus voluptueuse.
Plus il fut satisfait des convives, plus on fut content de
lui. Il sentait son âme s'amollir et se dissoudre
comme les aromates de son pays se fondent doucement à un feu modéré, et s'exhalent en parfums délicieux.

Après le dîner, on le mena à un spectacle enchanteur, condamné par les druides parce qu'il leur enle-
vait les auditeurs dont ils étaient les plus jaloux. Ce
spectacle était un composé de vers agréables, de
chants délicieux, de danses qui exprimaient les mouvements de l'âme, et de perspectives qui charmaient
les yeux en les trompant. Ce genre de plaisir, qui rassemblait tant de genres, n'était connu que sous un
nom étranger : il s'appelait *Opéra*, ce qui signifiait
autrefois dans la langue des sept montagnes *travail,
soin, occupation, industrie, entreprise, besogne, affaire*.
Cette affaire l'enchanta. Une fille surtout le charma
par sa voix mélodieuse et par les grâces qui
l'accompagnaient : cette fille d'*affaire*, après le spectacle, lui fut présentée par ses nouveaux amis. Il lui fit
présent d'une poignée de diamants. Elle en fut si
reconnaissante qu'elle ne put le quitter du reste du
jour. Il soupa avec elle, et, pendant le repas, il oublia
sa sobriété ; et, après le repas, il oublia son serment
d'être toujours insensible à la beauté, et inexorable
aux tendres coquetteries. Quel exemple de la faiblesse
humaine !

La belle princesse de Babylone arrivait alors avec le phénix, sa femme de chambre Irla, et ses deux cents cavaliers gangarides montés sur leurs licornes. Il fallut attendre assez longtemps pour qu'on ouvrît les portes. Elle demanda d'abord si le plus beau des hommes, le plus courageux, le plus spirituel et le plus fidèle, était encore dans cette ville. Les magistrats virent bien qu'elle voulait parler d'Amazan. Elle se fit conduire à son hôtel; elle entra, le cœur palpitant d'amour : toute son âme était pénétrée de l'inexprimable joie de revoir enfin dans son amant le modèle de la constance. Rien ne put l'empêcher d'entrer dans sa chambre; les rideaux étaient ouverts; elle vit le bel Amazan dormant entre les bras d'une jolie brune. Ils avaient tous deux un très grand besoin de repos.

Formosante jeta un cri de douleur qui retentit dans toute la maison, mais qui ne put éveiller ni son cousin ni la fille d'*affaire*. Elle tomba pâmée entre les bras d'Irla. Dès qu'elle eut repris ses sens, elle sortit de cette chambre fatale avec une douleur mêlée de rage. Irla s'informa quelle était cette jeune demoiselle qui passait des heures si douces avec le bel Amazan. On lui dit que c'était une fille d'*affaire* fort complaisante, qui joignait à ses talents celui de chanter avec assez de grâce. « O juste ciel, ô puissant Orosmade! s'écriait la belle princesse de Babylone tout en pleurs, par qui suis-je trahie, et pour qui! Ainsi donc celui qui a refusé pour moi tant de princesses m'abandonne pour une farceuse des Gaules! Non, je ne pourrai survivre à cet affront.

— Madame, lui dit Irla, voilà comme sont faits tous les jeunes gens d'un bout du monde à l'autre : fussent-ils amoureux d'une beauté descendue du ciel, ils lui feraient, dans de certains moments, des infidélités pour une servante de cabaret.

— C'en est fait, dit la princesse, je ne le reverrai de ma vie; partons dans l'instant même, et qu'on attelle mes licornes. » Le phénix la conjura d'attendre au moins qu'Amazan fût éveillé, et qu'il pût lui parler. « Il ne le mérite pas, dit la princesse; vous m'offenseriez cruellement : il croirait que je vous ai prié de lui faire des reproches, et que je veux me raccommoder avec lui. Si vous m'aimez, n'ajoutez pas cette injure à l'injure qu'il m'a faite. » Le phénix, qui après tout devait la vie à la fille du roi de Babylone, ne put lui désobéir. Elle repartit avec tout son monde. « Où allons-nous, madame ? lui demandait Irla. — Je n'en sais rien, répondait la princesse, nous prendrons le premier chemin que nous trouverons : pourvu que je fuie Amazan pour jamais, Je suis contente. »

Le phénix, qui était plus sage que Formosante, parce qu'il était sans passion, la consolait en chemin ; il lui remontrait avec douceur qu'il était triste de se punir pour les fautes d'un autre ; qu'Amazan lui avait donné des preuves assez éclatantes et assez nombreuses de fidélité pour qu'elle pût lui pardonner de s'être oublié un moment ; que c'était un juste à qui la grâce d'Orosmade avait manqué ; qu'il n'en serait que plus constant désormais dans l'amour et dans la vertu ; que le désir d'expier sa faute le mettrait au-dessus de lui-même ; qu'elle n'en serait que plus heureuse : que plusieurs grandes princesses avant elle avaient pardonné de semblables écarts, et s'en étaient bien trouvées ; il lui en rapportait des exemples, et il possédait tellement l'art de conter que le cœur de Formosante fut enfin plus calme et plus paisible ; elle aurait voulu n'être point sitôt partie : elle trouvait que ses licornes allaient trop vite, mais elle n'osait revenir sur ses pas ; combattue entre l'envie de pardonner et celle de montrer sa colère, entre son amour et sa vanité, elle laissait aller ses licornes ; elle courait le monde selon la prédiction de l'oracle de son père.

Amazan, à son réveil, apprend l'arrivée et le départ de Formosante et du phénix ; il apprend le désespoir et le courroux de la princesse ; on lui dit qu'elle a juré de ne lui pardonner jamais. « Il ne me reste plus, s'écria-t-il, qu'à la suivre et à me tuer à ses pieds. »

Ses amis de la bonne compagnie des oisifs accoururent au bruit de cette aventure ; tous lui remontrèrent qu'il valait infiniment mieux demeurer avec eux ; que rien n'était comparable à la douce vie qu'ils menaient dans le sein des arts et d'une volupté tranquille et délicate ; que plusieurs étrangers et des rois mêmes avaient préféré ce repos, si agréablement occupé et si enchanteur, à leur patrie et à leur trône ; que d'ailleurs sa voiture était brisée, et qu'un sellier lui en faisait une à la nouvelle mode ; que le meilleur tailleur de la ville lui avait déjà coupé une douzaine d'habits du dernier goût ; que les dames les plus spirituelles et les plus aimables de la ville, chez qui on jouait très bien la comédie, avaient retenu chacune leur jour pour lui donner des fêtes. La fille d'*affaire*, pendant ce temps-là, prenait son chocolat à sa toilette, riait, chantait, et faisait des agaceries au bel Amazan, qui s'aperçut enfin qu'elle n'avait pas le sens d'un oison.

Comme la sincérité, la cordialité, la franchise, ainsi que la magnanimité et le courage, composaient le caractère de ce grand prince, il avait conté ses malheurs et ses voyages à ses amis ; ils savaient qu'il était cousin issu de germain de la princesse ; ils étaient informés du baiser funeste donné par elle au roi d'Égypte. « On se pardonne, lui dirent-ils, ces petites frasques entre parents, sans quoi il faudrait passer sa vie dans d'éternelles querelles. » Rien n'ébranla son dessein de courir après Formosante ; mais, sa voiture n'étant pas prête, il fut obligé de passer trois jours parmi les oisifs dans les fêtes et dans les plaisirs ; enfin il prit congé d'eux en les embrassant, en leur faisant accepter les diamants de son pays les mieux montés, en leur recommandant d'être toujours légers et frivoles, puisqu'ils n'en étaient que plus aimables et plus heureux. « Les Germains, disait-il, sont les vieillards de l'Europe ; les peuples d'Albion sont les hommes faits ; les habitants de la Gaule sont les enfants, et j'aime à jouer avec eux. »

XI

Ses guides n'eurent pas de peine à suivre la route de la princesse ; on ne parlait que d'elle et de son gros oiseau. Tous les habitants étaient encore dans l'enthousiasme de l'admiration. Les peuples de la Dalmatie et de la Marche d'Ancône éprouvèrent depuis une surprise moins délicieuse quand ils virent une maison voler dans les airs ; les bords de la Loire, de la Dordogne, de la Garonne, de la Gironde, retentissaient encore d'acclamations.

Quand Amazan fut au pied des Pyrénées, les magistrats et les druides du pays lui firent danser malgré lui un tambourin ; mais sitôt qu'il eut franchi les Pyrénées, il ne vit plus de gaieté et de joie. S'il entendit quelques chansons de loin à loin, elles étaient toutes sur un ton triste : les habitants marchaient gravement avec des grains enfilés et un poignard à leur ceinture. La nation, vêtue de noir, semblait être en deuil. Si les domestiques d'Amazan interrogeaient les passants, ceux-ci répondaient par signes ; si on entrait dans une hôtellerie, le maître de la maison enseignait aux gens en trois paroles qu'il n'y avait rien dans la maison, et qu'on pouvait envoyer chercher à quelques milles les choses dont on avait un besoin pressant.

Quand on demandait à ces silenciaires s'ils avaient vu passer la belle princesse de Babylone, ils répondaient avec moins de brièveté : « Nous l'avons vue, elle n'est pas si belle : il n'y a de beau que les teints basanés ; elle étale une gorge d'albâtre qui est la chose du monde la plus dégoûtante, et qu'on ne connaît presque point dans nos climats. »

Amazan avançait vers la province arrosée du Bétis. Il ne s'était pas écoulé plus de douze mille années depuis que ce pays avait été découvert par les Tyriens, vers le même temps qu'ils firent la découverte de la grande île Atlantique, submergée quelques siècles après. Les Tyriens cultivèrent la Bétique, que les naturels du pays laissaient en friche, prétendant qu'ils ne devaient se mêler de rien, et que c'était aux Gaulois leurs voisins à venir cultiver leurs terres. Les Tyriens avaient amené avec eux des Palestins, qui, dès ce temps-là, couraient dans tous les climats, pour peu qu'il y eût de l'argent à gagner. Ces Palestins, en prêtant sur gages à cinquante pour cent, avaient attiré à eux presque toutes les richesses du pays. Cela fit croire aux peuples de la Bétique que les Palestins étaient sorciers ; et tous ceux qui étaient accusés de magie étaient brûlés sans miséricorde par une compagnie de druides qu'on appelait *les rechercheurs*, ou *les anthropokaies*. Ces prêtres les revêtaient d'abord d'un habit de masque, s'emparaient de leurs biens, et récitaient dévotement les propres prières des Palestins tandis qu'on les cuisait à petit feu *por l'amor de Dios*.

La princesse de Babylone avait mis pied à terre dans la ville qu'on appela depuis *Sevilla*. Son dessein était de s'embarquer sur le Bétis pour retourner par Tyr à Babylone revoir le roi Bélus son père, et oublier, si elle pouvait, son infidèle amant, ou bien le demander en mariage. Elle fit venir chez elle deux Palestins qui faisaient toutes les affaires de la cour. Ils devaient lui fournir trois vaisseaux. Le phénix fit avec eux tous les arrangements nécessaires, et convint du prix après avoir un peu disputé.

L'hôtesse était fort dévote, et son mari, non moins dévot, était familier, c'est-à-dire espion des druides rechercheurs anthropokaies ; il ne manqua pas de les avertir qu'il avait dans sa maison une sorcière et deux Palestins qui faisaient un pacte avec le diable, déguisé en gros oiseau doré. Les rechercheurs, apprenant que la dame avait une prodigieuse quantité de diamants, la jugèrent incontinent sorcière ; ils attendirent la nuit pour enfermer les deux cents cavaliers et les licornes, qui dormaient dans de vastes écuries, car les rechercheurs sont poltrons.

Après avoir bien barricadé les portes, ils se saisirent de la princesse et d'Irla ; mais ils ne purent prendre le phénix, qui s'envola à tire d'ailes : il se doutait bien qu'il trouverait Amazan sur le chemin des Gaules à Sevilla.

Il le rencontra sur la frontière de la Bétique, et lui apprit le désastre de la princesse. Amazan ne put parler : il était trop saisi, trop en fureur. Il s'arme d'une cuirasse d'acier damasquinée d'or, d'une lance de douze pieds, de deux javelots, et d'une épée tranchante, appelée *la fulminante*, qui pouvait fendre d'un seul coup des arbres, des rochers et des druides ; il couvre sa belle tête d'un casque d'or ombragé de plumes de héron et d'autruche. C'était l'ancienne armure de Magog, dont sa sœur Aldée lui avait fait présent dans son voyage en Scythie ; le peu de suivants qui l'accompagnaient montent comme lui chacun sur sa licorne.

Amazan, en embrassant son cher phénix, ne lui dit que ces tristes paroles : « Je suis coupable ; si je n'avais pas couché avec une fille d'*affaire* dans la ville des oisifs, la belle princesse de Babylone ne serait pas dans cet état épouvantable ; courons aux anthropokaies. »

Il entre bientôt dans Sevilla : quinze cents alguazils gardaient les portes de l'enclos où les deux cents Gangarides et leurs licornes étaient renfermés sans avoir à manger ; tout était préparé pour le sacrifice qu'on allait faire de la princesse de Babylone, de sa femme de chambre Irla, et des deux riches Palestins.

Le grand anthropokaie, entouré de ses petits anthropokaies, était déjà sur son tribunal sacré ; une foule de Sévillois portant des grains enfilés à leurs ceintures joignaient les deux mains sans dire un mot, et l'on amenait la belle princesse, Irla, et les deux Palestins, les mains liées derrière le dos et vêtus d'un habit de masque.

Le phénix entre par une lucarne dans la prison où les Gangarides commençaient déjà à enfoncer les portes. L'invincible Amazan les brisait en dehors. Ils sortent tout armés, tous sur leurs licornes ; Amazan se met à leur tête. Il n'eut pas de peine à renverser les alguazils, les familiers, les prêtres anthropokaies ;

chaque licorne en perçait des douzaines à la fois. La fulminante d'Amazan coupait en deux tous ceux qu'il rencontrait ; le peuple fuyait en manteau noir et en fraise sale, toujours tenant à la main ses grains bénits *por l'amor de Dios*.

Amazan saisit de sa main le grand rechercheur sur son tribunal, et le jette sur le bûcher qui était préparé à quarante pas ; il y jeta aussi les autres petits rechercheurs l'un après l'autre. Il se prosterne ensuite aux pieds de Formosante. « Ah ! que vous êtes aimable, dit-elle, et que je vous adorerais si vous ne m'aviez pas fait une infidélité avec une fille d'*affaire* ! »

Tandis qu'Amazan faisait sa paix avec la princesse, tandis que ses Gangarides entassaient dans le bûcher les corps de tous les anthropokaies, et que les flammes s'élevaient jusqu'aux nues, Amazan vit de loin comme une armée qui venait à lui. Un vieux monarque, la couronne en tête, s'avançait sur un char traîné par huit mules attelées avec des cordes ; cent autres chars suivaient. Ils étaient accompagnés de graves personnages en manteau noir et en fraise, montés sur de très beaux chevaux ; une multitude de gens à pied suivait en cheveux gras et en silence.

D'abord Amazan fit ranger autour de lui ses Gangarides, et s'avança, la lance en arrêt. Dès que le roi l'aperçut, il ôta sa couronne, descendit de son char, embrassa l'étrier d'Amazan, et lui dit : « Homme envoyé de Dieu, vous êtes le vengeur du genre humain, le libérateur de ma patrie, mon protecteur. Ces monstres sacrés dont vous avez purgé la terre étaient mes maîtres au nom du *Vieux des sept montagnes ;* j'étais forcé de souffrir leur puissance criminelle. Mon peuple m'aurait abandonné si j'avais voulu seulement modérer leurs abominables atrocités. D'aujourd'hui je respire, je règne, et je vous le dois. »

Ensuite il baisa respectueusement la main de Formosante, et la supplia de vouloir bien monter avec Amazan, Irla, et le phénix, dans son carrosse à huit mules. Les deux Palestins, banquiers de la cour,

encore prosternés à terre de frayeur et de reconnaissance, se relevèrent, et la troupe des licornes suivit le
roi de la Bétique dans son palais.

Comme la dignité du roi d'un peuple grave exigeait
que ses mules allassent au petit pas, Amazan et Formosante eurent le temps de lui conter leurs aventures. Il entretint aussi le phénix; il l'admira et le
baisa cent fois. Il comprit combien les peuples
d'Occident, qui mangeaient les animaux, et qui
n'entendaient plus leur langage, étaient ignorants,
brutaux et barbares; que les seuls Gangarides avaient
conservé la nature et la dignité primitive de l'homme;
mais il convenait surtout que les plus barbares des
mortels étaient ces rechercheurs anthropokaies, dont
Amazan venait de purger le monde. Il ne cessait de le
bénir et de le remercier. La belle Formosante oubliait
déjà l'aventure de la fille d'*affaire*, et n'avait l'âme remplie que de la valeur du héros qui lui avait sauvé la
vie. Amazan, instruit de l'innocence du baiser donné
au roi d'Égypte, et de la résurrection du phénix, goûtait une joie pure, et était enivré du plus violent
amour.

On dîna au palais, et on y fit assez mauvaise chère.
Les cuisiniers de la Bétique étaient les plus mauvais
de l'Europe. Amazan conseilla d'en faire venir des
Gaules. Les musiciens du roi exécutèrent pendant le
repas cet air célèbre qu'on appela dans la suite des
siècles *les Folies d'Espagne*. Après le repas on parla
d'affaires.

Le roi demanda au bel Amazan, à la belle Formosante et au beau phénix, ce qu'ils prétendaient devenir. « Pour moi, dit Amazan, mon intention est de
retourner à Babylone, dont je suis l'héritier présomp-
tif, et de demander à mon oncle Bélus ma cousine
issue de germaine, l'incomparable Formosante, à
moins qu'elle n'aime mieux vivre avec moi chez les
Gangarides.

— Mon dessein, dit la princesse, est assurément de
ne jamais me séparer de mon cousin issu de germain.
Mais je crois qu'il convient que je me rende auprès du

roi mon père, d'autant plus qu'il ne m'a donné permission que d'aller en pèlerinage à Bassora, et que j'ai
couru le monde. — Pour moi, dit le phénix, je suivrai
partout ces deux tendres et généreux amants.

— Vous avez raison, dit le roi de la Bétique; mais
le retour à Babylone n'est pas si aisé que vous le pensez. Je sais tous les jours des nouvelles de ce pays-là
par les vaisseaux tyriens, et par mes banquiers palles-
tins, qui sont en correspondance avec tous les peuples
de la terre. Tout est en armes vers l'Euphrate et le Nil.
Le roi de Scythie redemande l'héritage de sa femme, à
la tête de trois cent mille guerriers tous à cheval. Le
roi d'Égypte et le roi des Indes désolent aussi les
bords du Tigre et de l'Euphrate, chacun à la tête de
trois cent mille hommes, pour se venger de ce qu'on
s'est moqué d'eux. Pendant que le roi d'Égypte est
hors de son pays, son ennemi le roi d'Éthiopie ravage
l'Égypte avec trois cent mille hommes, et le roi de
Babylone n'a encore que six cent mille hommes sur
pied pour se défendre.

« Je vous avoue, continua le roi, que lorsque
j'entends parler de ces prodigieuses armées que
l'Orient vomit de son sein, et de leur étonnante
magnificence; quand je les compare à nos petits
corps de vingt à trente mille soldats, qu'il est si difficile de vêtir et de nourrir, je suis tenté de croire que
l'Orient a été fait bien longtemps avant l'Occident. Il
semble que nous soyons sortis avant-hier du chaos, et
hier de la barbarie.

— Sire, dit Amazan, les derniers venus l'emportent
quelquefois sur ceux qui sont entrés les premiers dans
la carrière. On pense dans mon pays que l'homme est
originaire de l'Inde, mais je n'en ai aucune certitude.

— Et vous, dit le roi de la Bétique au phénix, qu'en
pensez-vous? — Sire, répondit le phénix, je suis
encore trop jeune pour être instruit de l'antiquité. Je
n'ai vécu qu'environ vingt-sept mille ans; mais mon
père, qui avait vécu cinq fois cet âge, me disait qu'il
avait appris de son père que les contrées de l'Orient
avaient toujours été plus peuplées et plus riches que

les autres. Il tenait de ses ancêtres que les générations de tous les animaux avaient commencé sur les bords du Gange. Pour moi, je n'ai pas la vanité d'être de cette opinion. Je ne puis croire que les renards d'Albion, les marmottes des Alpes, et les loups de la Gaule, viennent de mon pays; de même que je ne crois pas que les sapins et les chênes de vos contrées descendent des palmiers et des cocotiers des Indes.

— Mais d'où venons-nous donc? dit le roi. — Je n'en sais rien, dit le phénix; je voudrais seulement savoir où la belle princesse de Babylone et mon cher ami Amazan pourront aller. — Je doute fort, repartit le roi, qu'avec ses deux cents licornes il soit en état de percer à travers tant d'armées de trois cent mille hommes chacune. — Pourquoi non? » dit Amazan.

Le roi de la Bétique sentit le sublime du *Pourquoi non;* mais il crut que le sublime seul ne suffisait pas contre des armées innombrables. « Je vous conseille, dit-il, d'aller trouver le roi d'Éthiopie; je suis en relation avec ce prince noir par le moyen de mes Palestins. Je vous donnerai des lettres pour lui. Puisqu'il est l'ennemi du roi d'Égypte, il sera trop heureux d'être fortifié par votre alliance. Je puis vous aider de deux mille hommes très sobres et très braves; il ne tiendra qu'à vous d'en engager autant chez les peuples qui demeurent, ou plutôt qui sautent au pied des Pyrénées, et qu'on appelle *Vasques* ou *Vascons.* Envoyez un de vos guerriers sur une licorne avec quelques diamants : il n'y a point de Vascon qui ne quitte le castel, c'est-à-dire la chaumière de son père, pour vous servir. Ils sont infatigables, courageux et plaisants; vous en serez très satisfait. En attendant qu'ils soient arrivés, nous vous donnerons des fêtes et nous vous préparerons des vaisseaux. Je ne puis trop reconnaître le service que vous m'avez rendu. »

Amazan jouissait du bonheur d'avoir retrouvé Formosante, et de goûter en paix dans sa conversation tous les charmes de l'amour réconcilié, qui valent presque ceux de l'amour naissant.

Bientôt une troupe fière et joyeuse de Vascons

arriva en dansant un tambourin; l'autre troupe fière et sérieuse de Bétiquois était prête. Le vieux roi tanné embrassa tendrement les deux amants; il fit charger leurs vaisseaux d'armes, de lits, de jeux d'échecs, d'habits noirs, de golilles, d'oignons, de moutons, de poules, de farine, et de beaucoup d'ail, en leur souhaitant une heureuse traversée, un amour constant, et des victoires.

La flotte aborda le rivage où l'on dit que tant de siècles après la Phénicienne Didon, sœur d'un Pygmalion, épouse d'un Sichée, ayant quitté cette ville de Tyr, vint fonder la superbe ville de Carthage, en coupant un cuir de bœuf en lanières, selon le témoignage des plus graves auteurs de l'antiquité, lesquels n'ont jamais conté de fables, et selon les professeurs qui ont écrit pour les petits garçons; quoique après tout il n'y ait jamais eu personne à Tyr qui se soit appelé Pygmalion, ou Didon, ou Sichée, qui sont des noms entièrement grecs, et quoique enfin il n'y eût point de roi à Tyr en ces temps-là.

La superbe Carthage n'était point encore un port de mer; il n'y avait là que quelques Numides qui faisaient sécher des poissons au soleil. On côtoya la Byzacène et les Syrtes, les bords fertiles où furent depuis Cyrène et la grande Chersonèse.

Enfin on arriva vers la première embouchure du fleuve sacré du Nil. C'est à l'extrémité de cette terre fertile que le port de Canope recevait déjà les vaisseaux de toutes les nations commerçantes, sans qu'on sût si le dieu Canope avait fondé le port, ou si les habitants avaient fabriqué le dieu, ni si l'étoile Canope avait donné son nom à la ville, ou si la ville avait donné le sien à l'étoile. Tout ce qu'on en savait, c'est que la ville et l'étoile étaient fort anciennes, et c'est tout ce qu'on peut savoir de l'origine des choses, de quelque nature qu'elles puissent être.

Ce fut là que le roi d'Éthiopie, ayant ravagé toute l'Égypte, vit débarquer l'invincible Amazan et l'adorable Formosante. Il prit l'un pour le dieu des combats, et l'autre pour la déesse de la beauté. Amazan lui présenta la lettre de recommandation d'Espagne. Le roi d'Éthiopie donna d'abord des fêtes admirables, suivant la coutume indispensable des temps héroïques ; ensuite on parla d'aller exterminer les trois cent mille hommes du roi d'Égypte, les trois cent mille de l'empereur des Indes, et les trois cent mille du grand kan des Scythes, qui assiégeaient l'immense, l'orgueilleuse, la voluptueuse ville de Babylone.

Les deux mille Espagnols qu'Amazan avait amenés avec lui dirent qu'ils n'avaient que faire du roi d'Éthiopie pour secourir Babylone ; que c'était assez que leur roi leur eût ordonné d'aller la délivrer ; qu'il suffisait d'eux pour cette expédition.

Les Vascons dirent qu'ils en avaient bien fait d'autres ; qu'ils battraient tout seuls les Égyptiens, les Indiens et les Scythes, et qu'ils ne voulaient marcher avec les Espagnols qu'à condition que ceux-ci seraient à l'arrière-garde.

Les deux cents Gangarides se mirent à rire des prétentions de leurs alliés, et ils soutinrent qu'avec cent licornes seulement ils feraient fuir tous les rois de la terre. La belle Formosante les apaisa par sa prudence et par ses discours enchanteurs. Amazan présenta au monarque noir ses Gangarides, ses licornes, les Espagnols, les Vascons, et son bel oiseau.

Tout fut prêt bientôt pour marcher par Memphis, par Héliopolis, par Arsinoé, par Pétra, par Artémite, par Sora, par Apamée, pour aller attaquer les trois rois, et pour faire cette guerre mémorable devant laquelle toutes les guerres que les hommes ont faites depuis n'ont été que des combats de coqs et de cailles.

Chacun sait comment le roi d'Éthiopie devint amoureux de la belle Formosante, et comment il la surprit au lit, lorsqu'un doux sommeil fermait ses longues paupières. On se souvient qu'Amazan, témoin de ce spectacle, crut voir le jour et la nuit couchant ensemble. On n'ignore pas qu'Amazan, indigné de l'affront, tira soudain sa fulminante, qu'il coupa la tête perverse du nègre insolent, et qu'il chassa tous les

Éthiopiens d'Égypte. Ces prodiges ne sont-ils pas écrits dans le livre des chroniques d'Égypte ? La renommée a publié de ses cent bouches les victoires qu'il remporta sur les trois rois avec ses Espagnols, ses Vascons et ses licornes. Il rendit la belle Formosante à son père ; il délivra toute la suite de sa maîtresse, que le roi d'Égypte avait réduite en esclavage. Le grand kan des Scythes se déclara son vassal, et son mariage avec la princesse Aldée fut confirmé. L'invincible et généreux Amazan, reconnu pour héritier du royaume de Babylone, entra dans la ville en triomphe avec le phénix, en présence de cent rois tributaires. La fête de son mariage surpassa en tout celle que le roi Bélus avait donnée. On servit à table le bœuf Apis rôti. Le roi d'Égypte et celui des Indes donnèrent à boire aux deux époux, et ces noces furent célébrées par cinq cents grands poètes de Babylone.

O muses ! qu'on invoque toujours au commencement de son ouvrage, je ne vous implore qu'à la fin. C'est en vain qu'on me reproche de dire grâces sans avoir dit *benedicite*. Muses ! vous n'en serez pas moins mes protectrices. Empêchez que des continuateurs téméraires ne gâtent par leurs fables les vérités que j'ai enseignées aux mortels dans ce fidèle récit, ainsi qu'ils ont osé falsifier *Candide*, l'*Ingénu*, et les chastes aventures de la chaste Jeanne, qu'un ex-capucin a défigurées par des vers dignes des capucins, dans des éditions bataves. Qu'ils ne fassent pas ce tort à mon typographe, chargé d'une nombreuse famille, et qui possède à peine de quoi avoir des caractères, du papier et de l'encre.

O muses ! imposez silence au détestable Cogé, professeur de bavarderie au collège Mazarin, qui n'a pas été content des discours moraux de Bélisaire et de l'empereur Justinien, et qui a écrit de vilains libelles diffamatoires contre ces deux grands hommes.

Mettez un bâillon au pédant Larcher, qui, sans savoir un mot de l'ancien babylonien, sans avoir voyagé comme moi sur les bords de l'Euphrate et du Tigre, a eu l'imprudence de soutenir que la belle For-

mosante, fille du plus grand roi du monde, et la princesse Aldée, et toutes les femmes de cette respectable
cour, allaient coucher avec tous les palefreniers de
l'Asie pour de l'argent, dans le grand temple de Babylone, par principe de religion. Ce libertin de collège,
votre ennemi et celui de la pudeur, accuse les belles
Égyptiennes de Mendès de n'avoir aimé que des
boucs, se proposant en secret, par cet exemple, de
faire un tour en Égypte pour avoir enfin de bonnes
aventures.

Comme il ne connaît pas plus le moderne que
l'antique, il insinue, dans l'espérance de s'introduire
auprès de quelque vieille, que notre incomparable
Ninon, à l'âge de quatre-vingts ans, coucha avec
l'abbé Gédoin, de l'Académie française et de celle des
inscriptions et belles-lettres. Il n'a jamais entendu
parler de l'abbé de Châteauneuf, qu'il prend pour
l'abbé Gédoin. Il ne connaît pas plus Ninon que les
filles de Babylone.

Muses, filles du ciel, votre ennemi Larcher fait
plus : il se répand en éloges sur la pédérastie ; il ose
dire que tous les bambins de mon pays sont sujets à
cette infamie. Il croit se sauver en augmentant le
nombre des coupables.

Nobles et chastes muses, qui détestez également le
pédantisme et la pédérastie, protégez-moi contre
maître Larcher !

Et vous, maître Aliboron, dit Fréron, ci-devant soi-
disant jésuite, vous dont le Parnasse est tantôt à
Bicêtre et tantôt au cabaret du coin ; vous à qui l'on a
rendu tant de justice sur tous les théâtres de l'Europe
dans l'honnête comédie de l'*Écossaise* ; vous, digne fils
du prêtre Desfontaines, qui naquîtes de ses amours
avec un de ces beaux enfants qui portent un fer et un
bandeau comme le fils de Vénus, et qui s'élancent
comme lui dans les airs, quoiqu'ils n'aillent jamais
qu'au haut des cheminées ; mon cher Aliboron, pour
qui j'ai toujours eu tant de tendresse, et qui m'avez
fait rire un mois de suite du temps de cette *Écossaise*,
je vous recommande ma princesse de Babylone ;
dites-en bien du mal afin qu'on la lise.

Je ne vous oublierai point ici, gazetier ecclésiastique, illustre orateur des convulsionnaires, père de l'Église fondée par l'abbé Bécherand et par Abraham Chaumeix ; ne manquez pas de dire dans vos feuilles, aussi pieuses qu'éloquentes et sensées, que la *Princesse de Babylone* est hérétique, déiste et athée. Tâchez surtout d'engager le sieur Riballier à faire condamner la *Princesse de Babylone* par la Sorbonne ; vous ferez grand plaisir à mon libraire, à qui j'ai donné cette petite histoire pour ses étrennes.

LES LETTRES D'AMABED

TRADUITES PAR L'ABBÉ TAMPONET

PREMIÈRE LETTRE

D'AMABED À SHASTASID, GRAND BRAME DE MADURÉ

A Bénarès, le second du mois de la souris,
l'an du renouvellement du monde 115652[1].

Lumière de mon âme, père de mes pensées, toi qui conduis les hommes dans les voies de l'Éternel, à toi, savant Shastasid, respect et tendresse.

Je me suis déjà rendu la langue chinoise si familière, suivant tes sages conseils, que je lis avec fruit leurs cinq Kings, qui me semblent égaler en antiquité notre *Shasta*, dont tu es l'interprète, les sentences du premier Zoroastre, et les livres de l'Égyptien Thaut.

Il paraît à mon âme, qui s'ouvre toujours devant toi, que ces écrits et ces cultes n'ont rien pris les uns des autres : car nous sommes les seuls à qui Brama,

---

1. Cette date répond à l'année de notre ère vulgaire 1512, deux ans après qu'Alphonse d'Albuquerque eut pris Goa. Il faut savoir que les brames comptaient 111100 années depuis la rébellion et la chute des êtres célestes, et 4552 ans depuis la promulgation du *Shasta,* leur premier livre sacré : ce qui faisait 115652 pour l'année correspondante à notre année 1512, temps auquel régnaient : Babar, dans le Mogol ; Ismaël Sophi, en Perse ; Sélim, en Turquie ; Maximilien Ier, en Allemagne ; Louis XII, en France ; Jules II, à Rome ; Jeanne la Folle, en Espagne ; Emmanuel, en Portugal.

confident de l'Éternel, ait enseigné la rébellion des créatures célestes, le pardon que l'éternel leur accorde, et la formation de l'homme ; les autres peuples n'ont rien dit, ce me semble, de ces choses sublimes.

Je crois surtout que nous ne tenons rien, ni nous, ni les Chinois, des Égyptiens. Ils n'ont pu former une société policée et savante que longtemps après nous, puisqu'il leur a fallu dompter leur Nil avant de pouvoir cultiver les campagnes et bâtir leurs villes.

Notre *Shasta* divin n'a, je l'avoue, que quatre mille cinq cent cinquante-deux ans d'antiquité ; mais il est prouvé par nos monuments que cette doctrine avait été enseignée de père en fils plus de cent siècles avant la publication de ce sacré livre. J'attends sur cela les instructions de ta paternité.

Depuis la prise de Goa par les Portugais, il est venu quelques docteurs d'Europe à Bénarès. Il y en a un à qui j'enseigne la langue indienne ; il m'apprend en récompense un jargon qui a cours dans l'Europe, et qu'on nomme l'*italien*. C'est une plaisante langue. Presque tous les mots se terminent en *a*, en *e*, en *i*, en *o* ; je l'apprends facilement, et j'aurai bientôt le plaisir de lire les livres européens.

Ce docteur s'appelle le père Fa tutto ; il paraît poli et insinuant ; je l'ai présenté à *Charme des yeux*, la belle Adaté, que mes parents et les siens me destinent pour épouse ; elle apprend l'italien avec moi. Nous avons conjugué ensemble le verbe *j'aime* dès le premier jour. Il nous a fallu deux jours pour tous les autres verbes. Après elle, tu es le mortel le plus près de mon cœur. Je prie Birmah et Brama de conserver tes jours jusqu'à l'âge de cent trente ans, passé lequel la vie n'est plus qu'un fardeau.

RÉPONSE

DE SHASTASID

J'ai reçu ta lettre, esprit enfant de mon esprit. Puisse Drugha[1], montée sur son dragon, étendre toujours sur toi ses dix bras vainqueurs des vices !

Il est vrai (et nous n'en devons tirer aucune vanité) que nous sommes le peuple de la terre le plus anciennement policé. Les Chinois eux-mêmes n'en disconviennent pas. Les Égyptiens sont un peuple tout nouveau qui fut lui-même enseigné par les Chaldéens. Ne nous glorifions pas d'être les plus anciens, et songeons à être toujours les plus justes.

Tu sauras, mon cher Amabed, que depuis très peu de temps une faible image de notre révélation sur la chute des êtres célestes et le renouvellement du monde a pénétré jusqu'aux Occidentaux. Je trouve, dans une traduction arabe d'un livre syriaque, qui n'est composé que depuis environ quatorze cents ans, ces propres paroles : *L'Éternel tient liées de chaînes éternelles, jusqu'au grand jour du jugement, les puissances célestes qui ont souillé leur dignité première*[2]. L'auteur cite en preuve un livre composé par un de leurs premiers hommes, nommé Enoch. Tu vois par là que les nations barbares n'ont jamais été éclairées que par un rayon faible et trompeur qui s'est égaré vers eux du sein de notre lumière.

Mon cher fils, je crains mortellement l'irruption des

---

1. Drugha est le mot indien qui signifie *vertu*. Elle est représentée avec dix bras, et montée sur un dragon pour combattre les vices, qui sont l'intempérance, l'incontinence, le larcin, le meurtre, l'injure, la médisance, la calomnie, la fainéantise, la résistance à ses père et mère, l'ingratitude. C'est cette figure que plusieurs missionnaires ont prise pour le diable.

2. On voit que Shastasid avait lu notre Bible en arabe, et qu'il a en vue l'épître de St. Jude, où se trouvent en effet ces paroles au verset 6. Le livre apocryphe qui n'a jamais existé est celui d'Enoch, cité par St. Jude au verset 14.

barbares d'Europe dans nos heureux climats. Je sais trop quel est cet Albuquerque qui est venu des bords de l'Occident dans ce pays cher à l'astre du jour. C'est un des plus illustres brigands qui aient désolé la terre. Il s'est emparé de Goa contre la foi publique. Il a noyé dans leur sang des hommes justes et paisibles. Ces Occidentaux habitent un pays pauvre qui ne leur produit que très peu de soie : point de coton, point de sucre, nulle épicerie. La terre même dont nous fabriquons la porcelaine leur manque. Dieu leur a refusé le cocotier, qui ombrage, loge, vêtit, nourrit, abreuve les enfants de Brama. Ils ne connaissent qu'une liqueur qui leur fait perdre la raison. Leur vraie divinité est l'or ; ils vont chercher ce dieu à une autre extrémité du monde.

Je veux croire que ton docteur est un homme de bien ; mais l'Éternel nous permet de nous défier de ces étrangers. S'ils sont moutons à Bénarès, on dit qu'ils sont tigres dans les contrées où les Européens se sont établis.

Puissent ni la belle Adaté ni toi n'avoir jamais à se plaindre du père Fa tutto ! Mais un secret pressentiment m'alarme. Adieu. Que bientôt Adaté, unie à toi par un saint mariage, puisse goûter dans tes bras les joies célestes.

Cette lettre te parviendra par un banian, qui ne partira qu'à la pleine lune de l'éléphant.

SECONDE LETTRE

D'AMABED À SHASTASID

Père de mes pensées, j'ai eu le temps d'apprendre ce jargon d'Europe avant que ton marchand banian ait pu arriver sur le rivage du Gange. Le père Fa tutto me témoigne toujours une amitié sincère. En vérité je commence à croire qu'il ne ressemble point aux perfides dont tu crains, avec raison, la méchanceté. La seule chose qui pourrait me donner de la défiance, c'est qu'il me loue trop, et qu'il ne loue jamais assez Charme des yeux ; mais d'ailleurs il me paraît rempli de vertu et d'onction. Nous avons lu ensemble un livre de son pays, qui m'a paru bien étrange C'est une histoire universelle du monde entier, dans laquelle il n'est pas dit un mot de notre antique empire, rien des immenses contrées au-delà du Gange, rien de la Chine, rien de la vaste Tartarie. Il faut que les auteurs, dans cette partie de l'Europe, soient bien ignorants. Je les compare à des villageois qui parlent avec emphase de leurs chaumières, et qui ne savent pas où est la capitale ; ou plutôt à ceux qui pensent que le monde finit aux bornes de leur horizon.

Ce qui m'a le plus surpris, c'est qu'ils comptent les temps depuis la création de leur monde tout autrement que nous. Mon docteur européan m'a montré un de ses almanachs sacrés, par lequel ses compatriotes sont à présent dans l'année de leur création 5552, ou dans l'année 6244, ou bien dans l'année 6940[1], comme on voudra. Cette bizarrerie m'a surpris. Je lui ai demandé comme on pouvait avoir trois époques différentes de la même aventure. « Tu ne peux, lui ai-je dit, avoir à la fois trente ans, quarante ans, et cinquante ans. Comment ton monde peut-il avoir trois dates qui se contrarient ? » Il m'a répondu que ces trois dates se trouvent dans le même livre, et qu'on est obligé chez eux de croire les contradictions pour humilier la superbe de l'esprit.

Ce même livre traite d'un premier homme qui s'appelait Adam, d'un Caïn, d'un Mathusalem, d'un Noé qui planta des vignes après que l'océan eut submergé tout le globe ; enfin d'une infinité de choses dont je n'ai jamais entendu parler et que je n'ai lues dans aucun de nos livres. Nous en avons ri, la belle Adaté et moi, en l'absence du père Fa tutto : car nous sommes trop bien élevés et trop pénétrés de tes maximes pour rire des gens en leur présence.

---

1. C'est la différence du texte hébreu, du samaritain et des Septante.

Je plains ces malheureux d'Europe, qui n'ont été créés que depuis 6940 ans tout au plus, tandis que notre ère est de 115652 années. Je les plains davantage de manquer de poivre, de cannelle, de gérofle, de thé, de café, de soie, de coton, de vernis, d'encens, d'aromates, et de tout ce qui peut rendre la vie agréable : il faut que la Providence les ait longtemps oubliés. Mais je les plains encore plus de venir de si loin, parmi tant de périls, ravir nos denrées, les armes à la main. On dit qu'ils ont commis à Calicut des cruautés épouvantables pour du poivre : cela fait frémir la nature indienne, qui est en tout différente de la leur, car leurs poitrines et leurs cuisses sont velues. Ils portent de longues barbes, leurs estomacs sont carnassiers. Ils s'enivrent avec le jus fermenté de la vigne, plantée, disent-ils, par leur Noé. Le père Fa tutto lui-même, tout poli qu'il est, a égorgé deux petits poulets ; il les a fait cuire dans une chaudière, et il les a mangés impitoyablement. Cette action barbare lui a attiré la haine de tout le voisinage, que nous n'avons apaisé qu'avec peine. Dieu me pardonne ! je crois que cet étranger aurait mangé nos vaches sacrées, qui nous donnent du lait, si on l'avait laissé faire. Il a bien promis qu'il ne commettrait plus de meurtres envers les poulets, et qu'il se contenterait d'œufs frais, de laitage, de riz, de nos excellents légumes, de pistaches, de dattes, de cocos, de gâteaux, d'amandes, de biscuits, d'ananas, d'oranges, et de tout ce que produit notre climat béni de l'Éternel.

Depuis quelques jours, il paraît plus attentif auprès de Charme des yeux. Il a même fait pour elle deux vers italiens qui finissent en *o*. Cette politesse me plaît beaucoup, car tu sais que mon bonheur est qu'on rende justice à ma chère Adaté.

Adieu. Je me mets à tes pieds, qui t'ont toujours conduit dans la voie droite, et je baise tes mains, qui n'ont jamais écrit que la vérité.

RÉPONSE

DE SHASTASID

Mon cher fils en Birmah, en Brama, je n'aime point ton Fa tutto, qui tue des poulets, et qui fait des vers pour ta chère Adaté. Veuille Birmah rendre vains mes soupçons !

Je puis te jurer qu'on n'a jamais connu son Adam ni son Noé dans aucune partie du monde, tout récents qu'ils sont. La Grèce même, qui était le rendez-vous de toutes les fables quand Alexandre approcha de nos frontières, n'entendit jamais parler de ces noms-là. Je ne m'étonne pas que des amateurs du vin, tels que les peuples occidentaux, fassent un si grand cas de celui qui, selon eux, planta la vigne ; mais sois sûr que Noé a été ignoré de toute l'antiquité connue.

Il est vrai que du temps d'Alexandre il y avait dans un coin de la Phénicie un petit peuple de courtiers et d'usuriers, qui avait été longtemps esclave à Babylone. Il se forgea une histoire pendant sa captivité, et c'est dans cette seule histoire qu'il ait jamais été question de Noé. Quand ce petit peuple obtint depuis des privilèges dans Alexandrie, il y traduisit ses annales en grec. Elles furent ensuite traduites en arabe, et ce n'est que dans nos derniers temps que nos savants en ont eu quelque connaissance ; mais cette histoire est aussi méprisée par eux que la misérable horde qui l'a écrite[1].

Il serait plaisant, en effet, que tous les hommes, qui sont frères, eussent perdu leurs titres de famille, et que ces titres ne se retrouvassent que dans une petite branche composée d'usuriers et de lépreux. J'ai peur, mon cher ami, que les concitoyens de ton père Fa tutto, qui ont, comme tu me le mandes, adopté ces idées, ne soient aussi insensés, aussi ridicules, qu'ils sont intéressés, perfides, et cruels.

---

1. On voit bien que Shastasid parle ici en brame qui n'a pas le don de la foi, et à qui la grâce a manqué.

Épouse au plus tôt ta charmante Adaté, car, encore une fois, je crains les Fa tutto plus que les Noé.

TROISIÈME LETTRE

D'AMABED À SHASTASID

Béni soit à jamais Birmah, qui a fait l'homme pour la femme ! Sois béni, ô cher Shastasid, qui t'intéresses tant à mon bonheur ! Charme des yeux est à moi ; je l'ai épousée. Je ne touche plus à la terre ; je suis dans le ciel : il n'a manqué que toi à cette divine cérémonie. Le docteur Fa tutto a été témoin de nos saints engagements ; et, quoiqu'il ne soit pas de notre religion, il n'a fait nulle difficulté d'écouter nos chants et nos prières : il a été fort gai au festin des noces. Je succombe à ma félicité. Tu jouis d'un autre bonheur : tu possèdes la sagesse ; mais l'incomparable Adaté me possède. Vis longtemps heureux, sans passions, tandis que la mienne m'absorbe dans une mer de voluptés. Je ne puis t'en dire davantage : je revole dans les bras d'Adaté.

QUATRIÈME LETTRE

D'AMABED À SHASTASID

Cher ami, cher père, nous partons, la tendre Adaté et moi, pour te demander ta bénédiction. Notre félicité serait imparfaite si nous ne remplissions pas ce devoir de nos cœurs ; mais, le croirais-tu ? nous passons par Goa, dans la compagnie de Coursom, le célèbre marchand, et de sa femme. Fa tutto dit que Goa est devenue la plus belle ville de l'Inde ; que le grand Albuquerque nous recevra comme des ambassadeurs ; qu'il nous donnera un vaisseau à trois voiles pour nous conduire à Maduré. Il a persuadé ma femme, et j'ai voulu le voyage dès qu'elle l'a voulu. Fa tutto nous assure qu'on parle italien plus que portugais à Goa. Charme des yeux brûle d'envie de faire usage d'une langue qu'elle vient d'apprendre. Je partage tous ses goûts. On dit qu'il y a des gens qui ont eu deux volontés ; mais Adaté et moi nous n'en avons qu'une, parce que nous n'avons qu'une âme à nous deux. Enfin nous partons demain avec la douce espérance de verser dans tes bras, avant deux mois, des larmes de joie et de tendresse.

PREMIÈRE LETTRE

D'ADATÉ À SHASTASID

A Goa, le 5 du mois du tigre,
l'an du renouvellement du monde 115652.

Birmah, entends mes cris, vois mes pleurs, sauve mon cher époux ! Brama, fils de Birmah, porte ma douleur et ma crainte à ton père ! Généreux Shastasid, plus sage que nous, tu avais prévu nos malheurs. Mon cher Amabed, ton disciple, mon tendre époux, ne t'écrira plus ; il est dans une fosse que les barbares appellent *prison*. Des gens que je ne puis définir, on les nomme ici *inquisitori*, je ne sais ce que ce mot signifie ; ces monstres, le lendemain de notre arrivée, saisirent mon mari et moi, et nous mirent chacun dans une fosse séparée comme si nous étions morts. Mais si nous l'étions, il fallait du moins nous ensevelir ensemble. Je ne sais ce qu'ils ont fait de mon cher Amabed. J'ai dit à mes anthropophages : « Où est Amabed ? Ne le tuez pas, et tuez-moi. » Ils ne m'ont rien répondu. « Où est-il ? pourquoi m'avez-vous séparée de lui ! » Ils ont gardé le silence : ils m'ont enchaînée. J'ai depuis une heure un peu plus de liberté ; le marchand Coursom a trouvé moyen de me faire tenir du papier, du coton, un pinceau et de l'encre. Mes larmes imbibent tout, ma main tremble, mes yeux s'obscurcissent, je me meurs.

SECONDE LETTRE

D'ADATÉ À SHASTASID

ÉCRITE DE LA PRISON DE L'INQUISITION

Divin Shastasid, je fus hier longtemps évanouie; je ne pus achever ma lettre : je la pliai quand je repris un peu mes sens; je la mis dans mon sein, qui n'allaitera pas les enfants que j'espérais avoir d'Amabed; je mourrai avant que Birmah m'ait accordé la fécondité.

Ce matin au point du jour, sont entrés dans ma fosse deux spectres armés de hallebardes, portant au cou des grains enfilés, et ayant sur la poitrine quatre petites bandes rouges croisées. Ils m'ont prise par les mains, toujours sans me rien dire, et m'ont menée dans une chambre où il y avait pour tous meubles une grande table, cinq chaises, et un grand tableau qui représentait un homme tout nu, les bras étendus et les pieds joints.

Aussitôt entrent cinq personnages vêtus de robes noires avec une chemise par-dessus leur robe, et deux longs pendants d'étoffe bigarrée par-dessus leur chemise. Je suis tombée à terre de frayeur. Mais quelle a été ma surprise! J'ai vu le père Fa tutto parmi ces cinq fantômes. Je l'ai vu, il a rougi; mais il m'a regardée d'un air de douceur et de compassion qui m'a un peu rassurée pour un moment. « Ah! père Fa tutto, ai-je dit, où suis-je? Qu'est devenu Amabed? dans quel gouffre m'avez-vous jetée? On dit qu'il y a des nations qui se nourrissent de sang humain : va-t-on nous tuer? va-t-on nous dévorer? » Il ne m'a répondu qu'en levant les yeux et les mains au ciel; mais avec une attitude si douloureuse et si tendre que je ne savais plus que penser.

Le président de ce conseil de muets a enfin délié sa langue, et m'a adressé la parole; il m'a dit ces mots :

« Est-il vrai que vous avez été baptisée ? » J'étais si abîmée dans mon étonnement et dans ma douleur que d'abord je n'ai pu répondre. Il a recommencé la même question d'une voix terrible. Mon sang s'est glacé, et ma langue s'est attachée à mon palais. Il a répété les mêmes mots pour la troisième fois, et à la fin j'ai dit *oui* ; car il ne faut jamais mentir. J'ai été baptisée dans le Gange comme tous les fidèles enfants de Brama le sont, comme tu le fus, divin Shastasid, comme l'a été mon cher et malheureux Amabed. Oui, je suis baptisée, c'est ma consolation, c'est ma gloire. Je l'ai avoué devant ces spectres.

A peine cette parole *oui*, symbole de la vérité, est sortie de ma bouche, qu'un des cinq monstres noirs et blancs s'est écrié : *Apostata !* Les autres ont répété : *Apostata !* Je ne sais ce que ce mot veut dire ; mais ils l'ont prononcé d'un ton si lugubre et si épouvantable que mes trois doigts sont en convulsion en te l'écrivant.

Alors le père Fa tutto, prenant la parole et me regardant toujours avec des yeux bénins, les a assurés que j'avais dans le fond de bons sentiments, qu'il répondait de moi, que la grâce opérerait, qu'il se chargeait de ma conscience ; et il a fini son discours, auquel je ne comprenais rien, par ces paroles : *Io la convertero*. Cela signifie en italien, autant que j'en puis juger : *Je la retournerai*.

« Quoi ! disais-je en moi-même, il me retournera ! Qu'entend-il par me retourner ! Veut-il dire qu'il me rendra à ma patrie ? Ah ! père Fa tutto, lui ai-je dit, retournez donc le jeune Amabed, mon tendre époux, rendez-moi mon âme, rendez-moi ma vie. »

Alors il a baissé les yeux ; il a parlé en secret aux quatre fantômes dans un coin de la chambre. Ils sont partis avec les deux hallebardiers. Tous ont fait une profonde révérence au tableau qui représente un homme tout nu ; et le père Fa tutto est resté seul avec moi.

Il m'a conduite dans une chambre assez propre, et m'a promis que, si je voulais m'abandonner à ses

conseils, je ne serais plus enfermée dans une fosse.
« Je suis désespéré comme vous, m'a-t-il dit, de tout
ce qui est arrivé. Je m'y suis opposé autant que j'ai pu,
mais nos saintes lois m'ont lié les mains ; enfin, grâces
au ciel et à moi, vous êtes libre dans une bonne
chambre, dont vous ne pouvez pas sortir. Je viendrai
vous y voir souvent ; je vous consolerai, je travaillerai
à votre félicité présente et future.

— Ah ! lui ai-je répondu, il n'y a que mon cher
Amabed qui puisse la faire, cette félicité, et il est dans
une fosse ! Pourquoi y ai-je été plongée ? qui sont ces
spectres qui m'ont demandé si j'avais été baignée ? où
m'avez-vous conduite ? m'avez-vous trompée ? est-ce
vous qui êtes la cause de ces horribles cruautés ?
Faites-moi venir le marchand Coursom, qui est de
mon pays et homme de bien. Rendez-moi ma suivante, ma compagne, mon amie Déra, dont on m'a
séparée. Est-elle aussi dans un cachot pour avoir été
baignée ? Qu'elle vienne ; que je revoie Amabed, ou
que je meure ! »

Il a répondu à mes discours et aux sanglots qui les
entrecoupaient par des protestations de service et de
zèle dont j'ai été touchée. Il m'a promis qu'il m'ins-
truirait des causes de toute cette épouvantable aventure, et qu'il obtiendrait qu'on me rendît ma pauvre
Déra, en attendant qu'il pût parvenir à délivrer mon
mari. Il m'a plainte ; j'ai vu même ses yeux un peu
mouillés. Enfin, au son d'une cloche, il est sorti de ma
chambre en me prenant la main, et en la mettant sur
son cœur. C'est le signe visible, comme tu le sais, de la
sincérité, qui est invisible. Puisqu'il a mis ma main
sur son cœur, il ne me trompera pas. Eh ! pourquoi
me tromperait-il ? que lui ai-je fait pour me persé-
cuter ? nous l'avons si bien traité à Bénarès, mon mari
et moi ! je lui ai fait tant de présents quand il m'enseignait l'italien ! Il a fait des vers italiens pour moi, il ne
peut pas me haïr. Je le regarderai comme mon bien-
faiteur s'il me rend mon malheureux époux, si nous
pouvons tous deux sortir de cette terre envahie et
habitée par des anthropophages, si nous pouvons

venir embrasser tes genoux à Maduré, et recevoir tes saintes bénédictions.

TROISIÈME LETTRE

D'ADATÉ À SHASTASID

Tu permets sans doute, généreux Shastasid, que je t'envoie le journal de mes infortunes inouïes; tu aimes Amabed, tu prends pitié de mes larmes, tu lis avec intérêt dans un cœur percé de toutes parts, qui te déploie ses inconsolables afflictions.

On m'a rendu mon amie Déra, et je pleure avec elle. Les monstres l'avaient descendue dans une fosse, comme moi. Nous n'avons nulle nouvelle d'Amabed. Nous sommes dans la même maison, et il y a entre nous un espace infini, un chaos impénétrable. Mais voici des choses qui vont faire frémir ta vertu, et qui déchireront ton âme juste.

Ma pauvre Déra a su, par un de ces deux satellites qui marchent toujours devant les cinq anthropophages, que cette nation a un baptême comme nous. J'ignore comment nos sacrés rites ont pu parvenir jusqu'à eux. Ils ont prétendu que nous avions été baptisés suivant les rites de leur secte. Ils sont si ignorants qu'ils ne savent pas qu'ils tiennent de nous le baptême depuis très peu de siècles. Ces barbares se sont imaginé que nous étions de leur secte, et que nous avions renoncé à leur culte. Voilà ce que voulait dire ce mot *apostata*, que les anthropophages faisaient retentir à mes oreilles avec tant de férocité. Ils disent que c'est un crime horrible et digne des plus grands supplices d'être d'une autre religion que la leur. Quand le père Fa tutto leur disait : *Io la convertero*, je la retournerai, il entendait qu'il me ferait retourner à la religion des brigands. Je n'y conçois rien; mon esprit est couvert d'un nuage, comme mes yeux. Peut-être mon désespoir trouble mon entendement; mais je ne puis comprendre comment ce Fa

tutto, qui me connaît si bien, a pu dire qu'il me ramè-
nerait à une religion que je n'ai jamais connue, et qui
est aussi ignorée dans nos climats que l'étaient les
Portugais quand ils sont venus pour la première fois
dans l'Inde chercher du poivre les armes à la main.
Nous nous perdons dans nos conjectures, la bonne
Déra et moi. Elle soupçonne le père Fa tutto de quelques desseins secrets ; mais me préserve Birmah de
former un jugement téméraire !

J'ai voulu écrire au grand brigand Albuquerque
pour implorer sa justice, et pour lui demander la
liberté de mon cher mari ; mais on m'a dit qu'il était
parti pour aller surprendre Bombay et le piller ! Quoi !
Venir de si loin dans le dessein de ravager nos habita-
tions et de nous tuer ! et cependant ces monstres sont
baptisés comme nous ! On dit pourtant que cet Albuquerque a fait quelques belles actions. Enfin je n'ai
plus d'espérance que dans l'Être des êtres, qui doit
punir le crime et protéger l'innocence. Mais j'ai vu ce
matin un tigre qui dévorait deux agneaux. Je tremble
de n'être pas assez précieuse devant l'Être des êtres
pour qu'il daigne me secourir.

QUATRIÈME LETTRE

D'ADATÉ À SHASTASID

Il sort de ma chambre, ce père Fa tutto : quelle
entrevue ! quelle complication de perfidies, de passions, et de noirceurs ! Le cœur humain est donc
capable de réunir tant d'atrocités ! Comment les écri-
rai-je à un juste ?

Il tremblait quand il est entré. Ses yeux étaient
baissés ; j'ai tremblé plus que lui. Bientôt il s'est ras-
suré. « Je ne sais pas, m'a-t-il dit, si je pourrai sauver
votre mari. Les juges ont ici quelquefois de la
compassion pour les jeunes femmes ; mais ils sont
bien sévères pour les hommes. — Quoi ! la vie de mon
mari n'est pas en sûreté ? » Je suis tombée en fai-

blesse. Il a cherché des eaux spiritueuses pour me faire revenir ; il n'y en avait point. Il a envoyé ma bonne Déra en acheter à l'autre bout de la rue chez un banian. Cependant il m'a délacée pour donner passage aux vapeurs qui m'étouffaient. J'ai été étonnée, en revenant à moi, de trouver ses mains sur ma gorge et sa bouche sur la mienne. J'ai jeté un cri affreux, je me suis reculée d'horreur. Il m'a dit : « Je prenais de vous un soin que la charité commande. Il fallait que votre gorge fût en liberté, et je m'assurais de votre respiration.

— Ah ! prenez soin que mon mari respire. Est-il encore dans cette fosse horrible ? — Non, m'a-t-il répondu. J'ai eu, avec bien de la peine, le crédit de le faire transférer dans un cachot plus commode. — Mais, encore une fois, quel est son crime ? quel est le mien ? d'où vient cette épouvantable inhumanité ? pourquoi violer envers nous les droits de l'hospitalité, celui des gens, celui de la nature ? — C'est notre sainte religion qui exige de nous ces petites sévérités. Vous et votre mari vous êtes accusés d'avoir renoncé tous deux à votre baptême. »

Je me suis écriée alors : « Que voulez-vous dire ? Nous n'avons jamais été baptisés à votre mode ; nous l'avons été dans le Gange, au nom de Brama. Est-ce vous qui avez persuadé cette exécrable imposture aux spectres qui m'ont interrogée ? Quel pouvait être votre dessein ?

Il a rejeté bien loin cette idée. Il m'a parlé de vertu, de vérité, de charité ; il a presque dissipé un moment mes soupçons, en m'assurant que ces spectres sont des gens de bien, des hommes de Dieu, des juges de l'âme, qui ont partout de saints espions, et principalement auprès des étrangers qui abordent dans Goa. Ces espions ont, dit-il, juré à ses confrères, les juges de l'âme, devant le tableau de l'homme tout nu, qu'Amabed et moi nous avons été baptisés à la mode des brigands portugais, qu'Amabed est *apostato*, et que je suis *apostata*.

O vertueux Shastasid ! ce que j'entends, ce que je

vois de moment en moment me saisit d'épouvante depuis la racine des cheveux jusqu'à l'ongle du petit doigt du pied.

« Quoi ! vous êtes, ai-je dit au père Fa tutto, un des cinq hommes de Dieu, un des juges de l'âme ? — Oui, ma chère Adaté, oui, Charme des yeux, je suis un des cinq dominicains délégués par le vice-Dieu de l'univers pour disposer souverainement des âmes et des corps. — Qu'est-ce qu'un dominicain ? qu'est-ce qu'un vice-Dieu ? — Un dominicain est un prêtre, enfant de St. Dominique, inquisiteur pour la foi ; et un vice-Dieu est un prêtre que Dieu a choisi pour le représenter, pour jouir de dix millions de roupies par an, et pour envoyer dans toute la terre des dominicains vicaires du vicaire de Dieu. »

J'espère, grand Shastasid, que tu m'expliqueras ce galimatias infernal, ce mélange incompréhensible d'absurdités et d'horreurs, d'hypocrisie et de barbarie.

Fa tutto me disait tout cela avec un air de componction, avec un ton de vérité qui, dans un autre temps, aurait pu produire quelque effet sur mon âme simple et ignorante. Tantôt il levait les yeux au ciel, tantôt il les arrêtait sur moi. Ils étaient animés et remplis d'attendrissement. Mais cet attendrissement jetait dans tout mon corps un frissonnement d'horreur et de crainte. Amabed est continuellement dans ma bouche comme dans mon cœur. « Rendez-moi mon cher Amabed ! » c'était le commencement, le milieu, et la fin de tous mes discours.

Ma bonne Déra arrive dans ce moment ; elle m'apporte des eaux de cinnamum et d'amomum. Cette charmante créature a trouvé le moyen de remettre au marchand Coursom mes trois lettres précédentes. Coursom part cette nuit ; il sera dans peu de jours à Maduré. Je serai plainte du grand Shastasid ; il versera des pleurs sur le sort de mon mari ; il me donnera des conseils ; un rayon de sa sagesse pénétrera dans la nuit de mon tombeau.

RÉPONSE

Vertueuse et infortunée Adaté, épouse de mon cher disciple Amabed, Charme des yeux, les miens ont versé sur tes trois lettres des ruisseaux de larmes. Quel démon ennemi de la nature a déchaîné du fond des ténèbres de l'Europe les monstres à qui l'Inde est en proie ! Quoi ! tendre épouse de mon cher disciple, tu ne vois pas que le père Fa tutto est un scélérat qui t'a fait tomber dans le piège ! Tu ne vois pas que c'est lui seul qui a fait enfermer ton mari dans une fosse, et qui t'y a plongée toi-même pour que tu lui eusses l'obligation de t'en avoir tirée ! Que n'exigera-t-il pas de ta reconnaissance ! Je tremble avec toi : je donne part de cette violation du droit des gens à tous les pontifes de Brama, à tous les omras, à tous les raïas, aux nababs, au grand empereur des Indes lui-même, le sublime Babar, roi des rois, cousin du soleil et de la lune, fils de Mirsamachamed, fils de Semcor, fils d'Abouchaïd, fils de Miracha, fils de Timur, afin qu'on s'oppose de tous côtés aux brigandages des voleurs d'Europe. Quelle profondeur de scélératesse ! Jamais les prêtres de Timur, de Gengis-kan, d'Alexandre, d'Ogus-kan, de Sésac, de Bacchus, qui tour à tour vinrent subjuguer nos saintes et paisibles contrées, ne permirent de pareilles horreurs hypocrites ; au contraire, Alexandre laissa partout des marques éternelles de sa générosité. Bacchus ne fit que du bien : c'était le favori du ciel ; une colonne de feu conduisait son armée pendant la nuit, et une nuée marchait devant elle pendant le jour[1] ; il traversait la mer

---

1. Il est indubitable que les fables concernant Bacchus étaient fort communes en Arabie et en Grèce, longtemps avant que les nations fussent informées si les Juifs avaient une histoire ou non. Josèphe avoue même que les Juifs tinrent toujours leurs livres cachés à leurs voisins. Bacchus était révéré en Égypte, en Arabie, en Grèce, longtemps avant que le nom de Moïse pénétrât dans ces contrées. Les anciens vers orphiques appellent Bacchus *Misa ou*

Rouge à pied sec ; il commandait au soleil et à la lune
de s'arrêter quand il le fallait ; deux gerbes de rayons
divins sortaient de son front ; l'ange exterminateur
était debout à ses côtés, mais il employait toujours
l'ange de la joie. Votre Albuquerque, au contraire,
n'est venu qu'avec des moines, des fripons de marchands, et des meurtriers. Coursom le juste m'a
confirmé le malheur d'Amabed et le vôtre. Puissé-je
avant ma mort vous sauver tous deux, ou vous venger ! Puisse l'éternel Birmah vous tirer des mains du
moine Fa tutto ! Mon cœur saigne des blessures du
vôtre.

N. B. Cette lettre ne parvint à Charme des yeux que
longtemps après, lorsqu'elle partit de la ville de Goa.

CINQUIÈME LETTRE

D'ADATÉ AU GRAND BRAME SHASTASID

De quels termes oserai-je me servir pour t'exprimer
mon nouveau malheur ? comment la pudeur pourra-
t-elle parler de la honte ? Birmah a vu le crime, et il l'a
souffert ! que deviendrai-je ? La fosse où j'étais enter-
rée est bien moins horrible que mon état.

Le père Fa tutto est entré ce matin dans ma
chambre, tout parfumé, et couvert d'une simarre de
soie légère. J'étais dans mon lit. « Victoire ! m'a-t-il

Mosa. Il fut élevé sur la montagne de Nisa, qui est précisément le
mont Sina. Il s'enfuit vers la mer Rouge ; il y rassembla une
armée, et passa avec elle cette mer à pied sec. Il arrêta le soleil et
la lune ; son chien le suivit dans toutes ses expéditions, et le nom
de *Caleb,* l'un des conquérants hébreux, signifie *chien.*

Les savants ont beaucoup disputé, et ne sont pas convenus si
Moïse est antérieur à Bacchus, ou Bacchus à Moïse. Ils sont tous
deux de grands hommes ; mais Moïse, en frappant un rocher avec
sa baguette, n'en fit sortir que de l'eau ; au lieu que Bacchus, en
frappant la terre de son thyrse, en fit sortir du vin. C'est de là que
toutes les chansons de table célèbrent Bacchus, et qu'il n'y a peut-
être pas deux chansons en faveur de Moïse.

dit, l'ordre de délivrer votre mari est signé. » A ces mots, les transports de la joie se sont emparés de tous mes sens ; je l'ai nommé *mon protecteur, mon père.* Il s'est penché vers moi : il m'a embrassée. J'ai cru d'abord que c'était une caresse innocente, un témoignage chaste de ses bontés pour moi ; mais, dans le même instant, écartant ma couverture, dépouillant sa simarre, se jetant sur moi comme un oiseau de proie sur une colombe, me pressant du poids de son corps, ôtant de ses bras nerveux tout mouvement à mes faibles bras, arrêtant sur mes lèvres ma voix plaintive par des baisers criminels, enflammé, invincible, inexorable... quel moment ! et pourquoi ne suis-je pas morte !

Déra, presque nue, est venue à mon secours ; mais lorsque rien ne pouvait plus me secourir qu'un coup de tonnerre. O Providence de Birmah ! il n'a point tonné, et le détestable Fa tutto a fait pleuvoir dans mon sein la brûlante rosée de son crime. Non, Drugha elle-même, avec ses dix bras célestes, n'aurait pu déranger ce Mosasor[1] indomptable.

Ma chère Déra le tirait de toutes ses forces ; mais figurez-vous un passereau qui becquèterait le bout des plumes d'un vautour acharné sur une tourterelle : c'est l'image du père Fa tutto, de Déra, et de la pauvre Adaté.

Pour se venger des importunités de Déra, il la saisit elle-même, la renverse d'une main en me retenant de l'autre ; il la traite comme il m'a traitée, sans miséricorde ; ensuite il sort fièrement comme un maître qui a châtié deux esclaves, et nous dit : « Sachez que je vous punirai ainsi toutes deux quand vous ferez les mutines. »

Nous sommes restées, Déra et moi, un quart

---

1. Ce Mosasor est l'un des principaux anges rebelles qui combattirent contre l'Éternel, comme le rapporte l'*Autorashasta,* le plus ancien livre des brahmanes ; et c'est là probablement l'origine de la guerre des Titans et de toutes les fables imaginées depuis sur ce modèle.

d'heure sans oser dire un mot, sans oser nous regarder. Enfin Déra s'est écriée : « Ah ! ma chère maîtresse, quel homme ! Tous les gens de son espèce sont-ils aussi cruels que lui ? »

Pour moi, je ne pensais qu'au malheureux Amabed. On m'a promis de me le rendre, et on ne me le rend point. Me tuer, c'était l'abandonner ; ainsi je ne me suis pas tuée.

Je ne m'étais nourrie depuis un jour que de ma douleur. On ne nous a point apporté à manger à l'heure accoutumée. Déra s'en étonnait, et s'en plaignait. Il me paraissait bien honteux de manger après ce qui nous était arrivé. Cependant nous avions un appétit dévorant ; rien ne venait, et après nous être pâmées de douleur nous nous évanouissions de faim.

Enfin, sur le soir, on nous a servi une tourte de pigeonneaux, une poularde et deux perdrix, avec un seul petit pain ; et, pour comble d'outrage, une bouteille de vin sans eau. C'est le tour le plus sanglant qu'on puisse jouer à deux femmes comme nous, après tout ce que nous avions souffert ; mais que faire ? je me suis mise à genoux : « O Birmah ! ô Visnou ! ô Brama ! vous savez que l'âme n'est point souillée de ce qui entre dans le corps. Si vous m'avez donné une âme, pardonnez-lui la nécessité funeste où est mon corps de n'être pas réduit aux légumes ; je sais que c'est un péché horrible de manger du poulet ; mais on nous y force. Puissent tant de crimes retomber sur la tête du père Fa tutto ! Qu'il soit, après sa mort, changé en une jeune malheureuse Indienne ; que je sois changée en dominicain ; que je lui rende tous les maux qu'il m'a faits, et que je sois plus impitoyable encore pour lui qu'il ne l'a été pour moi ! » Ne sois point scandalisé ; pardonne, vertueux Shastasid ! Nous nous sommes mises à table. Qu'il est dur d'avoir des plaisirs qu'on se reproche !

Postscrit. Immédiatement après dîner, j'écris au modérateur de Goa, qu'on appelle le corrégidor. Je lui demande la liberté d'Amabed et la mienne ; je l'instruis de tous les crimes du père Fa tutto. Ma chère

Déra dit qu'elle lui fera parvenir ma lettre par cet alguazil des inquisiteurs pour la foi, qui vient quelquefois la voir dans mon antichambre, et qui a pour elle beaucoup d'estime. Nous verrons ce que cette démarche hardie pourra produire.

SIXIÈME LETTRE

D'ADATÉ

Le croirais-tu, sage instructeur des hommes? Il y a des justes à Goa! et don Jéronimo le corrégidor en est un. Il a été touché de mon malheur et de celui d'Amabed. L'injustice le révolte, le crime l'indigne. Il s'est transporté avec des officiers de justice à la prison qui nous renferme. J'apprends qu'on appelle ce repaire *le palais du St. Office*. Mais, ce qui t'étonnera, on lui a refusé l'entrée. Les cinq spectres, suivis de leurs hallebardiers, se sont présentés à la porte, et on a dit à la justice : « Au nom de Dieu tu n'entreras pas. — J'entrerai au nom du roi, a dit le corrégidor; c'est un cas royal. — C'est un cas sacré », ont répondu les spectres. Don Jéronimo le juste a dit : « Je dois interroger Amabed, Adaté, Déra, et le père Fa tutto. — Interroger un inquisiteur, un dominicain! s'est écrié le chef des spectres; c'est un sacrilège : *scommunicao, scommunicao*. » On dit que ce sont des mots terribles, et qu'un homme sur qui on les a prononcés meurt ordinairement au bout de trois jours.

Les deux partis se sont échauffés; ils étaient prêts d'en venir aux mains; enfin ils s'en sont rapportés à l'obispo de Goa. Un obispo est à peu près parmi ces barbares ce que tu es chez les enfants de Brama; c'est un intendant de leur religion; il est vêtu de violet, et il porte aux mains des souliers violets. Il a sur la tête, les jours de cérémonie, un pain de sucre fendu en deux. Cet homme a décidé que les deux partis avaient également tort, et qu'il n'appartenait qu'à leur vice-Dieu de juger le père Fa tutto. Il a été convenu qu'on

l'enverrait par-devant sa divinité avec Amabed et moi,
et ma fidèle Déra.

Je ne sais où demeure ce vice, si c'est dans le voisinage du grand-lama, ou en Perse, mais n'importe. Je
vais revoir Amabed ; j'irais avec lui au bout du monde,
au ciel, en enfer. J'oublie dans ce moment ma fosse,
ma prison, les violences de Fa tutto, ses perdrix, que
j'ai eu la lâcheté de manger, et son vin, que j'ai eu la
faiblesse de boire.

SEPTIÈME LETTRE

D'ADATÉ

Je l'ai revu, mon tendre époux ; on nous a réunis, je
l'ai tenu dans mes bras. Il a effacé la tache du crime
dont cet abominable Fa tutto m'avait souillée ; semblable à l'eau sainte du Gange, qui lave toutes les
macules des âmes, il m'a rendu une nouvelle vie. Il n'y
a que cette pauvre Déra qui reste encore profanée ;
mais tes prières et tes bénédictions remettront son
innocence dans tout son éclat.

On nous fait partir demain sur un vaisseau qui fait
voile pour Lisbonne. C'est la patrie du fier Albuquerque. C'est là sans doute qu'habite ce vice-Dieu
qui doit juger entre Fa tutto et nous. S'il est vice-Dieu,
comme tout le monde l'assure ici, il est bien certain
qu'il damnera Fa tutto. C'est une petite consolation,
mais je cherche bien moins la punition de ce terrible
coupable que le bonheur du tendre Amabed.

Quelle est donc la destinée des faibles mortels, de
ces feuilles que les vents emportent ! Nous sommes
nés, Amabed et moi, sur les bords du Gange ; on nous
emmène en Portugal ; on va nous juger dans un
monde inconnu, nous qui sommes nés libres ! Rever-
rons-nous   jamais   notre   patrie ?   pourrons-nous
accomplir le pèlerinage que nous méditions vers ta
personne sacrée ?

Comment pourrons-nous, moi et ma chère Déra,

être enfermées dans le même vaisseau avec le père Fa
tutto ? cette idée me fait trembler. Heureusement
j'aurai mon brave époux pour me défendre. Mais que
deviendra Déra, qui n'a point de mari ? Enfin nous
nous recommandons à la Providence.

Ce sera désormais mon cher Amabed qui t'écrira : il
fera le journal de nos destins ; il te peindra la nouvelle
terre et les nouveaux cieux que nous allons voir.
Puisse Brama conserver longtemps ta tête rase et
l'entendement divin qu'il a placé dans la moelle de
ton cerveau !

PREMIÈRE LETTRE

D'AMABED À SHASTASID, APRÈS SA CAPTIVITÉ

Je suis donc encore au nombre des vivants ! C'est
donc moi qui t'écris, divin Shastasid ! J'ai tout su, et
tu sais tout. Charme des yeux n'a point été coupable ;
elle ne peut l'être. La vertu est dans le cœur, et non
ailleurs. Ce rhinocéros de Fa tutto, qui avait cousu à
sa peau celle du renard, soutient hardiment qu'il nous
a baptisés, Adaté et moi, dans Bénarès, à la mode de
l'Europe ; que je suis *apostato*, et que Charme des
yeux est *apostata*. Il jure, par l'homme nu qui est peint
ici sur presque toutes les murailles, qu'il est injuste-
ment accusé d'avoir violé ma chère épouse et ta jeune
Déra. Charme des yeux, de son côté, et la douce Déra,
jurent qu'elles ont été violées. Les esprits européans
ne peuvent percer ce sombre abîme : ils disent tous
qu'il n'y a que leur vice-Dieu qui puisse y rien
connaître, attendu qu'il est infaillible.

Don Jéronimo, le corrégidor, nous fait tous embarquer demain pour comparaître devant cet être extraordinaire qui ne se trompe jamais. Ce grand juge des
barbares ne siège point à Lisbonne, mais beaucoup
plus loin, dans une ville magnifique qu'on nomme
Roume. Ce nom est absolument inconnu chez nos
Indiens. Voilà un terrible voyage. A quoi les enfants
de Brama sont-ils exposés dans cette courte vie !

Nous avons pour compagnons de voyage des marchands d'Europe, des chanteuses, deux vieux officiers des troupes du roi de Portugal, qui ont gagné beaucoup d'argent dans notre pays, des prêtres du vice-Dieu, et quelques soldats.

C'est un grand bonheur pour nous d'avoir appris l'italien, qui est la langue courante de tous ces gens-là : car comment pourrions-nous entendre le jargon portugais ? Mais, ce qui est horrible, c'est d'être dans la même barque avec un Fa tutto. On nous fait coucher ce soir à bord, pour démarrer demain au lever du soleil. Nous aurons une petite chambre de six pieds de long sur quatre de large pour ma femme et pour Déra. On dit que c'est une faveur insigne. Il faut faire ses petites provisions de toute espèce. C'est un bruit, c'est un tintamarre inexprimable. La foule du peuple se précipite pour nous regarder. Charme des yeux est en larmes ; Déra tremble : il faut s'armer de courage. Adieu ; adresse pour nous tes saintes prières à l'Éternel, qui créa les malheureux mortels il y a juste cent quinze mille six cent cinquante-deux révolutions annuelles du soleil autour de la terre, ou de la terre autour du soleil.

SECONDE LETTRE

D'AMABED, PENDANT SA ROUTE

Après un jour de navigation, le vaisseau s'est trouvé vis-à-vis Bombay, dont l'exterminateur Albuquerque, qu'on appelle ici *le grand*, s'est emparé. Aussitôt un bruit infernal s'est fait entendre : notre vaisseau a tiré neuf coups de canon ; on lui en a répondu autant des remparts de la ville. Charme des yeux et la jeune Déra ont cru être à leur dernier jour. Nous étions couverts d'une fumée épaisse. Croirais-tu, sage Shastasid, que ce sont là des politesses ? C'est la façon dont ces barbares se saluent. Une chaloupe a apporté des lettres pour le Portugal : alors nous avons fait voile dans la grande mer, laissant à notre droite les embouchures du grand fleuve Zonboudipo, que les barbares appellent l'Indus.

Nous ne voyons plus que les airs, nommés *ciel* par ces brigands, si peu dignes du ciel, et cette grande mer que l'avarice et la cruauté leur ont fait traverser.

Cependant le capitaine paraît un homme honnête et prudent. Il ne permet pas que le père Fa tutto soit sur le tillac quand nous y prenons le frais ; et lorsqu'il est en haut, nous nous tenons en bas. Nous sommes comme le jour et la nuit, qui ne paraissent jamais ensemble sur le même horizon. Je ne cesse de réfléchir sur la destinée qui se joue des malheureux mortels. Nous voguons sur la mer des Indes avec un dominicain, pour aller être jugés dans Roume, à six mille lieues de notre patrie.

Il y a dans le vaisseau un personnage considérable qu'on nomme l'*aumônier*. Ce n'est pas qu'il fasse l'aumône ; au contraire on lui donne de l'argent pour dire des prières dans une langue qui n'est ni la portugaise ni l'italienne, et que personne de l'équipage n'entend ; peut-être ne l'entend-il pas lui-même ; car il est toujours en dispute sur le sens des paroles avec le père Fa tutto.

Le capitaine m'a dit que cet aumônier est franciscain, et que, l'autre étant dominicain, ils sont obligés en conscience de n'être jamais du même avis. Leurs sectes sont ennemies jurées l'une de l'autre ; aussi sont-ils vêtus tout différemment pour marquer la différence de leurs opinions.

Ce franciscain s'appelle Fa molto. Il me prête des livres italiens concernant la religion du vice-Dieu devant qui nous comparaîtrons. Nous lisons ces livres, ma chère Adaté et moi. Déra assiste à la lecture. Elle y a eu d'abord de la répugnance, craignant de déplaire à Brama ; mais plus nous lisons, plus nous nous fortifions dans l'amour des saints dogmes que tu enseignes aux fidèles.

TROISIÈME LETTRE

DU JOURNAL D'AMABED

Nous avons lu avec l'aumônier des épîtres d'un des grands saints de la religion italienne et portugaise. Son nom est Pual. Toi, qui possèdes la science universelle, tu connais Pual sans doute. C'est un grand homme : il a été renversé de cheval par une voix, et aveuglé par un trait de lumière ; il se vante d'avoir été comme moi au cachot ; il ajoute qu'il a eu cinq fois trente-neuf coups de fouet, ce qui fait en tout cent quatre-vingt-quinze écourgées sur les fesses ; plus, trois fois des coups de bâton, sans spécifier le nombre ; plus, il dit qu'il a été lapidé une fois : cela est violent, car on n'en revient guère ; plus, il jure qu'il a été un jour et une nuit au fond de la mer. Je le plains beaucoup ; mais, en récompense, il a été ravi au troisième ciel. Je t'avoue, illuminé Shastasid, que je voudrais en faire autant, dussé-je acheter cette gloire par cent quatre-vingt-quinze coups de verges bien appliqués sur le derrière :

> Il est beau qu'un mortel jusques aux cieux s'élève ;
> Il est beau même d'en tomber,

comme dit un de nos plus aimables poètes indiens, qui est quelquefois sublime.

Enfin je vois qu'on a conduit comme moi Pual à Roume pour être jugé. Quoi donc ! mon cher Shastasid, Roume a donc jugé tous les mortels dans tous les temps ? Il faut certainement qu'il y ait dans cette ville quelque chose de supérieur au reste de la terre : tous les gens qui sont dans le vaisseau ne jurent que par Roume ; on faisait tout à Goa au nom de Roume.

Je te dirai bien plus. Le Dieu de notre aumônier Fa molto, qui est le même que celui de Fa tutto, naquit et mourut dans un pays dépendant de Roume, et il paya le tribut au zamorin qui régnait dans cette ville. Tout cela ne te paraît-il pas bien surprenant ? Pour moi, je crois rêver, et que tous les gens qui m'entourent rêvent aussi.

Notre aumônier Fa molto nous a lu des choses encore plus merveilleuses. Tantôt c'est un âne qui parle, tantôt c'est un de leurs saints qui passe trois jours et trois nuits dans le ventre d'une baleine, et qui en sort de fort mauvaise humeur. Ici c'est un prédicateur qui s'en va prêcher dans le ciel, monté sur un char de feu traîné par quatre chevaux de feu. Un docteur passe la mer à pied sec, suivi de deux ou trois millions d'hommes qui s'enfuient avec lui. Un autre docteur arrête le soleil et la lune ; mais cela ne me surprend point : tu m'as appris que Bacchus en avait fait autant.

Ce qui me fait le plus de peine, à moi qui me pique de propreté et d'une grande pudeur, c'est que le dieu de ces gens-là ordonne à un de ses prédicateurs de manger de la matière louable sur son pain ; et à un autre, de coucher pour de l'argent avec des filles de joie, et d'en avoir des enfants.

Il y a bien pis. Ce savant homme nous a fait remarquer deux sœurs, Oolla et Ooliba. Tu les connais bien, puisque tu as tout lu. Cet article a fort scandalisé ma femme : le blanc de ses yeux en a rougi. J'ai remarqué que la bonne Déra était tout en feu à ce paragraphe. Il faut certainement que ce franciscain Fa molto soit un gaillard. Cependant il a fermé son livre dès qu'il a vu combien Charme des yeux et moi nous étions effarouchés, et il est sorti pour aller méditer sur le texte.

Il m'a laissé son livre sacré ; j'en ai lu quelques pages au hasard. O Brama ! ô justice éternelle ! quels hommes que tous ces gens-là ! ils couchent tous avec leurs servantes dans leur vieillesse. L'un fait des infamies à sa belle-mère, l'autre à sa belle-fille. Ici c'est une ville tout entière qui veut absolument traiter un pauvre prêtre comme une jolie fille, là deux demoiselles de condition enivrent leur père, couchent avec lui l'une après l'autre et en ont des enfants.

Mais ce qui m'a le plus épouvanté, le plus saisi d'horreur, c'est que les habitants d'une ville magni-

fique à qui leur Dieu députa deux êtres éternels qui
sont sans cesse au pied de son trône, deux esprits
purs, resplendissants d'une lumière divine... ma
plume frémit comme mon âme... le dirai-je? oui, ces
habitants firent tout ce qu'ils purent pour violer ces
messagers de Dieu. Quel péché abominable avec des
hommes! mais avec des anges, cela est-il possible?
Cher Shastasid, bénissons Birmah, Visnou, et Brama;
remercions-les de n'avoir jamais connu ces inconce-
vables turpitudes. On dit que le conquérant Alexandre
voulut autrefois introduire cette coutume supersti-
tieuse parmi nous; qu'il polluait publiquement son
mignon Ephestion. Le ciel l'en punit. Ephestion et lui
périrent à la fleur de leur âge. Je te salue, maître de
mon âme, esprit de mon esprit. Adaté, la triste Adaté,
se recommande à tes prières.

QUATRIÈME LETTRE

D'AMABED À SHASTASID

Du cap qu'on appelle Bonne-Espérance,
le quinze du mois du rhinocéros.

Il y a longtemps que je n'ai étendu mes feuilles de
coton sur une planche, et trempé mon pinceau dans
la laque noire délayée, pour te rendre un compte
fidèle. Nous avons laissé loin derrière nous à notre
droite le golfe de Babelmandel, qui entre dans la
fameuse mer Rouge, dont les flots se séparèrent
autrefois, et s'amoncelèrent comme des montagnes
pour laisser passer Bacchus et son armée. Je regret-
tais qu'on n'eût point mouillé aux côtes de l'Arabie
Heureuse, ce pays presque aussi beau que le nôtre,
dans lequel Alexandre voulait établir le siège de son
empire et l'entrepôt du commerce du monde. J'aurais
voulu voir cet Aden ou Éden, dont les jardins sacrés
furent si renommés dans l'antiquité; ce Moka fameux
par le café, qui ne croît jusqu'à présent que dans cette
province; Mecca, où le grand prophète des musul-

mans établit le siège de son empire, et où tant de nations de l'Asie, de l'Afrique et de l'Europe, viennent tous les ans baiser une pierre noire descendue du ciel qui n'envoie pas souvent de pareilles pierres aux mortels ; mais il ne nous est pas permis de contenter notre curiosité. Nous voguons toujours pour arriver à Lisbonne, et de là à Roume.

Nous avons déjà passé la ligne équinoxiale ; nous sommes descendus à terre au royaume de Mélinde, où les Portugais ont un port considérable. Notre équipage y a embarqué de l'ivoire, de l'ambre gris, du cuivre, de l'argent, et de l'or. Nous voici parvenus au grand Cap : c'est le pays des Hottentots. Ces peuples ne paraissent pas descendus des enfants de Brama. La nature y a donné aux femmes un tablier que forme leur peau ; ce tablier couvre leur joyau, dont les Hottentots sont idolâtres, et pour lequel ils font des madrigaux et des chansons. Ces peuples vont tout nus. Cette mode est fort naturelle ; mais elle ne me paraît ni honnête ni habile. Un Hottentot est bien malheureux : il n'a plus rien à désirer quand il a vu sa Hottentote par-devant et par derrière. Le charme des obstacles lui manque. Il n'y a plus rien de piquant pour lui. Les robes de nos Indiennes, inventées pour être troussées, marquent un génie bien supérieur. Je suis persuadé que le sage Indien à qui nous devons le jeu des échecs et celui du trictrac imagina aussi les ajustements des dames pour notre félicité.

Nous resterons deux jours à ce cap, qui est la borne du monde, et qui semble séparer l'Orient de l'Occident. Plus je réfléchis sur la couleur de ces peuples, sur le gloussement dont ils se servent pour se faire entendre au lieu d'un langage articulé, sur leur figure, sur le tablier de leurs dames, plus je suis convaincu que cette race ne peut avoir la même origine que nous.

Notre aumônier prétend que les Hottentots, les Nègres et les Portugais, descendent du même père. Cette idée est bien ridicule ; j'aimerais autant qu'on me dît que les poules, les arbres, et l'herbe de ce

pays-là, viennent des poules, des arbres et de l'herbe
de Bénarès ou de Pékin.

CINQUIÈME LETTRE

D'AMABED

Du 16 au soir, au cap dit de Bonne-Espérance.

Voici bien une autre aventure. Le capitaine se promenait avec Charme des yeux et moi sur un grand
plateau au pied duquel la mer du Midi vient briser ses
vagues. L'aumônier Fa molto a conduit notre jeune
Déra tout doucement dans une petite maison nouvel-
lement bâtie, qu'on appelle *un cabaret*. La pauvre fille
n'y entendait point finesse, et croyait qu'il n'y avait
rien à craindre, parce que cet aumônier n'est pas
dominicain. Bientôt nous avons entendu des cris.
Figure-toi que le père Fa tutto a été jaloux de ce tête-
à-tête. Il est entré dans le cabaret en furieux ; il y avait
deux matelots qui ont été jaloux aussi. C'est une terrible passion que la jalousie. Les deux matelots et les
deux prêtres avaient beaucoup bu de cette liqueur
qu'ils disent avoir été inventée par leur Noé, et dont
nous prétendons que Bacchus est l'auteur : présent
funeste, qui pourrait être utile s'il n'était pas si facile
d'en abuser. Les Européans disent que ce breuvage
leur donne de l'esprit : comment cela peut-il être,
puisqu'il leur ôte la raison ?

Les deux hommes de mer et les deux bonzes
d'Europe se sont gourmés violemment, un matelot
donnant sur Fa tutto, celui-ci sur l'aumônier, ce franciscain sur l'autre matelot qui rendait ce qu'il recevait ; tous quatre changeant de main à tout moment,
deux contre deux, trois contre un, tous contre tous,
chacun jurant, chacun tirant à soi notre infortunée,
qui jetait des cris lamentables. Le capitaine est
accouru au bruit ; il a frappé indifféremment sur les
quatre combattants ; et pour mettre Déra en sûreté, il

l'a menée dans son quartier, où elle est enfermée avec lui depuis deux heures. Les officiers et les passagers, qui sont tous fort polis, se sont assemblés autour de nous, et nous ont assuré que les deux moines (c'est ainsi qu'ils les appellent) seraient punis sévèrement par le vice-Dieu dès qu'ils seraient arrivés à Roume. Cette espérance nous a un peu consolés.

Au bout de deux heures le capitaine est revenu en nous ramenant Déra avec des civilités et des compliments dont ma chère femme a été très contente. O Brama! qu'il arrive d'étranges choses dans les voyages, et qu'il serait bien plus sage de rester chez soi!

SIXIÈME LETTRE

D'AMABED, PENDANT SA ROUTE

Je ne t'ai point écrit depuis l'aventure de notre petite Déra. Le capitaine, pendant la traversée, a toujours eu pour elle des bontés très distinguées. J'avais peur qu'il ne redoublât de civilités pour ma femme ; mais elle a feint d'être grosse de quatre mois. Les Portugais regardent les femmes grosses comme des personnes sacrées qu'il n'est pas permis de chagriner. C'est du moins une bonne coutume qui met en sûreté le cher honneur d'Adaté. Le dominicain a eu ordre de ne se présenter jamais devant nous, et il a obéi.

Le franciscain, quelques jours après la scène du cabaret, vint nous demander pardon. Je le tirai à part. Je lui demandai comment, ayant fait vœu de chasteté, il avait pu s'émanciper à ce point. Il me répondit : « Il est vrai que j'ai fait ce vœu ; mais si j'avais promis que mon sang ne coulerait jamais dans mes veines, et que mes ongles et mes cheveux ne croîtraient pas, vous m'avouerez que je ne pourrais accomplir cette promesse. Au lieu de nous faire jurer d'être chastes, il fallait nous forcer à l'être, et rendre tous les moines eunuques. Tant qu'un oiseau a ses plumes, il vole. Le seul moyen d'empêcher un cerf de courir est de lui couper les jambes. Soyez très sûr que les prêtres vigoureux comme moi, et qui n'ont point de femmes, s'abandonnent malgré eux à des excès qui font rougir la nature, après quoi ils vont célébrer les saints mystères. »

J'ai beaucoup appris dans la conversation avec cet homme. Il m'a instruit de tous ces mystères de sa religion, qui m'ont tous étonné. « Le révérend père Fa tutto, m'a-t-il dit, est un fripon qui ne croit pas un mot de tout ce qu'il enseigne ; pour moi, j'ai des doutes violents ; mais je les écarte, je me mets un bandeau sur les yeux, je repousse mes pensées et je marche comme je puis dans la carrière que je cours. Tous les moines sont réduits à cette alternative : ou l'incrédulité leur fait détester leur profession, ou la stupidité la leur rend supportable. »

Croirais-tu bien qu'après ces aveux, il m'a proposé de me faire chrétien ? Je lui ai dit : « Comment pouvez-vous me présenter une religion dont vous n'êtes pas persuadé vous-même, à moi qui suis né dans la plus ancienne religion du monde, à moi dont le culte existait cent quinze mille trois cents ans pour le moins, de votre aveu, avant qu'il y eût des franciscains dans le monde ?

— Ah ! mon cher Indien, m'a-t-il dit, si je pouvais réussir à vous rendre chrétien, vous et la belle Adaté, je ferais crever de dépit ce maraud de dominicain, qui ne croit pas à l'immaculée conception de la Vierge ! Vous feriez ma fortune ; je pourrais devenir *obispo* [1] ; ce serait une bonne action, et Dieu vous en saurait gré. »

C'est ainsi, divin Shastasid, que parmi ces barbares d'Europe on trouve des hommes qui sont un composé d'erreur, de faiblesse, de cupidité et de bêtise, et d'autres qui sont des coquins conséquents et endurcis. J'ai fait part de ces conversations à Charme des

---

1. *Obispo* est le mot portugais qui signifie *episcopus*, évêque, en langage gaulois. Ce mot n'est dans aucun des quatre Évangiles.

yeux : elle a souri de pitié. Qui l'eût cru que ce serait dans un vaisseau, en voguant vers les côtes d'Afrique, que nous apprendrions à connaître les hommes!

SEPTIÈME LETTRE

D'AMABED

Quel beau climat que ces côtes méridionales! mais quels vilains habitants! quelles brutes! Plus la nature a fait pour nous, moins nous faisons pour elle. Nul art n'est connu chez tous ces peuples. C'est une grande question parmi eux s'ils sont descendus des singes, ou si les singes sont venus d'eux. Nos sages ont dit que l'homme est l'image de Dieu : voilà une plaisante image de l'Être éternel qu'un nez noir épaté, avec peu ou point d'intelligence! Un temps viendra, sans doute, où ces animaux sauront bien cultiver la terre, l'embellir par des maisons et par des jardins, et connaître la route des astres. Il faut du temps pour tout. Nous datons, nous autres, notre philosophie de cent quinze mille six cent cinquante-deux ans : en vérité, sauf le respect que je te dois, je pense que nous nous trompons; il me semble qu'il faut bien plus de temps pour être arrivés au point où nous sommes. Mettons seulement vingt mille ans pour inventer un langage tolérable, autant pour écrire par le moyen d'un alphabet, autant pour la métallurgie, autant pour la charrue et la navette, autant pour la navigation; et combien d'autres arts encore exigent-ils de siècles! Les Chaldéens datent de quatre cent mille ans, et ce n'est pas encore assez.

Le capitaine a acheté, sur un rivage qu'on nomme Angola, six nègres qu'on lui a vendus pour le prix courant de six bœufs. Il faut que ce pays-là soit bien plus peuplé que le nôtre puisqu'on y vend les hommes si bon marché. Mais aussi comment une si abondante population s'accorde-t-elle avec tant d'ignorance?

Le capitaine a quelques musiciens auprès de lui : il

leur a ordonné de jouer de leurs instruments, et aussitôt ces pauvres nègres se sont mis à danser avec
presque autant de justesse que nos éléphants. Est-il
possible qu'aimant la musique ils n'aient pas su
inventer le violon, pas même la musette? Tu me
diras, grand Shastasid, que l'industrie des éléphants
mêmes n'a pas pu parvenir à cet effort, et qu'il faut
attendre. A cela je n'ai rien à répliquer.

HUITIÈME LETTRE

D'AMABED

L'année est à peine révolue, et nous voici à la vue de
Lisbonne, sur le fleuve du Tage, qui depuis longtemps
a la réputation de rouler de l'or dans ses flots. S'il est
ainsi, d'où vient donc que les Portugais vont en chercher si loin? Tous ces gens d'Europe répondent qu'on
n'en peut trop avoir. Lisbonne est, comme tu me
l'avais dit, la capitale d'un très petit royaume. C'est la
patrie de cet Albuquerque qui nous a fait tant de mal.
J'avoue qu'il y a quelque chose de grand dans ces Portugais, qui ont subjugué une partie de nos belles
contrées. Il faut que l'envie d'avoir du poivre donne de
l'industrie et du courage.

Nous espérions, Charme des yeux et moi, entrer
dans la ville; mais on ne l'a pas permis, parce qu'on
dit que nous sommes prisonniers du vice-Dieu, et que
le dominicain Fa tutto, le franciscain aumônier Fa
molto, Déra, Adaté et moi, nous devons tous être
jugés à Roume.

On nous a fait passer sur un autre vaisseau qui part
pour la ville du vice-Dieu.

Le capitaine est un vieux Espagnol différent en tout
du Portugais, qui en usait si poliment avec nous. Il ne
parle que par monosyllabes, et encore très rarement;
il porte à sa ceinture des grains enfilés qu'il ne cesse
de compter : on dit que c'est une grande marque de
vertu.

Déra regrette fort l'autre capitaine; elle trouve qu'il était bien plus civil. On a remis à l'Espagnol une grosse liasse de papiers, pour instruire notre procès en cour de Roume. Un scribe du vaisseau l'a lue à haute voix. Il prétend que le père Fa tutto sera condamné à ramer dans une des galères du vice-Dieu, et que l'aumônier Fa molto aura le fouet en arrivant. Tout l'équipage est de cet avis; le capitaine a serré les papiers sans rien dire. Nous mettons à la voile. Que Brama ait pitié de nous, et qu'il te comble de ses faveurs! Brama est juste; mais c'est une chose bien singulière qu'étant né sur le rivage du Gange j'aille être jugé à Roume. On assure pourtant que la même chose est arrivée à plus d'un étranger.

NEUVIÈME LETTRE

D'AMABED

Rien de nouveau; tout l'équipage est silencieux et morne comme le capitaine. Tu connais le proverbe indien : *Tout se conforme aux mœurs du maître.* Nous avons passé une mer qui n'a que neuf mille pas de large entre deux montagnes; nous sommes entrés dans une autre mer semée d'îles. Il y en a une fort singulière : elle est gouvernée par des religieux chrétiens qui portent un habit court et un chapeau, et qui font vœu de tuer tous ceux qui portent un bonnet et une robe. Ils doivent aussi faire l'oraison. Nous avons mouillé dans une île plus grande et fort jolie, qu'on nomme *Sicile;* elle était bien plus belle autrefois : on parle de villes admirables dont on ne voit plus que les ruines. Elle fut habitée par des dieux, des déesses, des géants, des héros; on y forgeait la foudre. Une déesse nommée Cérès la couvrit de riches moissons. Le vice-Dieu a changé tout cela; on y voit beaucoup de processions et de coupeurs de bourse.

DIXIÈME LETTRE

D'AMABED

Enfin nous voici sur la terre sacrée du vice-Dieu. J'avais lu dans le livre de l'aumônier que ce pays était d'or et d'azur ; que les murailles étaient d'émeraudes et de rubis ; que les ruisseaux étaient d'huile, les fontaines, de lait, les campagnes couvertes de vignes dont chaque cep produisait cent tonneaux de vin[1]. Peut-être trouverons-nous tout cela quand nous serons auprès de Roume.

Nous avons abordé avec beaucoup de peine dans un petit port fort incommode, qu'on appelle *la cité vieille*. Elle tombe en ruines, et est fort bien nommée.

On nous a donné, pour nous conduire, des charrettes attelées par des bœufs. Il faut que ces bœufs viennent de loin, car la terre à droite et à gauche n'est point cultivée : ce ne sont que des marais infects, des bruyères, des landes stériles. Nous n'avons vu dans le chemin que des gens couverts de la moitié d'un manteau, sans chemise, qui nous demandaient l'aumône fièrement. Ils ne se nourrissent, nous a-t-on dit, que de petits pains très plats qu'on leur donne gratis le matin, et ne s'abreuvent que d'eau bénite.

Sans ces troupes de gueux qui font cinq ou six mille pas pour obtenir, par leurs lamentations, la trentième partie d'une roupie, ce canton serait un désert affreux. On nous avertit même que quiconque y passe la nuit est en danger de mort. Apparemment que Dieu est fâché contre son vicaire, puisqu'il lui a donné un pays qui est le cloaque de la nature. J'apprends que cette contrée a été autrefois très belle et très fertile, et qu'elle n'est devenue si misérable que depuis le temps où ces vicaires s'en sont mis en possession.

---

1. Il veut apparemment parler de la sainte Jérusalem décrite dans le livre exact de l'*Apocalypse*, dans Justin, dans Tertullien, Irénée, et autres grands personnages ; mais on voit bien que ce pauvre brame n'en avait qu'une idée très imparfaite.

Je t'écris, sage Shastasid, sur ma charrette, pour me désennuyer. Adaté est bien étonnée. Je t'écrirai dès que je serai dans Roume.

ONZIÈME LETTRE

D'AMABED

Nous y voilà, nous y sommes, dans cette ville de Roume. Nous arrivâmes hier en plein jour, *le trois du mois de la brebis,* qu'on dit ici le 15 mars 1513. Nous avons d'abord éprouvé tout le contraire de ce que nous attendions.

A peine étions-nous à la porte dite de Saint-Pancrace[1], que nous avons vu deux troupes de spectres, dont l'une est vêtue comme notre aumônier, et l'autre comme le père Fa tutto. Elles avaient chacune une bannière à leur tête, et un grand bâton sur lequel était sculpté un homme tout nu, dans la même attitude que celui de Goa. Elles marchaient deux à deux, et chantaient un air à faire bâiller toute une province. Quand cette procession fut parvenue à notre charrette, une troupe cria : « C'est saint Fa tutto ! », l'autre : « C'est saint Fa molto ! » On baisa leurs robes, le peuple se mit à genoux. « Combien avez-vous converti d'Indiens, mon révérend père ? — Quinze mille sept cents, disait l'un. — Onze mille neuf cents, disait l'autre. — Bénie soit la vierge Marie ! » Tout le monde avait les yeux sur nous, tout le monde nous entourait. « Sont-ce là de vos catéchumènes, mon révérend père ? — Oui, nous les avons baptisés. — Vraiment ils sont bien jolis. Gloire dans les hauts ! Gloire dans les hauts ! »

Le père Fa tutto et le père Fa molto furent conduits, chacun par sa procession, dans une maison magnifique ; et pour nous, nous allâmes à l'auberge. Le

1. C'était autrefois la porte du Janicule ; voyez comme la nouvelle Roume l'emporte sur l'ancienne.

peuple nous y suivit en criant *Cazzo*, *Cazzo*, en nous donnant des bénédictions, en nous baisant les mains, en donnant mille éloges à ma chère Adaté, à Déra, et à moi-même. Nous ne revenions pas de notre surprise.

A peine fûmes-nous dans notre auberge qu'un homme vêtu d'une robe violette, accompagné de deux autres en manteau noir, vint nous féliciter sur notre arrivée. La première chose qu'il fit fut de nous offrir de l'argent de la part de la *Propaganda*, si nous en avions besoin. Je ne sais pas ce que c'est que cette propagande. Je lui répondis qu'il nous en restait encore avec beaucoup de diamants (en effet, j'avais eu le soin de cacher toujours ma bourse et une boîte de brillants dans mon caleçon). Aussitôt cet homme se prosterna presque devant moi, et me traita d'*excellence*. « Son Excellence la signora Adaté, n'est-elle pas bien fatiguée du voyage ? Ne va-t-elle pas se coucher ? Je crains de l'incommoder, mais je serai toujours à ses ordres. Le signor Amabed peut disposer de moi, je lui enverrai un Cicéron[1] qui sera à son service ; il n'a qu'à commander. Veulent-ils tous deux, quand ils seront reposés, me faire l'honneur de venir prendre le rafraîchissement chez moi ? j'aurai l'honneur de leur envoyer un carrosse. »

Il faut avouer, mon divin Shastasid, que les Chinois ne sont pas plus polis que cette nation occidentale. Ce seigneur se retira. Nous dormîmes six heures, la belle Adaté et moi. Quand il fut nuit, le carrosse vint nous prendre. Nous allâmes chez cet homme civil. Son appartement était illuminé et orné de tableaux bien plus agréables que celui de l'homme tout nu que nous avions vu à Goa. Une très nombreuse compagnie nous accabla de caresses, nous admira d'être Indiens, nous félicita d'être baptisés, et nous offrit ses services pour tout le temps que nous voudrions rester à Roume.

---

1. On sait qu'on appelle à Rome *Cicérons* ceux qui font métier de montrer aux étrangers les antiquailles.

Nous voulions demander justice du père Fa tutto ; on ne nous donna pas le temps d'en parler. Enfin nous fûmes reconduits, étonnés, confondus d'un tel accueil, et n'y comprenant rien.

DOUZIÈME LETTRE

D'AMABED

Aujourd'hui nous avons reçu des visites sans nombre, et une princesse de Piombino nous a envoyé deux écuyers nous prier de venir dîner chez elle. Nous y sommes allés dans un équipage magnifique. L'homme violet s'y est trouvé. J'ai su que c'est un des seigneurs, c'est-à-dire un des valets du vice-Dieu, qu'on appelle préférés, *prelati*. Rien n'est plus aimable, plus honnête que cette princesse de Piombino. Elle m'a placé à table à côté d'elle. Notre répugnance à manger des pigeons romains et des perdrix l'a fort surprise. Le *préféré* nous a dit que, puisque nous étions baptisés, il fallait manger des perdrix et boire du vin de Montepulciano ; que tous les vice-Dieu en usaient ainsi ; que c'était la marque essentielle d'un véritable chrétien.

La belle Adaté a répondu avec sa naïveté ordinaire qu'elle n'était pas chrétienne, qu'elle avait été baptisée dans le Gange. « Eh ! mon Dieu ! madame, a dit le *préféré*, dans le Gange, ou dans le Tibre, ou dans un bain, qu'importe ? Vous êtes des nôtres. Vous avez été convertie par le père Fa tutto ; c'est pour nous un honneur que nous ne voulons pas perdre. Voyez quelle supériorité notre religion a sur la vôtre ! » Et aussitôt il a couvert nos assiettes d'ailes de gelinottes. La princesse a bu à notre santé et à notre salut. On nous a pressés avec tant de grâce, on a dit tant de bons mots, on a été si poli, si gai, si séduisant, qu'enfin, ensorcelés par le plaisir (j'en demande pardon à Brama), nous avons fait, Adaté et moi, la meilleure chère du monde, avec un ferme propos de nous laver dans le

Gange jusqu'aux oreilles, à notre retour, pour effacer notre péché. On n'a pas douté que nous ne fussions chrétiens. « Il faut, disait la princesse, que ce père Fa tutto soit un grand missionnaire ; j'ai envie de le prendre pour mon confesseur. » Nous rougissions et nous baissions les yeux, ma pauvre femme et moi.

De temps en temps la signora Adaté faisait entendre que nous venions pour être jugés par le vice-Dieu, et qu'elle avait la plus grande envie de le voir. « Il n'y en a point, nous a dit la princesse ; il est mort, et on est occupé à présent à en faire un autre : dès qu'il sera fait on vous présentera à Sa Sainteté. Vous serez témoin de la plus auguste fête que les hommes puissent jamais voir, et vous en serez le plus bel ornement. » Adaté a répondu avec esprit ; et la princesse s'est prise d'un grand goût pour elle.

Sur la fin du repas nous avons eu une musique qui était (si j'ose le dire) supérieure à celle de Bénarès et de Maduré.

Après dîner, la princesse a fait atteler quatre chars dorés : elle nous a fait monter dans le sien. Elle nous a fait voir de beaux édifices, des statues, des peintures. Le soir, on a dansé. Je comparais secrètement cette réception charmante avec le cul-de-basse-fosse où nous avions été renfermés dans Goa, et je comprenais à peine comment le même gouvernement, la même religion, pouvaient avoir tant de douceur et d'agrément dans Roume, et exercer au loin tant d'horreurs.

TREIZIÈME LETTRE

D'AMABED

Tandis que cette ville est partagée sourdement en petites factions pour élire un vice-Dieu, que ces factions, animées de la plus forte haine, se ménagent toutes avec une politesse qui ressemble à l'amitié, que le peuple regarde les pères Fa tutto et Fa molto comme les favoris de la Divinité, qu'on s'empresse autour de nous avec une curiosité respectueuse, je fais, mon cher Shastasid, de profondes réflexions sur le gouvernement de Roume.

Je le compare au repas que nous a donné la princesse de Piombino. La salle était propre, commode, et parée ; l'or et l'argent brillaient sur les buffets ; la gaieté, l'esprit et les grâces, animaient les convives ; mais, dans les cuisines, le sang et la graisse coulaient ; les peaux des quadrupèdes, les plumes des oiseaux et leurs entrailles, pêle-mêle amoncelées, soulevaient le cœur, et répandaient l'infection.

Telle est, ce me semble, la cour romaine. Polie et flatteuse chez elle, ailleurs brouillonne et tyrannique. Quand nous disons que nous espérons avoir justice de Fa tutto, on se met doucement à rire ; on nous dit que nous sommes trop au-dessus de ces bagatelles ; que le gouvernement nous considère trop pour souffrir que nous gardions le souvenir d'une telle *facétie*; que les Fa tutto et les Fa molto sont des espèces de singes élevés avec soin pour faire des tours de passe-passe devant le peuple ; et on finit par des protestations de respect et d'amitié pour nous. Quel parti veux-tu que nous prenions grand Shastasid ? Je crois que le plus sage est de rire comme les autres, et d'être poli comme eux. Je veux étudier Roume, elle en vaut la peine.

QUATORZIÈME LETTRE

D'AMABED

Il y a un assez grand intervalle entre ma dernière lettre et la présente. J'ai lu, j'ai vu, j'ai conversé, j'ai médité. Je te jure qu'il n'y eut jamais sur la terre une contradiction plus énorme qu'entre le gouvernement romain et sa religion. J'en parlais hier à un théologien du vice-Dieu. Un théologien est, dans cette cour, ce que sont les derniers valets dans une maison : ils font la grosse besogne, portent les ordures, et, s'ils y trouvent quelque chiffon qui puisse servir, ils le mettent à part pour le besoin.

Je lui disais : « Votre Dieu est né dans une étable entre un bœuf et un âne ; il a été élevé, a vécu, est mort dans la pauvreté ; il a ordonné expressément la pauvreté à ses disciples ; il leur a déclaré qu'il n'y aurait parmi eux ni premier ni dernier, et que celui qui voudrait commander aux autres les servirait.

« Cependant je vois ici qu'on fait exactement tout le contraire de ce que veut votre Dieu. Votre culte même est tout différent du sien. Vous obligez les hommes à croire des choses dont il n'a pas dit un seul mot.

— Tout cela est vrai, m'a-t-il répondu. Notre Dieu n'a pas commandé à nos maîtres formellement de s'enrichir aux dépens des peuples, et de ravir le bien d'autrui ; mais il l'a commandé virtuellement. Il est né entre un bœuf et un âne ; mais trois rois sont venus l'adorer dans une écurie. Les bœufs et les ânes figurent les peuples que nous enseignons, et les trois rois figurent tous les monarques qui sont à nos pieds. Ses disciples étaient dans l'indigence : donc nos maîtres doivent aujourd'hui regorger de richesses. Car, si ces premiers vice-Dieu n'eurent besoin que d'un écu, ceux d'aujourd'hui ont un besoin pressant de dix millions d'écus. Or, être pauvre, c'est n'avoir précisément que le nécessaire. Donc nos maîtres, n'ayant pas même le nécessaire, accomplissent la loi de la pauvreté à la rigueur.

« Quant aux dogmes, notre Dieu n'écrivit jamais rien, et nous savons écrire : donc c'est à nous d'écrire les dogmes ; aussi les avons-nous fabriqués avec le temps selon le besoin. Par exemple nous avons fait du mariage le signe visible d'une chose invisible : cela fait que tous les procès suscités pour cause de mariage ressortissent de tous les coins de l'Europe à notre tribunal de Roume, parce que nous seuls pouvons voir des choses invisibles. C'est une source abondante de trésors qui coule dans notre chambre sacrée des finances pour étancher la soif de notre pauvreté. »

Je lui demandai si la chambre sacrée n'avait pas encore d'autres ressources. « Nous n'y avons pas manqué, dit-il ; nous tirons parti des vivants et des morts. Par exemple, dès qu'une âme est trépassée, nous l'envoyons dans une infirmerie ; nous lui faisons prendre médecine dans l'apothicairerie des âmes ; et vous ne sauriez croire combien cette apothicairerie nous vaut d'argent. — Comment cela, monsignor ? car il me semble que la bourse d'une âme est d'ordinaire assez mal garnie. — Cela est vrai, signor ; mais elles ont des parents qui sont bien aises de retirer leurs parents morts de l'infirmerie, et de les faire placer dans un lieu plus agréable. Il est triste pour une âme de passer toute une éternité à prendre médecine. Nous composons avec les vivants : ils achètent la santé des âmes de leurs défunts parents, les uns plus cher, les autres à meilleur compte, selon leurs facultés. Nous leur délivrons des billets pour l'apothicairerie. Je vous assure que c'est un de nos meilleurs revenus.

— Mais, monsignor, comment ces billets parviennent-ils aux âmes ? » Il se mit à rire. « C'est l'affaire des parents, dit-il ; et puis ne vous ai-je pas dit que nous avons un pouvoir incontestable sur les choses invisibles ? »

Ce monsignor me paraît bien dessalé ; je me forme beaucoup avec lui, et je me sens déjà tout autre.

QUINZIÈME LETTRE

D'AMABED

Tu dois savoir, mon cher Shastasid, que le Cicéron à qui monsignor m'a recommandé, et dont je t'ai dit un mot dans mes précédentes lettres, est un homme fort intelligent qui montre aux étrangers les curiosités de l'ancienne Roume et de la nouvelle. L'une et l'autre, comme tu le vois, ont commandé aux rois ; mais les premiers Romains acquirent leur pouvoir par leur épée, et les derniers par leur plume. La discipline militaire donna l'empire aux Césars, dont tu connais l'histoire ; la discipline monastique donne une autre espèce d'empire à ces vice-Dieu qu'on appelle *Papes*. On voit des processions dans la même place où l'on voyait autrefois des triomphes. Les Cicérons expliquent tout cela aux étrangers ; ils leur fournissent des livres et des filles. Pour moi, qui ne veux pas faire d'infidélité à ma belle Adaté (tout jeune que je suis) je me borne aux livres ; et j'étudie principalement la religion du pays, qui me divertit beaucoup.

Je lisais avec mon Cicéron l'histoire de la vie du Dieu du pays. Elle est fort extraordinaire. C'était un homme qui séchait des figuiers d'une seule parole, qui changeait l'eau en vin, et qui noyait des cochons. Il avait beaucoup d'ennemis. Tu sais qu'il était né dans une bourgade appartenant à l'empereur de Roume. Ses ennemis étaient malins ; ils lui demandèrent un jour s'ils devaient payer le tribut à l'empereur ; il leur répondit : « Rendez au prince ce qui est au prince ; mais rendez à Dieu ce qui est à Dieu. » Cette réponse me paraît sage ; nous en parlions, mon Cicéron et moi, lorsque monsignor est entré. Je lui ai dit beaucoup de bien de son Dieu, et je l'ai prié de m'expliquer comment sa chambre des finances observait ce précepte en prenant tout pour elle, et en ne donnant rien à l'empereur. Car tu dois savoir que, bien que les Romains aient un vice-Dieu, ils ont un empereur aussi auquel même ils donnent le titre de *roi des Romains*. Voici ce que cet homme très avisé m'a répondu :

« Il est vrai que nous avons un empereur ; mais il ne l'est qu'en peinture. Il est banni de Roume ; il n'y a pas seulement une maison ; nous le laissons habiter auprès d'un grand fleuve qui est gelé quatre mois de l'année, dans un pays dont le langage écorche nos oreilles. Le véritable empereur est le pape, puisqu'il règne dans la capitale de l'empire. Ainsi *Rendez à l'empereur* veut dire *Rendez au pape* ; *Rendez à Dieu* signifie encore *Rendez au pape*, puisqu'en effet il est vice-Dieu. Il est seul le maître de tous les cœurs et de toutes les bourses. Si l'autre empereur qui demeure sur un grand fleuve osait seulement dire un mot, alors nous soulèverions contre lui tous les habitants des rives du grand fleuve, qui sont pour la plupart de gros corps sans esprit, et nous armerions contre lui les autres rois, qui partageraient avec lui ses dépouilles. »

Te voilà au fait, divin Shastasid, de l'esprit de Roume. Le pape est en grand ce que le dalaï-lama est en petit : s'il n'est pas immortel comme le lama, il est tout-puissant pendant sa vie, ce qui vaut bien mieux. Si quelquefois on lui résiste, si on le dépose, si on lui donne des soufflets, ou si même on le tue[1] entre les bras de sa maîtresse, comme il est arrivé quelquefois, ces inconvénients n'attaquent jamais son divin caractère. On peut lui donner cent coups d'étrivières ; mais il faut toujours croire tout ce qu'il dit. Le pape meurt ; la papauté est immortelle. Il y a eu trois ou quatre vice-Dieu à la fois qui disputaient cette place. Alors la divinité était partagée entre eux : chacun en avait sa part ; chacun était infaillible dans son parti.

J'ai demandé à monsignor par quel art sa cour est parvenue à gouverner toutes les autres cours. « Il faut peu d'art, me dit-il, aux gens d'esprit pour conduire les sots. » J'ai voulu savoir si on ne s'était jamais révolté contre les décisions du vice-Dieu. Il m'a avoué qu'il y avait eu des hommes assez téméraires pour lever les yeux ; mais qu'on les leur avait crevés aussitôt, ou qu'on avait exterminé ces misérables, et que

---

1. Jean VIII, assassiné à coups de marteau par un mari jaloux. Jean X, amant de Théodora, étranglé dans son lit.

Étienne VIII, enfermé au château qu'on appelle aujourd'hui *St.-Ange*.

Étienne IX, sabré au visage par les Romains.

Jean XII, déposé par l'empereur Othon I, assassiné chez une de ses maîtresses.

Benoît V, exilé par l'empereur Othon I.

Benoît VII, étranglé par le bâtard de Jean X.

Benoît IX, qui acheta le pontificat, lui troisième, et revendit sa part, etc., etc. Ils étaient tous infaillibles.

ces révoltes n'avaient jamais servi jusqu'à présent qu'à
mieux affermir l'infaillibilité sur le trône de la vérité.

On vient de nommer un nouveau vice-Dieu. Les
cloches sonnent, on frappe les tambours, les trompettes éclatent, le canon tire, cent mille voix lui
répondent. Je t'informerai de tout ce que j'aurai vu.

SEIZIÈME LETTRE

D'AMABED

Ce fut le 25 du mois du crocodile, et le 13 de la pla-
nète de Mars, comme on dit ici, que des hommes
vêtus de rouge et inspirés élurent l'homme infaillible
devant qui je dois être jugé, aussi bien que Charme
des yeux, en qualité d'*apostata*.

Ce dieu en terre s'appelle *Leone*, dixième du nom.
C'est un très bel homme de trente-quatre à trente-cinq
ans, et fort aimable ; les femmes sont folles de lui. Il
était attaqué d'un mal immonde qui n'est bien connu
encore qu'en Europe, mais dont les Portugais
commencent à faire part à l'Indoustan. On croyait
qu'il en mourrait, et c'est pourquoi on l'a élu, afin que
cette sublime place fût bientôt vacante ; mais il est
guéri, et il se moque de ceux qui l'ont nommé.

Rien n'a été si magnifique que son couronnement ;
il y a dépensé cinq millions de roupies pour subvenir
aux nécessités de son Dieu, qui a été si pauvre ! Je n'ai
pu t'écrire dans le fracas de nos fêtes : elles se sont
succédé si rapidement, il a fallu passer par tant de
plaisirs, que le loisir a été impossible.

Le vice-Dieu Leone a donné des divertissements
dont tu n'as point d'idée. Il y en a un surtout, qu'on
appelle *comédie*, qui me plaît beaucoup plus que tous
les autres ensemble. C'est une représentation de la vie
humaine ; c'est un tableau vivant : les personnages
parlent et agissent ; ils exposent leurs intérêts ; ils
développent leurs passions ; ils remuent l'âme des
spectateurs.

La comédie que je vis avant-hier chez le pape est intitulée *la Mandragore*. Le sujet de la pièce est un jeune homme adroit qui veut coucher avec la femme de son voisin. Il engage avec de l'argent un moine, un Fa tutto ou un Fa molto, à séduire sa maîtresse et à faire tomber son mari dans un piège ridicule. On se moque tout le long de la pièce de la religion que l'Europe professe, dont Roume est le centre, et dont le siège papal est le trône. De tels plaisirs te paraîtront peut-être indécents, mon cher et pieux Shastasid. Charme des yeux en a été scandalisée ; mais la comédie est si jolie que le plaisir l'a emporté sur le scandale.

Les festins, les bals, les belles cérémonies de la religion, les danseurs de corde, se sont succédé tour à tour sans interruption. Les bals surtout sont fort plaisants. Chaque personne invitée au bal met un habit étranger et un visage de carton par-dessus le sien. On tient sous ce déguisement des propos à faire éclater de rire. Pendant les repas il y a toujours une musique très agréable ; enfin, c'est un enchantement.

On m'a conté qu'un vice-Dieu prédécesseur de Leone, nommé Alexandre, sixième du nom, avait donné aux noces d'une de ses bâtardes une fête bien plus extraordinaire. Il y fit danser cinquante filles toutes nues. Les bracmanes n'ont jamais institué de pareilles danses : tu vois que chaque pays a ses coutumes. Je t'embrasse avec respect, et je te quitte pour aller danser avec ma belle Adaté. Que Birmah te comble de bénédictions.

DIX-SEPTIÈME LETTRE

D'AMABED

Vraiment, mon grand brame, tous les vice-Dieu n'ont pas été si plaisants que celui-ci. C'est un plaisir de vivre sous sa domination. Le défunt, nommé Jules, était d'un caractère différent ; c'était un vieux soldat turbulent qui aimait la guerre comme un fou; toujours à cheval, toujours le casque en tête, distribuant des bénédictions et des coups de sabre, attaquant tous ses voisins, damnant leurs âmes, et tuant leurs corps, autant qu'il le pouvait : il est mort d'un accès de colère. Quel diable de vice-Dieu on avait là ! Croirais-tu bien qu'avec un morceau de papier il s'imaginait dépouiller les rois de leurs royaumes ? Il s'avisa de détrôner de cette manière le roi d'un pays assez beau, qu'on appelle *la France*. Ce roi était un fort bon homme. Il passe ici pour un sot, parce qu'il n'a pas été heureux. Ce pauvre prince fut obligé d'assembler un jour les plus savants hommes de son royaume[1] pour leur demander s'il lui était permis de se défendre contre un vice-Dieu qui le détrônait avec du papier. C'est être bien bon que de faire une question pareille ! J'en témoignais ma surprise au monsignor violet qui m'a pris en amitié. « Est-il possible, lui disais-je, qu'on soit si sot en Europe ? — J'ai bien peur, me dit-il, que les vice-Dieu n'abusent tant de la complaisance des hommes qu'à la fin ils leur donneront de l'esprit. »

Il faudra donc qu'il y ait des révolutions dans la religion de l'Europe. Ce qui te surprendra, docte et pénétrant Shastasid, c'est qu'il ne s'en fit point sous le vice-Dieu Alexandre, qui régnait avant Jules. Il faisait

---

1. Le pape Jules II excommunia le roi de France Louis XII, en 1510. Il mit le royaume de France en interdit, et le donna au premier qui voudrait s'en saisir. Cette excommunication et cette interdiction furent réitérées en 1512. On a peine à concevoir aujourd'hui cet excès d'insolence et de ridicule. Mais depuis Grégoire VII, il n'y eut presque aucun évêque de Rome qui ne fît ou qui ne voulût faire et défaire des souverains, selon son bon plaisir. Tous les souverains méritaient cet infâme traitement, puisqu'ils avaient été assez imbéciles pour fortifier eux-mêmes chez leurs sujets l'opinion de l'infaillibilité du pape et son pouvoir sur toutes les Églises. Ils s'étaient donné eux-mêmes des fers qu'il était très difficile de briser. Le gouvernement fut partout un chaos formé par la superstition. La raison n'a pénétré que très tard chez les peuples de l'Occident : elle a guéri quelques blessures que cette superstition, ennemie du genre humain, avait faites aux hommes; mais il en reste encore de profondes cicatrices.

assassiner, pendre, noyer, empoisonner impunément tous les seigneurs ses voisins. Un de ses cinq bâtards fut l'instrument de cette foule de crimes à la vue de toute l'Italie. Comment les peuples persistèrent-ils dans la religion de ce monstre! c'est celui-là même qui faisait danser les filles sans aucun ornement superflu. Ses scandales devaient inspirer le mépris, ses barbaries devaient aiguiser contre lui mille poignards : cependant il vécut honoré et paisible dans sa cour. La raison en est, à mon avis, que les prêtres gagnaient à tous ses crimes, et que les peuples n'y perdaient rien. Dès qu'on vexera trop les peuples, ils briseront leurs liens. Cent coups de bélier n'ont pu ébranler le colosse, un caillou le jettera par terre. C'est ce que disent ici les gens déliés qui se piquent de prévoir.

Enfin les fêtes sont finies; il n'en faut pas trop : rien ne lasse comme les choses extraordinaires devenues communes. Il n'y a que les besoins renaissants qui puissent donner du plaisir tous les jours. Je me recommande à tes saintes prières.

DIX-HUITIÈME LETTRE

D'AMABED

L'infaillible nous a voulu voir en particulier, Charme des yeux et moi. Notre monsignor nous a conduits dans son palais. Il nous a fait mettre à genoux trois fois. Le vice-Dieu nous a fait baiser son pied droit en se tenant les côtés de rire. Il nous a demandé si le père Fa tutto nous avait convertis, et si en effet nous étions chrétiens. Ma femme a répondu que le père Fa tutto était un insolent, et le pape s'est mis à rire encore plus fort. Il a donné deux baisers à ma femme et à moi aussi.

Ensuite il nous a fait asseoir à côté de son petit lit de baise-pieds. Il nous a demandé comment on faisait l'amour à Bénarès, à quel âge on mariait commumé-

ment les filles, si le grand Brama avait un sérail. Ma
femme rougissait ; je répondais avec une modestie
respectueuse. Ensuite il nous a congédiés, en nous
recommandant le christianisme, en nous embrassant,
et en nous donnant de petites claques sur les fesses en
signe de bonté. Nous avons rencontré en sortant les
pères Fa tutto et Fa molto, qui nous ont baisé le bas
de la robe. Le premier moment, qui commande toujours à l'âme, nous a fait d'abord reculer avec horreur, ma femme et moi. Mais le violet nous a dit :
« Vous n'êtes pas encore entièrement formés ; ne
manquez pas de faire mille caresses à ces bons pères :
c'est un devoir essentiel dans ce pays-ci d'embrasser
ses plus grands ennemis ; vous les ferez empoisonner,
si vous pouvez, à la première occasion ; mais, en
attendant, vous ne pouvez leur marquer trop d'amitié. » Je les embrassai donc, mais Charme des yeux
leur fit une révérence fort sèche, et Fa tutto la lorgnait
du coin de l'œil en s'inclinant jusqu'à terre devant elle.
Tout ceci est un enchantement. Nous passons nos
jours à nous étonner. En vérité je doute que Maduré
soit plus agréable que Roume.

DIX-NEUVIÈME LETTRE

D'AMABED

Point de justice du père Fa tutto. Hier notre jeune
Déra s'avisa d'aller le matin, par curiosité, dans un
petit temple. Le peuple était à genoux ; un brame du
pays, vêtu magnifiquement, se courbait sur une table ;
il tournait le derrière au peuple. On dit qu'il faisait
Dieu. Dès qu'il eut fait Dieu, il se montra par-devant.
Déra fit un cri, et dit : « Voilà le coquin qui m'a vio-
lée ! » Heureusement, dans l'excès de sa douleur et de
sa surprise, elle prononça ces paroles en indien. On
m'assure que si le peuple les avait comprises, la
canaille se serait jetée sur elle comme sur une sorcière. Fa tutto lui répondit en italien : « Ma fille, la

grâce de la vierge Marie soit avec vous! parlez plus bas. » Elle revint tout éperdue nous conter la chose. Nos amis nous ont conseillé de ne nous jamais plaindre. Ils nous ont dit que Fa tutto est un saint et qu'il ne faut jamais mal parler des saints. Que veux-tu! ce qui est fait est fait. Nous prenons en patience tous les agréments qu'on nous fait goûter dans ce pays-ci. Chaque jour nous apprend des choses dont nous ne nous doutions pas. On se forme beaucoup par les voyages.

Il est venu à la cour de Leone un grand poète; son nom est messer Ariosto : il n'aime pas les moines; voici comme il parle d'eux :

> *Non sa quel che sia amor, non sa che vaglia*
> *La caritade; e quindi avvien che i frati*
> *Sono si ingorda e si crudel canaglia.*

Cela veut dire en indien :

> *Modermen sebar eso*
> *La te ben sofa meso.*

Tu sens quelle supériorité la langue indienne, qui est si antique, conservera toujours sur tous les jargons nouveaux de l'Europe : nous exprimons en quatre mots ce qu'ils ont de la peine à faire entendre en dix. Je conçois bien que cet Arioste dise que les moines sont de la canaille; mais je ne sais pourquoi il prétend qu'ils ne connaissent point l'amour. Hélas! nous en savons des nouvelles. Peut-être entend-il qu'ils jouissent et qu'ils n'aiment point.

VINGTIÈME LETTRE

D'AMABED

Il y a quelques jours, mon cher grand brame, que je ne t'ai écrit. Les empressements dont on nous honore en sont la cause. Notre monsignor nous donna un excellent repas, avec deux jeunes gens vêtus de rouge de la tête aux pieds. Leur dignité est *cardinal*, comme qui dirait *gond de porte :* l'un est le cardinal Sacripante, et l'autre le cardinal Faquinetti. Ils sont les premiers de la terre après le vice-Dieu : aussi sont-ils intitulés *vicaires du vicaire.* Leur droit, qui est sans doute droit divin, est d'être égaux aux rois et supérieurs aux princes, et d'avoir surtout d'immenses richesses. Ils méritent bien tout cela, vu la grande utilité dont ils sont au monde.

Ces deux gentilshommes, en dînant avec nous, proposèrent de nous mener passer quelques jours à leurs maisons de campagne : car c'est à qui nous aura. Après s'être disputé la préférence le plus plaisamment du monde, Faquinetti s'est emparé de la belle Adaté, et j'ai été le partage de Sacripante, à condition qu'ils changeraient le lendemain, et que le troisième jour nous nous rassemblerions tous quatre. Déra était du voyage. Je ne sais comment te conter ce qui nous est arrivé ; je vais pourtant essayer de m'en tirer.

Ici finit le manuscrit des lettres d'Amabed. On a cherché dans toutes les bibliothèques de Maduré et de Bénarès la suite de ces lettres. Il est sûr qu'elle n'existe pas.

Ainsi, supposé que quelque malheureux faussaire imprime jamais le reste des aventures des deux jeunes Indiens, *nouvelles Lettres d'Amabed, nouvelles Lettres de Charme des yeux, réponses du grand brame Shastasid,* le lecteur peut être sûr qu'on le trompe et qu'on l'ennuie, comme il est arrivé cent fois en cas pareil.

LE TAUREAU BLANC,

TRADUIT DU SYRIAQUE PAR MR. MAMAKI,

INTERPRÈTE DU ROI D'ANGLETERRE POUR LES LANGUES ORIENTALES

CHAPITRE PREMIER

COMMENT LA PRINCESSE AMASIDE
RENCONTRE UN BŒUF

La jeune princesse Amaside, fille d'Amasis, roi de Tanis en Égypte, se promenait sur le chemin de Péluse avec les dames de sa suite. Elle était plongée dans une tristesse profonde; les larmes coulaient de ses beaux yeux. On sait quel était le sujet de sa douleur, et combien elle craignait de déplaire au roi son père par sa douleur même. Le vieillard Mambrès, ancien mage et eunuque des pharaons, était auprès d'elle, et ne la quittait presque jamais. Il la vit naître, il l'éleva, il lui enseigna tout ce qu'il est permis à une belle princesse de savoir des sciences de l'Égypte. L'esprit d'Amaside égalait sa beauté; elle était aussi sensible, aussi tendre que charmante, et c'était cette sensibilité qui lui coûtait tant de pleurs.

La princesse était âgée de vingt-quatre ans; le mage Mambrès en avait environ treize cents. C'était lui, comme on sait, qui avait eu avec le grand Moïse cette dispute fameuse dans laquelle la victoire fut longtemps balancée entre ces deux profonds philosophes. Si Mambrès succomba, ce ne fut que par la protection visible des puissances célestes, qui favorisèrent son rival : il fallut des dieux pour vaincre Mambrès.

Amasis le fit surintendant de la maison de sa fille, et il s'acquittait de cette charge avec sa sagesse ordinaire : la belle Amaside l'attendrissait par ses soupirs. « O mon amant ! mon jeune et cher amant ! s'écriait-elle quelquefois ; ô le plus grand des vainqueurs, le plus accompli, le plus beau des hommes ! quoi ! depuis près de sept ans tu as disparu de la terre ! Quel dieu t'a enlevé à ta tendre Amaside ? tu n'es point mort, les savants prophètes de l'Égypte en conviennent ; mais tu es mort pour moi, je suis seule sur la terre, elle est déserte. Par quel étrange prodige as-tu abandonné ton trône et ta maîtresse ? Ton trône ! il était le premier du monde, et c'est peu de chose ; mais moi, qui t'adore, ô mon cher Na... ! » Elle allait achever.

« Tremblez de prononcer ce nom fatal, lui dit le sage Mambrès, ancien eunuque et mage des pharaons. Vous seriez peut-être décelée par quelqu'une de vos dames du palais. Elles vous sont toutes dévouées, et toutes les belles dames se font sans doute un mérite de servir les nobles passions des belles princesses ; mais enfin il peut se trouver une indiscrète, et même à toute force une perfide. Vous savez que le roi votre père, qui d'ailleurs vous aime, a juré de vous faire couper le cou si vous prononciez ce nom terrible, toujours prêt à vous échapper. Pleurez, mais taisez-vous. Cette loi est bien dure, mais vous n'avez pas été élevée dans la sagesse égyptienne pour ne savoir pas commander à votre langue. Songez qu'Harpocrate, l'un de nos plus grands dieux, a toujours le doigt sur la bouche. » La belle Amaside pleura, et ne parla plus.

Comme elle avançait en silence vers les bords du Nil, elle aperçut de loin, sous un bocage baigné par le fleuve, une vieille femme couverte de lambeaux gris, assise sur un tertre. Elle avait auprès d'elle une ânesse, un chien, un bouc. Vis-à-vis d'elle était un serpent qui n'était pas comme les serpents ordinaires, car ses yeux étaient aussi tendres qu'animés ; sa physionomie était noble et intéressante ; sa peau brillait des couleurs les plus vives et les plus douces. Un énorme poisson, à moitié plongé dans le fleuve, n'était pas la moins étonnante personne de la compagnie. Il y avait sur une branche un corbeau et un pigeon. Toutes ces créatures semblaient avoir ensemble une conversation assez animée.

« Hélas ! dit la princesse tout bas, ces gens-là parlent sans doute de leurs amours, et il ne m'est pas permis de prononcer le nom de ce que j'aime ! »

La vieille tenait à la main une chaîne légère d'acier, longue de cent brasses, à laquelle était attaché un taureau qui paissait dans la prairie. Ce taureau était blanc, fait au tour, potelé, léger même, ce qui est bien rare. Ses cornes étaient d'ivoire. C'était ce qu'on vit jamais de plus beau dans son espèce. Celui de Pasiphaé, celui dont Jupiter prit la figure pour enlever Europe, n'approchaient pas de ce superbe animal. La charmante génisse en laquelle Isis fut changée aurait à peine été digne de lui.

Dès qu'il vit la princesse, il courut vers elle avec la rapidité d'un jeune cheval arabe qui franchit les vastes plaines et les fleuves de l'antique Saana, pour s'approcher de la brillante cavale qui règne dans son cœur, et qui fait dresser ses oreilles. La vieille faisait ses efforts pour le retenir ; le serpent semblait l'épouvanter par ses sifflements ; le chien le suivait et lui mordait ses belles jambes ; l'ânesse traversait son chemin et lui détachait des ruades pour le faire retourner. Le gros poisson remontait le Nil, et, s'élançant hors de l'eau, menaçait de le dévorer ; le bouc restait immobile et saisi de crainte ; le corbeau voltigeait autour de la tête du taureau, comme s'il eût voulu s'efforcer de lui crever les yeux. La colombe seule l'accompagnait par curiosité, et lui applaudissait par un doux murmure.

Un spectacle si extraordinaire rejeta Mambrès dans ses sérieuses pensées. Cependant le taureau blanc, tirant après lui sa chaîne et la vieille, était déjà parvenu auprès de la princesse, qui était saisie d'étonnement et de peur. Il se jette à ses pieds, il les baise, il verse des larmes, il la regarde avec des yeux où régnait un mélange inouï de douleur et de joie. Il n'osait mugir, de peur d'effaroucher la belle Amaside. Il ne pouvait parler. Un faible usage de la voix accordé par le ciel à quelques animaux lui était interdit ; mais toutes ses actions étaient éloquentes. Il plut beaucoup à la princesse. Elle sentit qu'un léger amusement pouvait suspendre pour quelques moments les chagrins les plus douloureux. « Voilà, disait-elle, un animal bien aimable ; je voudrais l'avoir dans mon écurie. »

A ces mots, le taureau plia les quatre genoux, et baisa la terre. « Il m'entend ! s'écria la princesse ; il me témoigne qu'il veut m'appartenir. Ah ! divin mage, divin eunuque, donnez-moi cette consolation, achetez ce beau chérubin[1] ; faites le prix avec la vieille, à laquelle il appartient sans doute. Je veux que cet animal soit à moi ; ne me refusez pas cette consolation innocente. » Toutes les dames du palais joignirent leurs instances aux prières de la princesse. Mambrès se laissa toucher, et alla parler à la vieille.

CHAPITRE SECOND

COMMENT LE SAGE MAMBRÈS,
CI-DEVANT SORCIER DE PHARAON, RECONNUT UNE VIEILLE,
ET COMMENT IL FUT RECONNU PAR ELLE

« Madame, lui dit-il, vous savez que les filles, et surtout les princesses, ont besoin de se divertir. La fille du roi est folle de votre taureau ; je vous prie de nous le vendre, vous serez payée argent comptant.

— Seigneur, lui répondit la vieille, ce précieux animal n'est point à moi. Je suis chargée, moi et toutes les bêtes que vous avez vues, de le garder avec soin, d'observer toutes ses démarches ; et d'en rendre compte. Dieu me préserve de vouloir jamais vendre cet animal impayable ! »

---

1. Chérub, en chaldéen et en syriaque, signifie un bœuf.

Mambrès, à ce discours, se sentit éclairé de quelques traits d'une lumière confuse qu'il ne démêlait pas encore. Il regarda la vieille au manteau gris avec plus d'attention : « Respectable dame, lui dit-il, ou je me trompe, ou je vous ai vue autrefois. — Je ne me trompe pas, répondit la vieille, je vous ai vu, seigneur, il y a sept cents ans, dans un voyage que je fis de Syrie en Égypte, quelques mois après la destruction de Troie, lorsque Hiram régnait à Tyr, et Néphel Kerès sur l'antique Égypte.

— Ah ! madame, s'écria le vieillard, vous êtes l'auguste pythonisse d'Endor. — Et vous, seigneur, lui dit la pythonisse en l'embrassant, vous êtes le grand Mambrès d'Égypte.

— O rencontre imprévue ! jour mémorable ! décrets éternels ! dit Mambrès. Ce n'est pas, sans doute, sans un ordre de la Providence universelle que nous nous retrouvons dans cette prairie sur les rivages du Nil, près de la superbe ville de Tanis. Quoi ! c'est vous, madame, qui êtes si fameuse sur les bords de votre petit Jourdain, et la première personne du monde pour faire venir des ombres. — Quoi ! c'est vous, Seigneur, qui êtes si fameux pour changer les baguettes en serpents, le jour en ténèbres, et les rivières en sang. — Oui, madame ; mais mon grand âge affaiblit une partie de mes lumières et de ma puissance. J'ignore d'où vous vient ce beau taureau blanc, et qui sont ces animaux qui veillent avec vous autour de lui. » La vieille se recueillit, leva les yeux au ciel, puis répondit en ces termes :

« Mon cher Mambrès, nous sommes de la même profession ; mais il m'est expressément défendu de vous dire quel est ce taureau. Je puis vous satisfaire sur les autres animaux. Vous les reconnaîtrez aisément aux marques qui les caractérisent. Le serpent est celui qui persuada Ève de manger une pomme, et d'en faire manger à son mari. L'ânesse est celle qui parla dans un chemin creux à Balaam, votre contemporain. Le poisson qui a toujours sa tête hors de l'eau, est celui qui avala Jonas il y a quelques années. Ce

chien est celui qui suivit l'ange Raphaël et le jeune
Tobie dans le voyage qu'ils firent à Ragès en Médie,
du temps du grand Salmanazar. Ce bouc est celui qui
expie tous les péchés d'une nation. Ce corbeau et ce
pigeon sont ceux qui étaient dans l'arche de Noé,
grand événement, catastrophe universelle, que
presque toute la terre ignore encore ! Vous voilà au
fait. Mais pour le taureau, vous n'en saurez rien. »

Mambrès écoutait avec respect. Puis il dit :
« L'Éternel révèle ce qu'il veut et à qui il veut, illustre
pythonisse. Toutes ces bêtes, qui sont commises avec
vous à la garde du taureau blanc, ne sont connues
que de votre généreuse et agréable nation, qui est elle-
même inconnue à presque tout le monde. Les merveilles que vous et les vôtres, et moi et les miens, nous
avons opérées, seront un jour un grand sujet de doute
et de scandale pour les faux sages. Heureusement
elles trouveront croyance chez les sages véritables qui
seront soumis aux voyants dans une petite partie du
monde, et c'est tout ce qu'il faut. »

Comme il prononçait ces paroles, la princesse le
tira par la manche, et lui dit : « Mambrès, est-ce que
vous ne m'achèterez pas mon taureau ? » Le mage,
plongé dans une rêverie profonde, ne répondit rien ;
et Amaside versa des larmes.

Elle s'adressa alors elle-même à la vieille, et lui dit :
« Ma bonne, je vous conjure par tout ce que vous avez
de plus cher au monde, par votre père, par votre
mère, par votre nourrice, qui sans doute vivent
encore, de me vendre non seulement votre taureau,
mais aussi votre pigeon, qui lui paraît fort affectionné. Pour vos autres bêtes, je n'en veux point ; mais
je suis fille à tomber malade de vapeurs si vous ne me
vendez ce charmant taureau blanc, qui fera toute la
douceur de ma vie. »

La vieille lui baisa respectueusement les franges de
sa robe de gaze, et lui dit : « Princesse, mon taureau
n'est point à vendre, votre illustre mage en est instruit. Tout ce que je pourrais faire pour votre service,
ce serait de le mener paître tous les jours près de

votre palais; vous pourriez le caresser, lui donner des biscuits, le faire danser à votre aise. Mais il faut qu'il soit continuellement sous les yeux de toutes les bêtes qui m'accompagnent, et qui sont chargées de sa garde. S'il ne veut point s'échapper, elles ne lui feront point de mal; mais s'il essaye encore de rompre sa chaîne, comme il a fait dès qu'il vous a vue, malheur à lui! je ne répondrais pas de sa vie. Ce gros poisson que vous voyez l'avalerait infailliblement, et le garderait plus de trois jours dans son ventre; ou bien ce serpent, qui vous a paru peut-être assez doux et assez aimable, lui pourrait faire une piqûre mortelle. »

Le taureau blanc, qui entendait à merveille tout ce que disait la vieille, mais qui ne pouvait parler, accepta toutes ses propositions d'un air soumis. Il se coucha à ses pieds, mugit doucement; et, regardant Amaside avec tendresse, il semblait lui dire : « Venez me voir quelquefois sur l'herbe. » Le serpent prit alors la parole, et dit : « Princesse, je vous conseille de faire aveuglément tout ce que mademoiselle d'Endor vient de vous dire. » L'ânesse dit aussi son mot, et fut de l'avis du serpent. Amaside était affligée que ce serpent et cette ânesse parlassent si bien, et qu'un beau taureau, qui avait les sentiments si nobles et si tendres, ne pût les exprimer. « Hélas! rien n'est plus commun à la cour, disait-elle tout bas; on y voit tous les jours de beaux seigneurs qui n'ont point de conversation, et des malotrus qui parlent avec assurance.

— Ce serpent n'est point un malotru, dit Mambrès; ne vous y trompez pas. C'est peut-être la personne de la plus grande considération. »

Le jour baissait, la princesse fut obligée de s'en retourner, après avoir bien promis de revenir le lendemain à la même heure. Ses dames du palais étaient émerveillées, et ne comprenaient rien à ce qu'elles avaient vu et entendu. Mambrès faisait ses réflexions. La princesse, songeant que le serpent avait appelé la vieille *mademoiselle*, conclut au hasard qu'elle était pucelle, et sentit quelque affliction de l'être encore : affliction respectable, qu'elle cachait avec autant de scrupule que le nom de son amant.

CHAPITRE TROISIÈME

COMMENT LA BELLE AMASIDE
EUT UN SECRET ENTRETIEN
AVEC UN BEAU SERPENT

La belle princesse recommanda le secret à ses dames sur ce qu'elles avaient vu. Elles le promirent toutes et en effet le gardèrent un jour entier. On peut croire qu'Amaside dormit peu cette nuit. Un charme inexplicable lui rappelait sans cesse l'idée de son beau taureau. Dès qu'elle put être en liberté avec son sage Mambrès, elle lui dit : « O sage ! cet animal me tourne la tête. — Il occupe beaucoup la mienne, dit Mambrès. Je vois clairement que ce chérubin est fort au-dessus de son espèce. Je vois qu'il y a là un grand mystère, mais je crains un événement funeste. Votre père Amasis est violent et soupçonneux ; toute cette affaire exige que vous vous conduisiez avec la plus grande prudence.

— Ah ! dit la princesse, j'ai trop de curiosité pour être prudente ; c'est la seule passion qui puisse se joindre dans mon cœur à celle qui me dévore pour l'amant que j'ai perdu. Quoi ! ne pourrai-je savoir ce que c'est que ce taureau blanc qui excite dans moi un trouble si inouï ?

— Madame, lui répondit Mambrès, je vous ai avoué déjà que ma science baisse à mesure que mon âge avance ; mais je me trompe fort, ou le serpent est instruit de ce que vous avez tant d'envie de savoir. Il a de l'esprit, il s'explique en bons termes, il est accoutumé depuis longtemps à se mêler des affaires des dames. — Ah ! sans doute, dit Amaside, c'est ce beau serpent de l'Égypte, qui, en se mettant la queue dans la bouche, est le symbole de l'éternité, qui éclaire le monde dès qu'il ouvre les yeux, et qui l'obscurcit dès qu'il les ferme. — Non, madame. — C'est donc le serpent d'Esculape ? — Encore moins. — C'est peut-être Jupiter sous la forme d'un serpent ? — Point du

tout. — Ah! je vois, c'est votre baguette, que vous
changeâtes autrefois en serpent? — Non, vous dis-je,
madame; mais tous ces serpents-là sont de la même
famille. Celui-là a beaucoup de réputation dans son
pays : il y passe pour le plus habile serpent qu'on ait
jamais vu. Adressez-vous à lui. Toutefois je vous
avertis que c'est une entreprise fort dangereuse. Si
j'étais à votre place, je laisserais là le taureau,
l'ânesse, le serpent, le poisson, le chien, le bouc, le
corbeau, et la colombe. Mais la passion vous
emporte; tout ce que je puis faire est d'en avoir pitié,
et de trembler. »

La princesse le conjura de lui procurer un tête-à-
tête avec le serpent. Mambrès, qui était bon, y
consentit; et, en réfléchissant toujours profondément, il alla trouver sa pythonisse. Il lui exposa la
fantaisie de sa princesse avec tant d'insinuation qu'il
la persuada.

La vieille lui dit donc qu'Amaside était la maîtresse; que le serpent savait très bien vivre, qu'il était
fort poli avec les dames; qu'il ne demandait pas
mieux que de les obliger, et qu'il se trouverait au rendez-vous.

Le vieux mage revint apporter à la princesse cette
bonne nouvelle; mais il craignait encore quelque
malheur, et faisait toujours ses réflexions. « Vous
voulez parler au serpent, madame; ce sera quand il
plaira à Votre Altesse. Souvenez-vous qu'il faut beaucoup le flatter, car tout animal est pétri d'amour-
propre, et surtout lui. On dit même qu'il fut chassé
autrefois d'un beau lieu pour son excès d'orgueil. —
Je ne l'ai jamais ouï dire, repartit la princesse. — Je
le crois bien », reprit le vieillard. Alors il lui apprit
tous les bruits qui avaient couru sur ce serpent si
fameux. « Mais, madame, quelque aventure singulière qui lui soit arrivée, vous ne pouvez arracher son
secret qu'en le flattant. Il passe dans un pays voisin
pour avoir joué autrefois un tour pendable aux
femmes; il est juste qu'à son tour une femme le
séduise. — J'y ferai mon possible », dit la princesse.

Elle partit donc avec ses dames du palais et le bon mage eunuque. La vieille alors faisait paître le taureau blanc assez loin. Mambrès laissa Amaside en liberté, et alla entretenir sa pythonisse. La dame d'honneur causa avec l'ânesse ; les dames de compagnie s'amusèrent avec le bouc, le chien, le corbeau, et la colombe ; pour le gros poisson, qui faisait peur à tout le monde, il se replongea dans le Nil par ordre de la vieille.

Le serpent alla aussitôt au-devant de la belle Amaside dans le bocage, et ils eurent ensemble cette conversation :

LE SERPENT

Vous ne sauriez croire combien je suis flatté, madame, de l'honneur que Votre Altesse daigne me faire.

LA PRINCESSE

Monsieur, votre grande réputation, la finesse de votre physionomie et le brillant de vos yeux, m'ont aisément déterminée à rechercher ce tête-a-tête. Je sais, par la voix publique (si elle n'est point trompeuse), que vous avez été un grand seigneur dans le ciel empyrée.

LE SERPENT

Il est vrai, madame, que j'y avais une place assez distinguée. On prétend que je suis un favori disgracié : c'est un bruit qui a couru d'abord dans l'Inde [1]. Les bracmanes sont les premiers qui ont donné une longue histoire de mes aventures. Je ne doute pas que des poètes du Nord n'en fassent un jour un poème épique bien bizarre, car, en vérité, c'est tout ce qu'on

---

1. Les bracmanes furent en effet les premiers qui imaginèrent une révolte dans le ciel, et cette fable servit longtemps après de canevas à l'histoire de la guerre les géants contre les dieux, et à quelques autres histoires.

en peut faire. Mais je ne suis pas tellement déchu que je n'aie encore dans ce globe-ci un domaine très considérable. J'oserais presque dire que toute la terre m'appartient.

LA PRINCESSE

Je le crois, monsieur, car on dit que vous avez le talent de persuader tout ce que vous voulez, et c'est régner que de plaire.

LE SERPENT

J'éprouve, madame, en vous voyant et en vous écoutant, que vous avez sur moi cet empire qu'on m'attribue sur tant d'autres âmes.

LA PRINCESSE

Vous êtes, je le crois, un aimable vainqueur. On prétend que vous avez subjugué bien des dames, et que vous commençâtes par notre mère commune, dont j'ai oublié le nom.

LE SERPENT

On me fait tort : je lui donnai le meilleur conseil du monde. Elle m'honorait de sa confiance. Mon avis fut qu'elle et son mari devaient se gorger du fruit de l'arbre de la science. Je crus plaire en cela au maître des choses. Un arbre si nécessaire au genre humain ne me paraissait pas planté pour être inutile. Le maître aurait-il voulu être servi par des ignorants et des idiots ? L'esprit n'est-il pas fait pour s'éclairer, pour se perfectionner ? Ne faut-il pas connaître le bien et le mal pour faire l'un et pour éviter l'autre ? Certainement on me devait des remerciements.

LA PRINCESSE

Cependant on dit qu'il vous en arriva mal. C'est apparemment depuis ce temps-là que tant de ministres ont été punis d'avoir donné de bons conseils, et que tant de vrais savants et de grands génies ont été persécutés pour avoir écrit des choses utiles au genre humain.

LE SERPENT

Ce sont apparemment mes ennemis, madame, qui vous ont fait ces contes. Ils vont criant que je suis mal en cour. Une preuve que j'y ai un très grand crédit, c'est qu'eux-mêmes avouent que j'entrai dans le conseil quand il fut question d'éprouver le bon-homme Job, et que j'y fus encore appelé quand on y prit la résolution de tromper un certain roitelet nommé Achab[1] : ce fut moi seul qu'on chargea de cette noble commission.

LA PRINCESSE

Ah! monsieur, je ne crois pas que vous soyez fait pour tromper. Mais, puisque vous êtes toujours dans le ministère, puis-je vous demander une grâce? J'espère qu'un seigneur si aimable ne me refusera pas.

LE SERPENT

Madame, vos prières sont des lois. Qu'ordonnez-vous?

LA PRINCESSE

Je vous conjure de me dire ce que c'est que ce beau taureau blanc pour qui j'éprouve dans moi des senti-ments incompréhensibles, qui m'attendrissent, et qui m'épouvantent. On m'a dit que vous daigneriez m'en instruire.

LE SERPENT

Madame, la curiosité est nécessaire à la nature humaine, et surtout à votre aimable sexe : sans elle on croupirait dans la plus honteuse ignorance. J'ai tou-

---

1. Troisième livre des *Rois,* chap. XXII, V, 21 et 22. « Le Sei-gneur dit : Qui trompera Achab, roi d'Israel, afin qu'il marche en Ramoth de Galaad, et qu'il y tombe? Et un esprit s'avança et se présenta devant le Seigneur, et lui dit : « C'est moi qui le trompe-rai. Et le Seigneur lui dit : Comment? Oui, tu te tromperas; et tu prévaudras. Va, et fais ainsi. »

jours satisfait, autant que je l'ai pu, la curiosité des dames. On m'accuse de n'avoir eu cette complaisance que pour faire dépit au maître des choses. Je vous jure que mon seul but serait de vous obliger; mais la vieille a dû vous avertir qu'il y a quelque danger pour vous dans la révélation de ce secret.

LA PRINCESSE

Ah! c'est ce qui me rend encore plus curieuse.

LE SERPENT

Je reconnais là toutes les belles dames à qui j'ai rendu service.

LA PRINCESSE

Si vous êtes sensible, si tous les êtres se doivent des secours mutuels, si vous avez pitié d'une infortunée, ne me refusez pas.

LE SERPENT

Vous me fendez le cœur; il faut vous satisfaire; mais ne m'interrompez pas.

LA PRINCESSE

Je vous le promets

LE SERPENT

Il y avait un jeune roi, beau, fait à peindre, amoureux, aimé...

LA PRINCESSE

Un jeune roi! beau, fait à peindre, amoureux, aimé! et de qui? et quel était ce roi? quel âge avait-il? qu'est-il devenu? où est-il? où est son royaume? quel est son nom?

LE SERPENT

Ne voilà-t-il pas que vous m'interrompez, quand j'ai commencé à peine. Prenez garde : si vous n'avez pas plus de pouvoir sur vous-même, vous êtes perdue.

LA PRINCESSE

Ah ! pardon, monsieur, cette indiscrétion ne m'arrivera plus ; continuez, de grâce.

LE SERPENT

Ce grand roi, le plus aimable et le plus valeureux des hommes, victorieux partout où il avait porté ses armes, rêvait souvent en dormant ; et, quand il oubliait ses rêves, il voulait que ses mages s'en ressouvinssent, et qu'ils lui apprissent ce qu'il avait rêvé, sans quoi il les faisait tous pendre, car rien n'est plus juste. Or il y a bientôt sept ans qu'il songea un beau songe dont il perdit la mémoire en se réveillant ; et un jeune Juif, plein d'expérience, lui ayant expliqué son rêve, cet aimable roi fut soudain changé en bœuf[1] ; car...

LA PRINCESSE

Ah ! c'est mon cher Nabu...

Elle ne put achever ; elle tomba évanouie. Mambrès, qui écoutait de loin, la vit tomber, et la crut morte.

CHAPITRE QUATRIÈME

COMMENT ON VOULUT SACRIFIER LE BŒUF ET EXORCISER LA PRINCESSE

Mambrès court à elle en pleurant. Le serpent est attendri : il ne peut pleurer, mais il siffle d'un ton lugubre ; il crie : « Elle est morte ! » L'ânesse répète : « Elle est morte ! » Le corbeau le redit ; tous les autres animaux paraissent saisis de douleur, excepté

---

1. Toute l'antiquité employait indifféremment les termes de *bœuf* et de *taureau*.

le poisson de Jonas, qui a toujours été impitoyable.
La dame d'honneur, les dames du palais, arrivent et
s'arrachent les cheveux. Le taureau blanc, qui paissait au loin, et qui entend leurs clameurs, court au
bosquet, et entraîne la vieille avec lui en poussant
des mugissements dont les échos retentissent. En
vain toutes les dames versaient sur Amaside expi-
rante leurs flacons d'eau de rose, d'œillet, de myrte,
de benjoin, de baume de la Mecque, de cannelle,
d'amomon, de gérofle, de muscade, d'ambre gris.
Elle n'avait donné aucun signe de vie; mais, dès
qu'elle sentit le beau taureau blanc à ses côtés, elle
revint à elle plus fraîche, plus belle, plus animée que
jamais. Elle donna cent baisers à cet animal charmant, qui penchait languissamment sa tête sur son
sein d'albâtre. Elle l'appelle : « Mon maître, mon roi,
mon cœur, ma vie. » Elle passe ses bras d'ivoire
autour de ce cou plus blanc que la neige. La paille
légère s'attache moins fortement à l'ambre, la vigne à
l'ormeau, le lierre au chêne. On entendait le doux
murmure de ses soupirs; on voyait ses yeux, tantôt
étincelants d'une tendre flamme, tantôt offusqués
par ces larmes précieuses que l'amour fait répandre.

On peut juger dans quelle surprise la dame d'honneur d'Amaside et les dames de compagnie étaient
plongées. Dès qu'elles furent rentrées au palais, elles
racontèrent toutes à leurs amants cette aventure
étrange, et chacune avec des circonstances différentes, qui en augmentaient la singularité, et qui
contribuent toujours à la variété de toutes les histoires.

Dès qu'Amasis, roi de Tanis, en fut informé, son
cœur royal fut saisi d'une juste colère. Tel fut le courroux de Minos quand il sut que sa fille Pasiphaé pro-
diguait ses tendres faveurs au père du minotaure.
Ainsi frémit Junon lorsqu'elle vit Jupiter son époux
caresser la belle vache Io, fille du fleuve Inachus.
Amasis fit enfermer la belle Amaside dans sa
chambre, et mit une garde d'eunuques noirs à sa
porte; puis il assembla son conseil secret.

Le grand mage Mambrès y présidait, mais il n'avait plus le même crédit qu'autrefois. Tous les ministres d'État conclurent que le taureau blanc était un sorcier. C'était tout le contraire : il était ensorcelé ; mais on se trompe toujours à la cour dans ces affaires délicates.

On conclut à la pluralité des voix qu'il fallait exorciser la princesse, et sacrifier le taureau blanc et la vieille.

Le sage Mambrès ne voulut point choquer l'opinion du roi et du conseil. C'était à lui qu'appartenait le droit de faire les exorcismes ; il pouvait les différer sous un prétexte très plausible. Le dieu Apis venait de mourir à Memphis. Un dieu bœuf meurt comme un autre. Il n'était permis d'exorciser personne en Égypte jusqu'à ce qu'on eût trouvé un autre bœuf qui pût remplacer le défunt.

Il fut donc arrêté dans le conseil qu'on attendrait la nomination qu'on devait faire du nouveau dieu à Memphis.

Le bon vieillard Mambrès sentait à quel péril sa chère princesse était exposée : il voyait quel était son amant. Les syllabes *Nabu*, qui lui étaient échappées, avaient décelé tout le mystère aux yeux de ce sage.

La dynastie[1] de Memphis appartenait alors aux Babyloniens : ils conservaient ce reste de leurs conquêtes passées, qu'ils avaient faites sous le plus grand roi du monde, dont Amasis était l'ennemi mortel. Mambrès avait besoin de toute sa sagesse pour se bien conduire parmi tant de difficultés. Si le roi Amasis découvrait l'amant de sa fille, elle était morte : il l'avait juré. Le grand, le jeune, le beau roi dont elle était éprise, avait détrôné son père, qui n'avait repris son royaume de Tanis que depuis près de sept ans qu'on ne savait ce qu'était devenu l'ado-

---

1. Dynastie signifie proprement puissance. Ainsi on peut se servir de ce mot, malgré les cavillations de Larcher. Dynastie vient du phénicien *dunast* et Larcher est un ignorant qui ne sait ni le phénicien, ni le syriaque, ni le cophte.

rable monarque, le vainqueur et l'idole des nations, le tendre et généreux amant de la charmante Amaside. Mais aussi, en sacrifiant le taureau, on faisait mourir infailliblement la belle Amaside de douleur.

Que pouvait faire Mambrès dans des circonstances si épineuses? Il va trouver sa chère nourrissonne au sortir du conseil, et lui dit : « Ma belle enfant, je vous servirai; mais je vous le répète, on vous coupera le cou si vous prononcez jamais le nom de votre amant.

— Ah! que m'importe mon cou, dit la belle Amaside, si je ne puis embrasser celui de Nabucho!... Mon père est un bien méchant homme! Non seulement il refusa de me donner au beau prince que j'idolâtre, mais il lui déclara la guerre; et, quand il a été vaincu par mon amant, il a trouvé le secret de le changer en bœuf. A-t-on jamais vu une malice plus effroyable? Si mon père n'était pas mon père, je ne sais ce que je lui ferais.

— Ce n'est pas votre père qui lui a joué ce cruel tour, dit le sage Mambrès, c'est un Palestin, un de nos anciens ennemis, un habitant d'un petit pays compris dans la foule des États que votre auguste amant a domptés pour les policer. Ces métamorphoses ne doivent point vous surprendre; vous savez que j'en faisais autrefois de plus belles : rien n'était plus commun alors que ces changements qui étonnent aujourd'hui les sages. L'histoire véritable que nous avons lue ensemble nous a enseigné que Lycaon, roi d'Arcadie, fut changé en loup. La belle Callisto, sa fille, fut changée en ourse; Io, fille d'Inachus, notre vénérable Isis, en vache; Daphné, en laurier; Syrinx, en flûte. La belle Édith, femme de Loth, le meilleur, le plus tendre père qu'on ait jamais vu, n'est-elle pas devenue dans notre voisinage une grande statue de sel très belle et très piquante, qui a conservé toutes les marques de son sexe, et qui a régulièrement ses ordinaires[1] chaque mois, comme

1. Tertullien, dans son poème de *Sodome*, dit :
   Dicitur et vivens alio sub corpore sexus
   Munificos solito dispungere sanguine menses.

l'attestent les grands hommes qui l'ont vue ? J'ai été
témoin de ce changement dans ma jeunesse. J'ai vu
cinq puissantes villes, dans le séjour du monde le
plus sec et le plus aride, transformées tout à coup en
un beau lac. On ne marchait dans mon jeune temps
que sur des métamorphoses.

« Enfin madame, si les exemples peuvent adoucir
votre peine, souvenez-vous que Vénus a changé les
Cérastes en bœufs. — Je le sais, dit la malheureuse
princesse, mais les exemples consolent-ils ? Si mon
amant était mort, me consolerais-je par l'idée que
tous les hommes meurent ? — Votre peine peut finir,
dit le sage ; et puisque votre tendre amant est devenu
bœuf, vous voyez bien que de bœuf il peut devenir
homme. Pour moi, il faudrait que je fusse changé en
tigre ou en crocodile, si je n'employais pas le peu de
pouvoir qui me reste pour le service d'une princesse
digne des adorations de la terre, pour la belle Amaside, que j'ai élevée sur mes genoux, et que sa fatale
destinée met a des épreuves si cruelles. »

CHAPITRE CINQUIÈME

COMMENT LE SAGE MAMBRÈS SE CONDUISIT SAGEMENT

Le divin Mambrès ayant dit à la princesse tout ce
qu'il fallait pour la consoler, et ne l'ayant point
consolée courut aussitôt à la vieille. « Ma camarade,
lui dit-il, notre métier est beau, mais il est bien dangereux ; vous courez risque d'être pendue, et votre
bœuf d'être brûlé, ou noyé, ou mangé. Je ne sais pas
ce qu'on fera de vos autres bêtes, car, tout prophète
que je suis, je sais bien peu de choses ; mais cachez
soigneusement le serpent et le poisson ; que l'un ne
mette pas la tête hors de l'eau, et que l'autre ne sorte
pas de son trou. Je placerai le bœuf dans une de mes

Saint Irénée, liv. IV, dit : *Per naturalia es quæ sunt consuetudi-
nis feminæ ostendens.*

écuries à la campagne ; vous y serez avec lui, puisque
vous dites qu'il ne vous est pas permis de l'abandonner. Le bouc émissaire pourra dans l'occasion servir
d'expiatoire ; nous l'enverrons dans le désert chargé
des péchés de la troupe ; il est accoutumé à cette
cérémonie, qui ne lui fait aucun mal ; et l'on sait que
tout s'expie avec un bouc qui se promène. Je vous
prie seulement de me prêter tout à l'heure le chien de
Tobie, qui est un lévrier fort agile, l'ânesse de
Balaam, qui court mieux qu'un dromadaire, le corbeau et le pigeon de l'arche, qui volent très rapidement. Je veux les envoyer en ambassade à Memphis
pour une affaire de la dernière conséquence. »

La vieille repartit au mage : « Seigneur, vous pouvez disposer à votre gré du chien de Tobie, de
l'ânesse de Balaam, du corbeau et du pigeon de
l'arche, et du bouc émissaire ; mais mon bœuf ne
peut coucher dans une écurie. Il est dit qu'il doit être
attaché à une chaîne d'acier, « être toujours mouillé
de la rosée, et brouter l'herbe sur la terre[1], et que sa
portion sera avec les bêtes sauvages ». Il m'est confié,
je dois obéir. Que penseraient de moi Daniel, Ezéchiel et Jérémie, si je confiais mon bœuf à d'autres
qu'à moi-même ? Je vois que vous savez le secret de
cet étrange animal. Je n'ai pas à me reprocher de
vous l'avoir révélé. Je vais le conduire loin de cette
terre impure, vers le lac Sirbon, loin des cruautés du
roi de Tanis. Mon poisson et mon serpent me défen-
dront : je ne crains personne quand je sers mon
maître. »

Le sage Mambrès repartit ainsi : « Ma bonne, la
volonté de Dieu soit faite ! Pourvu que je retrouve
notre taureau blanc, il ne m'importe ni du lac de Sirbon, ni du lac de Mœris, ni du lac de Sodome ; je ne
veux que lui faire du bien, et à vous aussi. Mais pourquoi m'avez-vous parlé de Daniel, d'Ézéchiel et de
Jérémie ?

— Ah ! seigneur, reprit la vieille, vous savez aussi

1. Daniel, chap. v.

bien que moi l'intérêt qu'ils ont eu dans cette grande
affaire. Mais je n'ai pas de temps à perdre ; je ne veux
point être pendue ; je ne veux point que mon taureau
soit brûlé, ou noyé, ou mangé. Je m'en vais auprès
du lac de Sirbon par Canope, avec mon serpent et
mon poisson. Adieu ! »

Le taureau la suivit tout pensif, après avoir témoigné au bienfaisant Mambrès la reconnaissance qu'il
lui devait.

Le sage Mambrès était dans une cruelle inquiétude. Il voyait bien qu'Amasis, roi de Tanis, désespéré de la folle passion de sa fille pour cet animal, et
la croyant ensorcelée, ferait poursuivre partout le
malheureux taureau, et qu'il serait infailliblement
brûlé, en qualité de sorcier, dans la place publique
de Tanis, ou livré au poisson de Jonas, ou rôti, ou
servi sur table. Il voulait, à quelque prix que ce fût,
épargner ce désagrément à la princesse.

Il écrivit une lettre au grand prêtre de Memphis,
son ami, en caractères sacrés, sur du papier d'Égypte
qui n'était pas encore en usage. Voici les propres
mots de sa lettre :

« Lumière du monde, lieutenant d'Isis, d'Osiris, et
d'Horus, chef des circoncis, vous dont l'autel est
élevé, comme de raison, au-dessus de tous les trônes ;
j'apprends que votre dieu le bœuf Apis est mort. J'en
ai un autre à votre service. Venez vite avec vos
prêtres le reconnaître, l'adorer, et le conduire dans
l'écurie de votre temple. Qu'Isis, Osiris et Horus vous
aient en leur sainte et digne garde ; et vous, messieurs les prêtres de Memphis, en leur sainte garde !

Votre affectionné ami,
« MAMBRÈS. »

Il fit quatre duplicata de cette lettre, de crainte
d'accident, et les enferma dans des étuis de bois
d'ébène le plus dur. Puis appelant à lui quatre courriers qu'il destinait à ce message (c'étaient l'ânesse, le
chien, le corbeau et le pigeon), il dit à l'ânesse : « Je

sais avec quelle fidélité vous avez servi Balaam, mon confrère ; servez-moi de même. Il n'y a point d'onocrotale qui vous égale à la course ; allez, ma chère amie, rendez ma lettre en main propre, et revenez. » L'ânesse lui répondit : « Comme j'ai servi Balaam, je servirai monseigneur ; j'irai et je reviendrai. » Le sage lui mit le bâton d'ébène dans la bouche, et elle partit comme un trait.

Puis il fit venir le chien de Tobie, et lui dit : « Chien fidèle, et plus prompt à la course qu'Achille aux pieds légers, je sais ce que vous avez fait pour Tobie, fils de Tobie, lorsque vous et l'ange Raphaël vous l'accompagnâtes de Ninive à Ragès en Médie et de Ragès à Ninive, et qu'il rapporta à son père dix talents[1] que l'esclave Tobie père avait prêtés à l'esclave Gabelus ; car ces esclaves étaient fort riches. Portez à son adresse cette lettre, qui est plus précieuse que dix talents d'argent. » Le chien lui répondit « Seigneur, si j'ai suivi autrefois le messager Raphaël, je puis tout aussi bien faire votre commission. » Mambrès lui mit la lettre dans la gueule. Il en dit autant à la colombe. Elle lui répondit : « Seigneur, si j'ai rapporté un rameau dans l'arche, je vous apporterai de même votre réponse. » Elle prit la lettre dans son bec. On les perdit tous trois de vue en un instant.

Puis il dit au corbeau : « Je sais que vous avez nourri le grand prophète Élie[2], lorsqu'il était caché auprès du torrent Carith, si fameux dans toute la terre. Vous lui apportiez tous les jours de bon pain et des poulardes grasses ; je ne vous demande que de porter cette lettre à Memphis. »

Le corbeau répondit en ces mots : « Il est vrai, seigneur, que je portais tous les jours à dîner au grand prophète Élie le Thesbite, que j'ai vu monter dans l'atmosphère sur un char de feu traîné par quatre chevaux de feu, quoique ce ne soit pas la coutume ;

1. Vingt mille écus argent de France, au cours de ce jour.
2. Troisième livre des *Rois*, chap. XVII.

mais je prenais toujours la moitié du dîner pour moi.
Je veux bien porter votre lettre, pourvu que vous
m'assuriez de deux bons repas chaque jour, et que je
sois payé d'avance en argent comptant pour ma
commission. »

Mambrès, en colère, dit à cet animal « Gourmand
et malin, je ne suis pas étonné qu'Apollon, de blanc
que tu étais comme un cygne, t'ait rendu noir
comme une taupe, lorsque dans les plaines de Thes-
salie tu trahis la belle Coronis, malheureuse mère
d'Esculape. Eh! dis-moi donc, mangeais-tu tous les
jours des aloyaux et des poulardes quand tu fus dix
mois dans l'arche ? — Monsieur, nous y faisions très
bonne chère, repartit le corbeau. On servait du rôti
deux fois par jour à toutes les volatiles de mon
espèce, qui ne vivent que de chair, comme à vau-
tours, milans, aigles, buses, éperviers, ducs, émou-
chets, faucons, hiboux, et à la foule innombrable des
oiseaux de proie. On garnissait avec une profusion
bien plus grande les tables des lions, des léopards,
des tigres, des panthères, des onces, des hyènes, des
loups, des ours, des renards, des fouines et de tous
les quadrupèdes carnivores. Il y avait dans l'arche
huit personnes de marque, et les seules qui fussent
alors au monde, continuellement occupées du soin
de notre table, et de notre garde-robe; savoir : Noé et
sa femme, qui n'avaient guère plus de six cents ans,
leurs trois fils et leurs trois épouses. C'était un plaisir
de voir avec quel soin, quelle propreté nos huit
domestiques servaient plus de quatre mille convives
du plus grand appétit, sans compter les peines prodigieuses qu'exigeaient dix à douze mille autres personnes, depuis l'éléphant et la girafe jusqu'aux vers à
soie et aux mouches. Tout ce qui m'étonne, c'est que
notre pourvoyeur Noé soit inconnu à toutes les
nations, dont il est la tige; mais je ne m'en soucie
guère. Je m'étais déjà trouvé à une pareille fête [1] chez

1. Bérose, auteur chaldéen, rapporte en effet que la même
aventure advint au roi de Thrace Xissutre : elle était même encore
plus merveilleuse, car son arche avait cinq stades de long sur deux

le roi de Thrace Xissutre. Ces choses-là arrivent de temps en temps pour l'instruction des corbeaux. En un mot, je veux faire bonne chère, et être très bien payé en argent comptant.

Le sage Mambrès se garda bien de donner sa lettre à une bête si difficile et si bavarde. Ils se séparèrent fort mécontents l'un de l'autre.

Il fallait cependant savoir ce que deviendrait le beau taureau, et ne pas perdre la piste de la vieille et du serpent. Mambrès ordonna à des domestiques intelligents et affidés de les suivre ; et, pour lui, il s'avança en litière sur le bord du Nil, toujours faisant des réflexions.

« Comment se peut-il, disait-il en lui-même, que ce serpent soit le maître de presque toute la terre, comme il s'en vante, et comme tant de doctes l'avouent, et que cependant il obéisse à une vieille ? Comment est-il quelquefois appelé au conseil de là-haut, tandis qu'il rampe sur la terre ? Pourquoi entre-t-il tous les jours dans le corps des gens par sa seule vertu, et que tant de sages prétendent l'en déloger avec des paroles ? Enfin comment passe-t-il chez un petit peuple du voisinage pour avoir perdu le genre humain, et comment le genre humain n'en sait-il rien ? Je suis bien vieux, j'ai étudié toute ma vie : mais je vois là une foule d'incompatibilités que je ne puis concilier. Je ne saurais expliquer ce qui m'est arrivé à moi-même, ni les grandes choses que j'ai faites autrefois, ni celles dont j'ai été témoin. Tout bien pesé, je commence à soupçonner que ce monde-ci subsiste de contradictions : *Rerum concordia discors*, comme disait autrefois mon maître Zoroastre en sa langue. »

Tandis qu'il était plongé dans cette métaphysique obscure, comme l'est toute métaphysique, un batelier, en chantant une chanson à boire, amarra un petit bateau près de la rive. On en vit sortir trois

---

de large. Il s'est élevé une grande dispute entre les savants pour démêler lequel est le plus ancien, du roi Xissutre ou de Noé.

graves personnages à demi vêtus de lambeaux crasseux et déchirés, mais conservant sous ces livrées de la pauvreté l'air le plus majestueux et le plus auguste. C'étaient Daniel, Ézéchiel, et Jérémie.

CHAPITRE SIXIÈME

COMMENT MAMBRÈS RENCONTRA TROIS PROPHÈTES, ET LEUR DONNA UN BON DÎNER

Ces trois grands hommes, qui avaient la lumière prophétique sur le visage, reconnurent le sage Mambrès pour un de leurs confrères, à quelques traits de cette même lumière qui lui restaient encore, et se prosternèrent devant son palanquin. Mambrès les reconnut aussi pour prophètes encore plus à leurs habits qu'aux traits de feu qui partaient de leurs têtes augustes. Il se douta bien qu'ils venaient savoir des nouvelles du taureau blanc; et, usant de sa prudence ordinaire, il descendit de sa voiture, et avança quelques pas au-devant d'eux avec une politesse mêlée de dignité. Il les releva, fit dresser des tentes et apprêter un dîner dont il jugea que les trois prophètes avaient grand besoin.

Il fit inviter la vieille, qui n'était encore qu'à cinq cents pas. Elle se rendit à l'invitation, et arriva menant toujours le taureau blanc en laisse.

On servit deux potages, l'un de bisque, l'autre à la reine; les entrées furent une tourte de langues de carpes, des foies de lottes et de brochets, des poulets aux pistaches, des innocents aux truffes et aux olives, deux dindonneaux au coulis d'écrevisses, de mousserons et de morilles, et un chipolata. Le rôti fut composé de faisandeaux, de perdreaux, de gelinottes, de cailles et d'ortolans, avec quatre salades. Au milieu était un surtout dans le dernier goût. Rien ne fut plus délicat que l'entremets; rien de plus magnifique, de plus brillant et de plus ingénieux que le dessert.

Au reste, le discret Mambrès avait eu grand soin que dans ce repas il n'y eût ni pièce de bouilli, ni aloyau, ni langue, ni palais de bœuf, ni tétines de vache, de peur que l'infortuné monarque, assistant de loin au dîner, ne crût qu'on lui insultât.

Ce grand et malheureux prince broutait l'herbe auprès de la tente. Jamais il ne sentit plus cruellement la fatale révolution qui l'avait privé du trône pour sept années entières. « Hélas ! disait-il en lui-même, ce Daniel, qui m'a changé en taureau, et cette sorcière de pythonisse qui me garde, font la meilleure chère du monde ; et moi, le souverain de l'Asie, je suis réduit à manger du foin et à boire de l'eau. »

On but beaucoup de vin d'Engaddi, de Tadmor et de Chiraz. Quand les prophètes et la pythonisse furent un peu en pointe de vin, on se parla avec plus de confiance qu'aux premiers services. « J'avoue, dit Daniel, que je ne faisais pas si bonne chère quand j'étais dans la fosse aux lions. — Quoi ! monsieur, on vous a mis dans la fosse aux lions ? dit Mambrès ; et comment n'avez-vous pas été mangé ? — Monsieur, dit Daniel, vous savez que les lions ne mangent jamais de prophètes. — Pour moi, dit Jérémie, j'ai passé toute ma vie à mourir de faim ; je n'ai jamais fait un bon repas qu'aujourd'hui. Si j'avais à renaître, et si je pouvais choisir mon état, j'avoue que j'aimerais cent fois mieux être contrôleur général, ou évêque à Babylone, que prophète à Jérusalem. »

Ézéchiel dit « Il me fut ordonné une fois de dormir trois cent quatre-vingt-dix jours de suite sur le côté gauche, et de manger pendant tout ce temps-là du pain d'orge, de millet, de vesces, de fèves et de froment, couvert de [1]... je n'ose pas dire. Tout ce que je pus obtenir, ce fut de ne le couvrir que de bouse de vache. J'avoue que la cuisine du seigneur Mambrès est plus délicate. Cependant le métier de prophète a du bon ; et la preuve en est que mille gens s'en mêlent.

1. Ézéchiel, chap. IV.

— A propos, dit Mambrès, expliquez-moi ce que vous entendez par votre Oolla et par votre Ooliba, qui faisaient tant de cas des chevaux et des ânes. — Ah ! répondit Ézéchiel, ce sont des fleurs de rhétorique. »

Après ces ouvertures de cœur, Mambrès parla d'affaires. Il demanda aux trois pèlerins pourquoi ils étaient venus dans les États du roi de Tanis. Daniel prit la parole : il dit que le royaume de Babylone avait été en combustion depuis que Nabuchodonosor avait disparu ; qu'on avait persécuté tous les prophètes, selon l'usage de la cour ; qu'ils passaient leur vie tantôt à voir des rois à leurs pieds, tantôt à recevoir cent coups d'étrivières ; qu'enfin ils avaient été obligés de se réfugier en Égypte, de peur d'être lapidés. Ézéchiel et Jérémie parlèrent aussi très longtemps dans un fort beau style, qu'on pouvait à peine comprendre. Pour la pythonisse, elle avait toujours l'œil sur son animal. Le poisson de Jonas se tenait dans le Nil, vis-à-vis de la tente, et le serpent se jouait sur l'herbe.

Après le café, on alla se promener sur le bord du Nil. Alors le taureau blanc, apercevant les trois prophètes ses ennemis, poussa des mugissements épouvantables ; il se jeta impétueusement sur eux, il les frappa de ses cornes, et, comme les prophètes n'ont jamais que la peau sur les os, il les aurait percés d'outre en outre, et leur aurait ôté la vie ; mais le maître des choses, qui voit tout et qui remédie à tout, les changea sur-le-champ en pies ; et ils continuèrent à parler comme auparavant. La même chose arriva depuis aux Piérides, tant la fable a imité l'histoire.

Ce nouvel incident produisait de nouvelles réflexions dans l'esprit du sage Mambrès. « Voilà, disait-il, trois grands prophètes changés en pies : cela doit nous apprendre à ne pas trop parler, et à garder toujours une discrétion convenable. » Il concluait que sagesse vaut mieux qu'éloquence, et pensait profondément selon sa coutume, lorsqu'un grand et terrible spectacle vint frapper ses regards.

CHAPITRE SEPTIÈME

LE ROI TANIS ARRIVE. SA FILLE ET LE TAUREAU
VONT ÊTRE SACRIFIÉS

Des tourbillons de poussière s'élevaient du midi au nord. On entendait le bruit des tambours, des trompettes, des fifres, des psaltérions, des cythares, des sambuques ; plusieurs escadrons avec plusieurs bataillons s'avançaient, et Amasis, roi de Tanis, était à leur tête sur un cheval caparaçonné d'une housse écarlate brochée d'or ; et les hérauts criaient : « Qu'on prenne le taureau blanc, qu'on le lie, qu'on le jette dans le Nil, et qu'on le donne à manger au poisson de Jonas ; car le roi mon seigneur, qui est juste, veut se venger du taureau blanc, qui a ensorcelé sa fille. »

Le bon vieillard Mambrès fit plus de réflexions que jamais. Il vit bien que le malin corbeau était allé tout dire au roi, et que la princesse courait grand risque d'avoir le cou coupé. Il dit au serpent : « Mon cher ami allez vite consoler la belle Amaside, ma nourrissonne ; dites-lui qu'elle ne craigne rien, quelque chose qui arrive et faites-lui des contes pour charmer son inquiétude, car les contes amusent toujours les filles, et ce n'est que par des contes qu'on réussit dans le monde. »

Puis il se prosterna devant Amasis, roi de Tanis, et lui dit « O roi ! vivez à jamais. Le taureau blanc doit être sacrifié, car Votre Majesté a toujours raison ; mais le maître des choses a dit : " Ce taureau ne doit être mangé par le poisson de Jonas qu'après que Memphis aura trouvé un dieu pour mettre à la place de son dieu qui est mort " Alors vous serez vengé, et votre fille sera exorcisée, car elle est possédée. Vous avez trop de piété pour ne pas obéir aux ordres du maître des choses. »

Amasis, roi de Tanis, resta tout pensif ; puis il dit « Le bœuf Apis est mort ; Dieu veuille avoir son âme !

Quand croyez-vous qu'on aura trouvé un autre bœuf pour régner sur la féconde Égypte ? — Sire, dit Mambrès Je ne vous demande que huit jours. » Le roi, qui était très dévot, dit : « Je les accorde, et je veux rester ici huit jours ; après quoi je sacrifierai le séducteur de ma fille. » Et il fit venir ses tentes, ses cuisiniers, ses musiciens, et resta huit jours en ce lieu, comme il est dit dans Manéthon.

La vieille était au désespoir de voir que le taureau qu'elle avait en garde n'avait plus que huit jours à vivre. Elle faisait apparaître toutes les nuits des ombres au roi pour le détourner de sa cruelle résolution. Mais le roi ne se souvenait plus le matin des ombres qu'il avait vues la nuit, de même que Nabuchodonosor avait oublié ses songes.

CHAPITRE HUITIÈME

COMMENT LE SERPENT FIT DES CONTES À LA PRINCESSE, POUR LA CONSOLER

Cependant le serpent contait des histoires à la belle Amaside pour calmer ses douleurs. Il lui disait comment il avait guéri autrefois tout un peuple de la morsure de certains petits serpents, en se montrant seulement au bout d'un bâton. Il lui apprenait les conquêtes d'un héros qui fit un si beau contraste avec Amphion, architecte de Thèbes en Béotie. Cet Amphion faisait venir les pierres de taille au son du violon : un rigodon et un menuet lui suffisaient pour bâtir une ville ; mais l'autre les détruisait au son du cornet à bouquin ; il fit pendre trente et un rois très puissants dans un canton de quatre lieues de long et de large ; il fit pleuvoir de grosses pierres du haut du ciel sur un bataillon d'ennemis fuyant devant lui ; et, les ayant ainsi exterminés, il arrêta le soleil et la lune en plein midi, pour les exterminer encore entre Gabaon et Aïalon sur le chemin de Bethoron, à l'exemple de Bacchus, qui avait arrêté le soleil et la lune dans son voyage aux Indes.

La prudence que tout serpent doit avoir ne lui permit pas de parler à la belle Amaside du puissant bâtard Jephté, qui coupa le cou à sa fille parce qu'il avait gagné une bataille ; il aurait jeté trop de terreur dans le cœur de la belle princesse ; mais il lui conta les aventures du grand Samson, qui tuait mille Philistins avec une mâchoire d'âne, qui attachait ensemble trois cents renards par la queue, et qui tomba dans les filets d'une fille moins belle, moins tendre et moins fidèle que la charmante Amaside.

Il lui racontait les amours malheureux de Sichem et de l'agréable Dina, âgée de six ans, et les amours plus fortunés de Booz et de Ruth, ceux de Juda avec sa bru Thamar, ceux de Loth avec ses deux filles qui ne voulaient pas que le monde finît, ceux d'Abraham et de Jacob avec leurs servantes, ceux de Ruben avec sa mère, ceux de David et de Bethsabée, ceux du grand roi Salomon, enfin tout ce qui pouvait dissiper la douleur d'une belle princesse.

CHAPITRE NEUVIÈME

COMMENT LE SERPENT NE LA CONSOLE POINT

« Tous ces contes-là m'ennuient, répondit la belle Amaside, qui avait de l'esprit et du goût. Ils ne sont bons que pour être commentés chez les Irlandais par ce fou d'Abbadie, ou chez les Velches par ce phrasier d'Houteville. Les contes qu'on pouvait faire à la quadrisaïeule de la quadrisaïeule de ma grand-mère ne sont plus bons pour moi, qui ai été élevée par le sage Mambrès, et qui ai lu l'*Entendement humain du* philosophe égyptien nommé Locke, et la *Matrone d'Ephèse*. Je veux qu'un conte soit fondé sur la vraisemblance, et qu'il ne ressemble pas toujours à un rêve. Je désire qu'il n'ait rien de trivial ni d'extravagant. Je voudrais surtout que, sous le voile de la fable, il laissât entrevoir aux yeux exercés quelque vérité fine qui échappe au vulgaire. Je suis lasse du soleil et de la lune dont une vieille dispose à son gré, des montagnes qui dansent, des fleuves qui remontent à leur source, et des morts qui ressuscitent ; mais surtout quand ces fadaises sont écrites d'un style ampoulé et inintelligible, cela me dégoûte horriblement. Vous sentez qu'une fille qui craint de voir avaler son amant par un gros poisson, et d'avoir elle-même le cou coupé par son propre père, a besoin d'être amusée ; mais tâchez de m'amuser selon mon goût.

— Vous m'imposez là une tâche bien difficile, répondit le serpent. J'aurais pu autrefois vous faire passer quelques quarts d'heure assez agréables ; mais j'ai perdu depuis quelque temps l'imagination et la mémoire. Hélas ! où est le temps où j'amusais les filles ! Voyons cependant si je pourrai me souvenir de quelque conte moral pour vous plaire.

« Il y a vingt-cinq mille ans que le roi Gnaof et la reine Patra étaient sur le trône de Thèbes aux cent portes. Le roi Gnaof était fort beau, et la reine Patra encore plus belle ; mais ils ne pouvaient avoir d'enfants. Le roi Gnaof proposa un prix pour celui qui enseignerait la meilleure méthode de perpétuer la race royale.

La faculté de médecine et l'académie de chirurgie firent d'excellents traités sur cette question importante : pas un ne réussit. On envoya la reine aux eaux ; elle fit des neuvaines ; elle donna beaucoup d'argent au temple de Jupiter Ammon, dont vient le sel ammoniac : tout fut inutile. Enfin un jeune prêtre de vingt-cinq ans se présenta au roi, et lui dit : « Sire, je crois savoir faire la conjuration qui opère ce que Votre Majesté désire avec tant d'ardeur. Il faut que je parle en secret à l'oreille de madame votre femme ; et, si elle ne devient féconde, je consens d'être pendu. — J'accepte votre proposition », dit le roi Gnaof. On ne laissa la reine et le prêtre qu'un quart d'heure ensemble. La reine devint grosse, et le roi voulut faire pendre le prêtre.

— Mon Dieu ! dit la princesse, je vois où cela mène : ce conte est trop commun ; je vous dirai même qu'il alarme ma pudeur. Contez-moi quelque fable bien vraie, bien avérée, et bien morale, dont je n'aie jamais entendu parler, pour achever *de me former l'esprit et le cœur*, comme dit le professeur égyptien Linro.

— En voici une, madame, dit le beau serpent, qui est des plus authentiques.

« Il y avait trois prophètes, tous trois également ambitieux et dégoûtés de leur état. Leur folie était de vouloir être rois : car il n'y a qu'un pas du rang de prophète à celui de monarque, et l'homme aspire toujours à monter tous les degrés de l'échelle de la fortune. D'ailleurs leurs goûts, leurs plaisirs, étaient absolument différents. Le premier prêchait admirablement ses frères assemblés, qui lui battaient des mains ; le second était fou de la musique, et le troisième aimait passionnément les filles. L'ange Ituriel vint se présenter à eux, un jour qu'ils étaient à table, et qu'ils s'entretenaient des douceurs de la royauté.

« Le maître des choses, leur dit l'ange, m'envoie vers vous pour récompenser votre vertu. Non seulement vous serez rois, mais vous satisferez continuellement vos passions dominantes. Vous, premier prophète, je vous fais roi d'Égypte, et vous tiendrez toujours votre conseil, qui applaudira à votre éloquence et à votre sagesse. Vous, second prophète, vous régnerez sur la Perse, et vous entendrez continuellement une musique divine. Et vous, troisième prophète, je vous fais roi de l'Inde, et je vous donne une maîtresse charmante, qui ne vous quittera jamais. »

« Celui qui eut l'Égypte en partage commença par assembler son conseil privé, qui n'était composé que de deux cents sages. Il leur fit, selon l'étiquette, un long discours, qui fut très applaudi, et le monarque goûta la douce satisfaction de s'enivrer de louanges qui n'étaient corrompues par aucune flatterie.

« Le conseil des affaires étrangères succéda au conseil privé. Il fut beaucoup plus nombreux ; et un nouveau discours reçut encore plus d'éloges. Il en fut de même des autres conseils. Il n'y eut pas un moment de relâche aux plaisirs et à la gloire du prophète roi d'Égypte. Le bruit de son éloquence remplit toute la terre.

« Le prophète roi de Perse commença par se faire donner un opéra italien dont les chœurs étaient chantés par quinze cents châtrés. Leurs voix lui remuaient l'âme jusqu'à la moelle des os, où elle réside. A cet opéra en succédait un autre, et à ce second un troisième, sans interruption.

« Le roi de l'Inde s'enferma avec sa maîtresse, et goûta une volupté parfaite avec elle. Il regardait comme le souverain bonheur la nécessité de la caresser toujours, et il plaignait le triste sort de ses deux confrères, dont l'un était réduit à tenir toujours son conseil, et l'autre à être toujours à l'opéra.

« Chacun d'eux, au bout de quelques jours, entendit par la fenêtre des bûcherons qui sortaient d'un cabaret pour aller couper du bois dans la forêt voisine, et qui tenaient sous le bras leurs douces amies dont ils pouvaient changer à volonté. Nos rois prièrent Ituriel de vouloir bien intercéder pour eux auprès du maître des choses, et de les faire bûcherons.

— Je ne sais pas, interrompit la tendre Amaside, si le maître des choses leur accorda leur requête, et je ne m'en soucie guère ; mais je sais bien que je ne demanderais rien à personne si j'étais enfermée tête à tête avec mon amant, avec mon cher Nabuchodonosor. »

Les voûtes du palais retentirent de ce grand nom. D'abord Amaside n'avait prononcé que Na, ensuite Nabu, puis Nabucho ; mais, à la fin, la passion l'emporta, elle prononça le nom fatal tout entier, malgré le serment qu'elle avait fait au roi son père. Toutes les dames du palais répétèrent Nabuchodonosor, et le malin corbeau ne manqua pas d'en aller avertir le roi. Le visage d'Amasis, roi de Tanis, fut troublé, parce que son cœur était plein de trouble. Et voilà comment le serpent, qui était le plus prudent et le plus subtil des animaux, faisait toujours du mal aux femmes en croyant bien faire.

Or Amasis en courroux envoya sur-le-champ chercher sa fille Amaside par douze de ses alguazils, qui
sont toujours prêts à exécuter toutes les barbaries que
le roi commande, et qui disent pour raison : « Nous
sommes payés pour cela. »

CHAPITRE DIXIÈME

COMMENT ON VOULUT COUPER LE COU À LA PRINCESSE, ET COMMENT ON NE LE LUI COUPA POINT

Dès que la princesse fut arrivée toute tremblante au
camp du roi son père, il lui dit « Ma fille, vous savez
qu'on fait mourir toutes les princesses qui déso-
béissent aux rois leurs pères, sans quoi un royaume
ne pourrait être bien gouverné. Je vous avais défendu
de proférer le nom de votre amant Nabuchodonosor,
mon ennemi mortel, qui m'avait détrôné, il y a bientôt sept ans, et qui a disparu de la terre. Vous avez
choisi à sa place un taureau blanc, et vous avez crié
Nabuchodonosor ! Il est juste que je vous coupe le
cou. »

La princesse lui répondit : « Mon père, soit fait
selon votre volonté mais donnez-moi du temps pour
pleurer ma virginité. — Cela est juste, dit le roi Amasis ; c'est une loi établie chez tous les princes éclairés
et prudents. Je vous donne toute la journée pour pleurer votre virginité, puisque vous dites que vous l'avez.
Demain, qui est le huitième jour de mon campement,
je ferai avaler le taureau blanc par le poisson, et je
vous couperai le cou à neuf heures du matin. »

La belle Amaside alla donc pleurer le long du Nil,
avec ses dames du palais, tout ce qui lui restait de virginité. Le sage Mambrès réfléchissait à côté d'elle, et
comptait les heures et les moments. « Eh bien ! mon
cher Mambrès, lui dit-elle, vous avez changé les eaux
du Nil en sang, selon la coutume, et vous ne pouvez
changer le cœur d'Amasis mon père, roi de Tanis !
Vous souffrirez qu'il me coupe le cou demain à neuf

heures du matin ? — Cela dépendra, répondit le réfléchissant Mambrès, de la diligence de mes courriers. »

Le lendemain, dès que les ombres des obélisques et
des pyramides marquèrent sur la terre la neuvième
heure du jour, on lia le taureau blanc pour le jeter au
poisson de Jonas, et on apporta au roi son grand
sabre. Hélas ! hélas ! disait Nabuchodonosor dans le
fond de son cœur, moi, le roi, je suis bœuf depuis près
de sept ans, et à peine j'ai retrouvé ma maîtresse
qu'on me fait manger par un poisson. »

Jamais le sage Mambrès n'avait fait des réflexions
si profondes. Il était absorbé dans ses tristes pensées,
lorsqu'il vit de loin tout ce qu'il attendait. Une foule
innombrable approchait. Les trois figures d'Isis,
d'Osiris, et d'Horus, unies ensemble, avançaient por-
tées sur un brancard d'or et de pierreries par cent
sénateurs de Memphis, et précédées de cent filles
jouant du sistre sacré. Quatre mille prêtres, la tête
rasée et couronnée de fleurs, étaient montés chacun
sur un hippopotame. Plus loin paraissaient dans la
même pompe la brebis de Thèbes, le chien de
Bubaste, le chat de Phœbé, le crocodile d'Arsinoé, le
bouc de Mendès, et tous les dieux inférieurs de
l'Égypte, qui venaient rendre hommage au grand
bœuf, au grand dieu Apis, aussi puissant qu'Isis, Osiris, et Horus, réunis ensemble.

Au milieu de tous ces demi-dieux, quarante prêtres
portaient une énorme corbeille remplie d'oignons
sacrés, qui n'étaient pas tout à fait des dieux, mais qui
leur ressemblaient beaucoup.

Aux deux côtés de cette file de dieux suivis d'un
peuple innombrable, marchaient quarante mille guerriers, le casque en tête, le cimeterre sur la cuisse
gauche, le carquois sur l'épaule, l'arc à la main.

Tous les prêtres chantaient en chœur, avec une har-
monie qui élevait l'âme et qui l'attendrissait :

> Notre bœuf est au tombeau,
> Nous en aurons un plus beau.

Et, à chaque pause, on entendait résonner les

sistres, les castagnettes, les tambours de basque, les psaltérions, les cornemuses, les harpes, et les sambuques.

CHAPITRE ONZIÈME

COMMENT LA PRINCESSE ÉPOUSA SON BŒUF

Amasis, roi de Tanis, surpris de ce spectacle, ne coupa point le cou à sa fille : il remit son cimeterre dans son fourreau. Mambrès lui dit : « Grand roi ! l'ordre des choses est changé; il faut que Votre Majesté donne l'exemple. O roi ! déliez vous-même promptement le taureau blanc, et soyez le premier à l'adorer. » Amasis obéit, et se prosterna avec tout son peuple. Le grand prêtre de Memphis présenta au nouveau bœuf Apis la première poignée de foin. La princesse Amaside attachait à ses belles cornes des festons de roses, d'anémones, de renoncules, de tulipes, d'œillets, et d'hyacinthes. Elle prenait la liberté de le baiser, mais avec un profond respect. Les prêtres jonchaient de palmes et de fleurs le chemin par lequel on le conduisait à Memphis. Et le sage Mambrès, faisant toujours ses réflexions, disait tout bas à son ami le serpent : « Daniel a changé cet homme en bœuf, et j'ai changé ce bœuf en dieu. »

On s'en retournait à Memphis dans le même ordre. Le roi de Tanis, tout confus, suivait la marche. Mambrès, l'air serein et recueilli, était à son côté. La vieille suivait tout émerveillée; elle était accompagnée du serpent, du chien, de l'ânesse, du corbeau, de la colombe, et du bouc émissaire. Le grand poisson remontait le Nil. Daniel, Ezéchiel, et Jérémie, transformés en pies, fermaient la marche.

Quand on fut arrivé aux frontières du royaume, qui n'étaient pas fort loin, le roi Amasis prit congé du bœuf Apis, et dit à sa fille : « Ma fille, retournons dans nos États, afin que je vous y coupe le cou, ainsi qu'il a été résolu dans mon cœur royal, parce que vous avez prononcé le nom de Nabuchodonosor, mon ennemi, qui m'avait détrôné il y a sept ans. Lorsqu'un père a juré de couper le cou à sa fille, il faut qu'il accomplisse son serment, sans quoi il est précipité pour jamais dans les enfers, et je ne veux pas me damner pour l'amour de vous. « La belle princesse répondit en ces mots au roi Amasis : « Mon cher père, allez couper le cou à qui vous voudrez ; mais ce ne sera pas à moi. Je suis sur les terres d'Isis, d'Osiris, d'Horus, et d'Apis ; je ne quitterai point mon beau taureau blanc ; je le baiserai tout le long du chemin, jusqu'à ce que j'aie vu son apothéose dans la grande écurie de la sainte ville de Memphis : c'est une faiblesse pardonnable à une fille bien née. »

A peine eut-elle prononcé ces paroles que le bœuf Apis s'écria : « Ma chère Amaside, je t'aimerai toute ma vie ! » C'était pour la première fois qu'on avait entendu parler Apis en Égypte depuis quarante mille ans qu'on l'adorait. Le serpent et l'ânesse s'écrièrent : « Les sept années sont accomplies ! » et les trois pies répétèrent : « Les sept années sont accomplies ! » Tous les prêtres d'Égypte levèrent les mains au ciel. On vit tout d'un coup le dieu perdre ses deux jambes de derrière ; ses deux jambes de devant se changèrent en deux jambes humaines ; deux beaux bras charnus, musculeux et blancs, sortirent de ses épaules ; son mufle de taureau fit place au visage d'un héros charmant ; il redevint le plus bel homme de la terre, et dit : « J'aime mieux être l'amant d'Amaside que dieu. Je suis Nabuchodonosor, roi des rois. »

Cette nouvelle métamorphose étonna tout le monde, hors le réfléchissant Mambrès. Mais, ce qui ne surprit personne, c'est que Nabuchodonosor épousa sur-le-champ la belle Amaside en présence de cette grande assemblée.

Il conserva le royaume de Tanis à son beau-père, et fit de belles fondations pour l'ânesse, le serpent, le chien, la colombe, et même pour le corbeau, les trois pies et le gros poisson ; montrant à tout l'univers qu'il

savait pardonner comme triompher. La vieille eut une
grosse pension. Le bouc émissaire fut envoyé pour un
jour dans le désert, afin que tous les péchés passés
fussent expiés; après quoi, on lui donna douze
chèvres pour sa récompense. Le sage Mambrès
retourna dans son palais faire des réflexions. Nabuchodonosor, après l'avoir embrassé, gouverna tranquillement le royaume de Memphis, celui de Babylone, de Damas, de Balbec, de Tyr, la Syrie, l'Asie
Mineure, la Scythie, les contrées de Chiraz, de Mosok,
du Tubal, de Madaï, de Gog, de Magog, de Javan, la
Sogdiane, la Bactriane, les Indes, et les îles.

Les peuples de cette vaste monarchie criaient tous
les matins : « Vive le grand Nabuchodonosor, roi des
rois, qui n'est plus bœuf! » Et depuis ce fut une coutume dans Babylone que toutes les fois que le souverain, ayant été grossièrement trompé par ses satrapes,
ou par ses mages, ou par ses trésoriers, ou par ses
femmes, reconnaissait enfin ses erreurs, et corrigeait
sa mauvaise conduite, tout le peuple criait à sa porte :
« Vive notre grand roi, qui n'est plus bœuf! »

LE CROCHETEUR BORGNE

Nos deux yeux ne rendent pas notre condition meilleure ; l'un nous sert à voir les biens, et l'autre les maux de la vie. Bien des gens ont la mauvaise habitude de fermer le premier, et bien peu ferment le second ; voilà pourquoi il y a tant de gens qui aimeraient mieux être aveugles que de voir tout ce qu'ils voient. Heureux les borgnes qui ne sont privés que de ce mauvais œil qui gâte tout ce qu'on regarde ! Mesrour en est un exemple.

Il aurait fallu être aveugle pour ne pas voir que Mesrour était borgne. Il l'était de naissance, mais c'était un borgne si content de son état qu'il ne s'était jamais avisé de désirer un autre œil. Ce n'étaient point les dons de la fortune qui le consolaient des torts de la nature, car il était simple crocheteur, et n'avait d'autre trésor que ses épaules ; mais il était heureux, et il montrait qu'un œil de plus et de la peine de moins contribuent bien peu au bonheur. L'argent et l'appétit lui venaient toujours en proportion de l'exercice qu'il faisait ; il travaillait le matin, mangeait et buvait le soir, dormait la nuit, et regardait tous ses jours comme autant de vies séparées, en sorte que le soin de l'avenir ne le troublait jamais dans la jouissance du présent. Il était (comme vous le voyez) tout à la fois borgne, crocheteur, et philosophe.

Il vit par hasard passer dans un char brillant une grande princesse qui avait un œil de plus que lui, ce qui ne l'empêcha pas de la trouver fort belle, et, comme les borgnes ne diffèrent des autres hommes qu'en ce qu'ils ont un œil de moins, il en devint éperdument amoureux. On dira peut-être que, quand on est crocheteur et borgne, il ne faut point être amoureux, surtout d'une grande princesse, et, qui plus est, d'une princesse qui a deux yeux. Je conviens qu'on a bien à craindre de ne pas plaire ; cependant, comme il n'y a point d'amour sans espérance, et que notre crocheteur aimait, il espéra.

Comme il avait plus de jambes que d'yeux, et qu'elles étaient bonnes, il suivit l'espace de quatre lieues le char de sa déesse, que six grands chevaux blancs traînaient avec une grande rapidité. La mode dans ce temps-là, parmi les dames, était de voyager sans laquais et sans cocher, et de se mener elles-mêmes. Les maris voulaient qu'elles fussent toujours toutes seules afin d'être plus sûrs de leur vertu, ce qui est directement opposé au sentiment des moralistes, qui disent qu'il n'y a point de vertu dans la solitude.

Mesrour courait toujours à côté des roues du char, tournant son bon œil du côté de la dame, qui était étonnée de voir un borgne de cette agilité. Pendant qu'il prouvait ainsi qu'on est infatigable pour ce qu'on aime, une bête fauve, poursuivie par des chasseurs, traversa le grand chemin et effraya les chevaux, qui, ayant pris le mors aux dents, entraînaient la belle dans un précipice. Son nouvel amant, plus effrayé encore qu'elle, quoiqu'elle le fût beaucoup, coupa les traits avec une adresse merveilleuse. Les six chevaux blancs firent seuls le saut périlleux, et la dame, qui n'était pas moins blanche qu'eux, en fut quitte pour la peur. « Qui que vous soyez, lui dit-elle, je n'oublierai jamais que je vous dois la vie ; demandez-moi tout ce que vous voudrez ; tout ce que j'ai est à vous. — Ah ! je puis avec bien plus de raison, répondit Mesrour, vous en offrir autant ; mais, en vous l'offrant, je vous en offrirai toujours moins : car je n'ai qu'un œil, et vous en avez deux ; mais un œil qui vous regarde vaut mieux que deux yeux qui ne voient point les vôtres. »

La dame sourit, car les galanteries d'un borgne sont toujours des galanteries; et les galanteries font toujours sourire. « Je voudrais bien pouvoir vous donner un autre œil, lui dit-elle, mais votre mère pouvait seule vous faire ce présent-là; suivez-moi toujours. » A ces mots elle descend de son char et continue sa route à pied; son petit chien descendit aussi, et marchait à pied à côté d'elle, aboyant après l'étrange figure de son écuyer. J'ai tort de lui donner le titre d'écuyer, car il eut beau offrir son bras, la dame ne voulut jamais l'accepter, sous prétexte qu'il était trop sale; et vous allez voir qu'elle fut la dupe de sa propreté. Elle avait de fort petits pieds, et des souliers encore plus petits que ses pieds, en sorte qu'elle n'était ni faite ni chaussée de manière à soutenir une longue marche. De jolis pieds consolent d'avoir de mauvaises jambes, lorsqu'on passe sa vie sur sa chaise longue au milieu d'une foule de petits-maîtres; mais à quoi servent des souliers brodés en paillettes dans un chemin pierreux, où ils ne peuvent être vus que par un crocheteur, et encore par un crocheteur qui n'a qu'un œil?

Mélinade (c'est le nom de la dame, que j'ai eu mes raisons pour ne pas dire jusqu'ici, parce qu'il n'était pas encore fait) avançait comme elle pouvait, maudissant son cordonnier, déchirant ses souliers, écorchant ses pieds, et se donnant des entorses à chaque pas. Il y avait environ une heure et demie qu'elle marchait du train des grandes dames, c'est-à-dire qu'elle avait déjà fait près d'un quart de lieue, lorsqu'elle tomba de fatigue sur la place.

Le Mesrour, dont elle avait refusé les secours pendant qu'elle était debout, balançait à les lui offrir, dans la crainte de la salir en la touchant: car il savait bien qu'il n'était pas propre, la dame le lui avait assez clairement fait entendre, et la comparaison qu'il avait faite en chemin entre lui et sa maîtresse le lui avait fait voir encore plus clairement. Elle avait une robe d'une légère étoffe d'argent, semée de guirlandes de fleurs, qui laissait briller la beauté de sa taille; et lui

avait un sarrau brun, taché en mille endroits, troué, et
rapiécé en sorte que les pièces étaient à côté des
trous, et point dessus, où elles auraient pourtant été
plus à leur place ; il avait comparé ses mains ner-
veuses et couvertes de durillons avec deux petites
mains plus blanches et plus délicates que les lis ; enfin
il avait vu les beaux cheveux blonds de Mélinade, qui
paraissaient à travers un léger voile de gaze, relevés
les uns en tresse et les autres en boucles, et il n'avait à
mettre à côté de cela que des crins noirs, hérissés, cré-
pus, et n'ayant pour tout ornement qu'un turban
déchiré.

Cependant Mélinade essaye de se relever, mais elle
retombe bientôt, et si malheureusement que ce qu'elle
laissa voir à Mesrour lui ôta le peu de raison que la
vue du visage de la princesse avait pu lui laisser. Il
oublia qu'il était crocheteur, qu'il était borgne, et il ne
songea plus à la distance que la fortune avait mise
entre Mélinade et lui ; à peine se souvint-il qu'il était
amant, car il manqua à la délicatesse qu'on dit insé-
parable d'un véritable amour, et qui en fait quelquefois le charme, et, plus souvent, l'ennui ; il se servit
des droits que son état de crocheteur lui donnait à la
brutalité, il fut brutal et heureux. La princesse alors
était sans doute évanouie, ou bien elle gémissait sur
son sort ; mais, comme elle était juste, elle bénissait
sûrement le destin de ce que toute infortune porte
avec elle sa consolation.

La nuit avait étendu ses voiles sur l'horizon, et elle
cachait de son ombre le véritable bonheur de Mesrour, et les prétendus malheurs de Mélinade ; Mesrour goûtait les plaisirs des parfaits amants, et il les
goûtait en crocheteur, c'est-à-dire (à la honte de
l'humanité) de la manière la plus parfaite ; les fai-
blesses de Mélinade lui reprenaient à chaque instant,
et à chaque instant son amant reprenait des forces.
Puissant Mahomet, dit-il une fois en homme transporté, mais en mauvais catholique, il ne manque à ma
félicité que d'être sentie par celle qui la cause ; pendant que je suis dans ton paradis, divin prophète,

accorde-moi encore une faveur, c'est d'être aux yeux de Mélinade ce qu'elle serait à mon œil s'il faisait jour » ; il finit de prier, et continua de jouir. L'aurore, toujours trop diligente pour les amants, surprit Mesrour et Mélinade dans l'attitude où elle aurait pu être surprise elle-même un moment auparavant avec Tithon. Mais quel fut l'étonnement de Mélinade quand, ouvrant les yeux aux premiers rayons du jour, elle se vit dans un lieu enchanté, avec un jeune homme d'une taille noble, dont le visage ressemblait à l'astre dont la terre attendait le retour ! Il avait des joues de rose, des lèvres de corail ; ses grands yeux tendres et vifs tout à la fois exprimaient et inspiraient la volupté ; son carquois d'or, orné de pierreries, était suspendu à ses épaules, et le plaisir faisait seul sonner ses flèches ; sa longue chevelure, retenue par une attache de diamants, flottait librement sur ses reins, et une étoffe transparente, brodée de perles, lui servait d'habillement, et ne cachait rien de la beauté de son corps. « Où suis-je, et qui êtes-vous ? s'écria Mélinade dans l'excès de sa surprise. — Vous êtes, répondit-il, avec le misérable qui a eu le bonheur de vous sauver la vie, et qui s'est si bien payé de ses peines. » Mélinade, aussi aise qu'étonnée, regretta que la métamorphose de Mesrour n'eût pas commencé plus tôt. Elle s'approche d'un palais brillant qui frappait sa vue, et lit cette inscription sur la porte : « Éloignez-vous, profanes ; ces portes ne s'ouvriront que pour le maître de l'anneau. »

Mesrour s'approche à son tour pour lire la même inscription ; mais il vit d'autres caractères, et lut ces mots : « Frappe sans crainte. » Il frappa, et aussitôt les portes s'ouvrirent d'elles-mêmes avec un grand bruit. Les deux amants entrèrent, au son de mille voix et de mille instruments, dans un vestibule de marbre de Paros ; de là ils passèrent dans une salle superbe, où un festin délicieux les attendait depuis douze cent cinquante ans, sans qu'aucun des plats fût encore refroidi : ils se mirent à table et furent servis chacun par mille esclaves de la plus grande beauté ; le repas fut entremêlé de concerts et de danses; et, quand il fut fini, tous les génies vinrent dans le plus grand ordre, partagés en différentes troupes, avec des habits aussi magnifiques que singuliers, prêter serment de fidélité au maître de l'anneau, et baiser le doigt sacré auquel il le portait.

Cependant il y avait à Bagdad un musulman fort dévot qui, ne pouvant aller se laver dans la mosquée, faisait venir l'eau de la mosquée chez lui, moyennant une légère rétribution qu'il payait au prêtre. Il venait de faire la cinquième ablution, pour se disposer à la cinquième prière, et sa servante, jeune étourdie très peu dévote, se débarrassa de l'eau sacrée en la jetant par la fenêtre. Elle tomba sur un malheureux endormi profondément au coin d'une borne qui lui servait de chevet. Il fut inondé, et s'éveilla. C'était le pauvre Mesrour, qui, revenant de son séjour enchanté, avait perdu dans son voyage l'anneau de Salomon. Il avait quitté ses superbes vêtements, et repris son sarrau; son beau carquois d'or était changé en crochets de bois, et il avait, pour comble de malheur, laissé un de ses yeux en chemin. Il se ressouvint alors qu'il avait bu la veille une grande quantité d'eau-de-vie qui avait assoupi ses sens et échauffé son imagination. Il avait jusque-là aimé cette liqueur par goût, il commença à l'aimer par reconnaissance, et il retourna avec gaieté à son travail, bien résolu d'en employer le salaire à acheter les moyens de retrouver sa chère Mélinade. Un autre se serait désolé d'être un vilain borgne, après avoir eu deux beaux yeux; d'éprouver les refus des balayeuses du palais, après avoir joui des faveurs d'une princesse plus belle que les maîtresses du calife, et d'être au service de tous les bourgeois de Bagdad, après avoir régné sur tous les génies; mais Mesrour n'avait point l'œil qui voit le mauvais côté des choses.

TABLE DES MATIÈRES

IMPRIMÉ EN FRANCE PAR BRODARD ET TAUPIN
Usine de La Flèche (Sarthe), le 14-08-1998
048/98 – Dépôt légal, septembre 1998